Marcel Reich-Ranicki gehört zu den besten Kennern der an herausragenden Begabungen und Persönlichkeiten reichen Familie Mann. »Aber so glücklich wir sein müssen, daß es diese einzigartige Familie gibt, so aufschlußreich, so faszinierend ihre Geschichte ist, so wenig brauchen wir (und die Manns) einen Hofberichterstatter.« Von einem solchen freilich ist Reich-Ranicki weit entfernt. »Entmonumentalisierung« heißt vielmehr sein Gebot. Gerade wer über Thomas Mann schreibt, »der, allen Interpreten mißtrauend, die Deutung seines Lebens und seines Werkes schon früh in die eigenen Hände genommen hat«, kann die Aufgabe nur erfüllen, »wenn sie aus der direkten oder indirekten Polemik gegen sein Autoporträt hervorgeht.« Was Reich-Ranicki über Golo Mann schreibt, der sich »nur mit oder gegen, doch nicht ohne Thomas Mann entfalten konnte«, gilt für alle Mitglieder der Familie, in höherem Maße für die Söhne Golo und Klaus, in geringerem für die Tochter Erika, möglicherweise sogar noch für den Bruder Heinrich. In ihm finden wir die zweite charakterliche und künstlerische Autorität, den einzigen Widerpart, mit dem oder gegen den auch Thomas Mann sich nur entfalten konnte.

Die Gegensätze und Abhängigkeiten, die Kämpfe und der Zusammenhalt der Familie werden von Reich-Ranicki in biographischen und literaturkritischen Studien, vor allem aber vor dem Hintergrund der Tagebücher und Korrespondenzen untersucht.

Marcel Reich-Ranicki, der 1920 geboren wurde, war von 1960 bis 1973 ständiger Literaturkritiker der Wochenzeitung ›Die Zeit‹ und leitete von 1973 bis 1988 die Literaturredaktion der ›Frankfurter Allgemeinen Zeitung‹. Er hat an amerikanischen Universitäten sowie in Stockholm und Uppsala gelehrt und ist seit 1974 Honorarprofessor an der Universität Tübingen. Heute ist er primus inter pares des regelmäßig vom ZDF gesendeten ›Literarischen Quartetts‹.
Im Fischer Taschenbuch Verlag sind außerdem von Marcel Reich-Ranicki lieferbar: ›Wer schreibt, provoziert‹ (Bd. 11395), ›Thomas Bernhard. Aufsätze und Reden‹ (Bd. 11396), ›Max Frisch. Aufsätze‹ (Bd. 11397), ›Zwischen Diktatur und Literatur. Ein Gespräch mit Joachim Fest‹ (Bd. 12097) und ›Günter Grass. Aufsätze‹ (Bd. 12254).

Marcel Reich-Ranicki

Thomas Mann
und die Seinen

Fischer Taschenbuch Verlag

18.–21. Tausend: Juni 1994

Veröffentlicht im Fischer Taschenbuch Verlag GmbH,
Frankfurt am Main, November 1990

Lizenzausgabe mit freundlicher Genehmigung
der Deutschen Verlags-Anstalt GmbH, Stuttgart
© 1987 Deutsche Verlags-Anstalt GmbH, Stuttgart
Umschlaggestaltung: Buchholz / Hinsch / Hensinger
Druck und Bindung: Clausen & Bosse, Leck
Printed in Germany
ISBN 3-596-26951-2

Gedruckt auf chlor- und säurefreiem Papier

Für T. R.-R.

Was nicht originell ist, daran ist nichts
gelegen, und was originell ist, trägt immer
die Gebrechen des Individuums an sich.

Goethe

INHALT

Die Geschäfte des Großschriftstellers

Ist es schon so weit, gibt es die von manchen seit Jahren gewünschte Thomas-Mann-Renaissance? Allerlei Zeichen, die darauf hinzudeuten scheinen – von Viscontis »Tod in Venedig«-Verfilmung bis zu Benjamin Brittens neuer Oper –, kommen freilich aus dem Ausland. Aber es wäre nicht das erste Mal, daß hierzulande das erneute Interesse für einen großen deutschen Schriftsteller oder gar seine Wiederentdeckung durch Impulse ausgelöst wird, die von Paris oder Rom, London oder New York ausgehen. So war es ja, um gleich das bekannteste Beispiel anzuführen, in den fünfziger Jahren mit Kafka, so in den sechzigern, also in einer anderen literarischen Situation, mit Hermann Hesse.

Dabei sind die Ursachen der eher außerhalb des deutschen Sprachraums bemerkbaren Hinwendung zum Werk Thomas Manns schwer auszumachen: Sie mögen zu einem Teil mit jenem zwielichtigen Phänomen zusammenhängen, das sich nicht ganz ernst nehmen und gleichwohl nicht ignorieren läßt und das man mit dem Schlagwort »Nostalgiewelle« zu bezeichnen pflegt. Was sich dahinter verbirgt, ist vermutlich nichts anderes als, kurz gesagt, die Sehnsucht nach einer im Gegensatz zum Heutigen stehenden Welt, nach dem verlorenen Paradies, das allerdings nie ein Paradies war. Ein vollkommenes, in sich geschlossenes episches Universum, das, mit größter Liebe gezeichnet und mit schärfstem Kritizismus beglaubigt, als eine derartige Kontrastwelt aufgefaßt werden kann, haben wohl nur zwei Romanciers unseres Jahrhunderts zu bieten: Marcel Proust und eben er, Thomas Mann.

Indes kommt es weniger auf die Umstände an, die diesen Rezeptionsprozeß ausgelöst haben, als vor allem auf die Resultate, zu denen er führen kann und führen sollte. Mit anderen Worten: Es ist nicht sehr wichtig, warum Thomas Mann neuerdings wieder Mode wird – auch Zufälle können hier im Spiel sein –, wenn sich daraus nur eine intensivere Beschäftigung mit seinem Werk ergibt und dies zur Revision mancher Urteile und Vorurteile beiträgt.

Von dem Schriftsteller Gustav Aschenbach im »Tod in Venedig« (1912) heißt es, er habe »gelernt, von seinem Schreibtisch aus zu repräsentieren, seinen Ruhm zu verwalten, in einem Briefsatz, der kurz sein mußte (denn viele Ansprüche dringen auf den Erfolgreichen, den Vertrauenswürdigen ein), gütig und bedeutend zu sein«. Wenige Jahre später, 1916, schreibt Thomas Mann an Ernst Bertram, daß er das Verhängnis Deutschlands »längst in meinem Bruder und mir symbolisiert und personifiziert sehe«.[1] Was sich damals schon unmißverständlich ankündigte, kam in der Zeit der Weimarer Republik – es ließe sich mit vielen Zitaten belegen – vollends zum Vorschein: Thomas Mann war überzeugt, den deutschen Geist im umfassendsten Sinne zu personifizieren und zusammen mit seinem eigenen Ruhm auch jenen der Nation zu verwalten.

Dieses Bewußtsein der von ihm konsequent angestrebten, bisweilen gewiß als Last empfundenen, doch viel häufiger als grandiose Auszeichnung und stolze Lebensaufgabe verstandenen Repräsentanz hat einen großen Teil seiner bisher publizierten Briefe aus den Jahren nach dem Ersten Weltkrieg und erst recht nach 1933 geprägt. Ja, sogar in seiner Korrespondenz mit den nächsten Angehörigen, etwa mit dem Bruder Heinrich oder mit der Tochter Erika, scheint er die nationale und epochale Rolle, die er so virtuos zu spielen wußte, nie ganz vergessen zu können.

So fühlte sich Thomas Mann, wie er es seinem Geschöpf Gustav Aschenbach mit leiser Ironie nachgesagt hatte, verpflichtet, womöglich immer »gütig und bedeutend zu sein«. Es liegt nahe, sich darüber lustig zu machen. Aber ihm dies verübeln, hieße bedauern, daß er Hunderte, wenn nicht vielleicht Tausende von Briefen verfaßt hat, die zum Besten gehören, was in deutscher Sprache, jedenfalls in unserem Jahrhundert, geschrieben wurde.

Doch hatte diese Korrespondenz gleichzeitig zur Folge, was sich wohl gar nicht verhindern ließ: Indem sie stets aufs neue den Klassiker und den Olympier, den genialen Zeitgenossen und den bürgerlichen Dichterfürsten, den souveränen Repräsentanten der deutschen Nation und der europäischen Kultur ins Blickfeld rückte, suggerierte sie der Leserschaft ein überaus feierliches, ein würdevoll-mächtiges Thomas-Mann-Bild, dessen Umrisse, befürchte ich, längst erstarrt sind. Während man aus Kafka ein Mysterium gemacht hat, wurde aus Thomas Mann ein Monument. Während jenen die Dunkelheit gefährdet, bedroht diesen das Museale – und ich weiß nicht, was schlimmer ist. Das dringlichste Gebot scheint daher in dem einen Fall die Entmystifizierung und in dem anderen die Entmonumentalisierung. Hierbei kann ein Buch behilflich sein, das gerade im rechten Augenblick erschienen ist: Thomas Manns Briefwechsel mit seinem Verleger Bermann Fischer.[2]

Der erste Eindruck mag etwas enttäuschend sein: Mit den Briefen Thomas Manns an Bertram oder an Heinrich Mann oder gar mit jenen, die zwischen 1961 und 1965 von Erika Mann in drei umfangreichen Bänden herausgegeben wurden, läßt sich dieses Buch kaum vergleichen. Gewiß, das vollendete stilistische Raffinement, das die früher ver-öffentlichte Korrespondenz in geradezu verschwenderi-scher Fülle offerierte, ist auch hier bemerkbar, aber doch nur gelegentlich. An Äußerungen und Reflexionen über literarische, zeitgeschichtliche und sonstige allgemeinere Fragen mangelt es nicht, nur sind sie auffallend knapp und wiederholen oft, was man schon in den Schriften Thomas Manns und auch in seinen Briefen an andere Adressaten ausführlicher und genauer gelesen hatte.

Wer Meisterwerke der Epistolographie erwartet, wird nicht auf seine Rechnung kommen. Geniales läßt sich in dieser Sammlung nicht finden – und eben deshalb ist sie, mag es auch paradox klingen, so aufschlußreich, so wertvoll. Denn im Unterschied zu sehr vielen Briefen Thomas Manns sind die hier gedruckten weder für die Mitwelt noch für die Nachwelt bestimmt, sondern tatsächlich nur für den Verleger Bermann Fischer. Es handelt sich um gewöhnliche Geschäftsbriefe, und sie bleiben es offensichtlich auch dann, wenn Mann (meist rasch und doch nur am Rande) Persönliches einbezieht oder beschreibt. Immer will er etwas Konkretes erledigen, auch die Verweise auf Privates sollen in der Regel nur die beruflichen Vorschläge oder Wünsche unterstützen.

Da also sachliche Mitteilungen und Fragen, nachdrückliche Beanstandungen und trockene Darlegungen dominieren, da Wiederholungen sich in einer derartigen Korrespondenz von selbst verstehen und überdies vieles besprochen wird, was uns heute beim besten Willen nicht interessieren kann, erfordert die Lektüre mancher Teile des Briefwechsels einige Geduld. Aber er dokumentiert gerade die Aspekte des Porträts und der Biographie Thomas Manns, die bisher zu kurz gekommen waren: Der Alltag des professionellen Schriftstellers wird sichtbar. Dank dieser, zugegeben, überaus profanen Dimension verliert das Bild des literarischen Würdenträgers viel von seiner Klassizität, von seinem Pathos, und es gewinnt zugleich an Wahrhaftigkeit und Anschaulichkeit, an barer Menschlichkeit: Die Einschüchterung läßt nach, die Annäherung wird möglich.

So zeigen die Briefe, daß derjenige, der von Robert Musil ein »Großschriftsteller« genannt wurde, zugleich eine Art Großkaufmann war, der seine mitunter komplizierten geschäftlichen Angelegenheiten nüchtern und umsichtig zu überwachen wußte: Streitbar pochte er auf sein Recht, hartnäckig überprüfte er die Abrechnungen, stets nach Fehlern und Irrtümern ausspähend. Auch die geringsten Unklarheiten riefen sein nicht immer unbegründetes Mißtrauen hervor.

Befürchtete etwa Thomas Mann, daß der Schwiegersohn und Nachfolger Samuel Fischers, der seit 1928 als Geschäftsführer des berühmten Verlages tätige Gottfried Bermann Fischer, ihn, den in den Jahren der Emigration (und natürlich auch später) prominentesten Autor des Hauses, schlechterdings übervorteilen wollte? Aber sicher. In einem 1954 an Bermann Fischer gerichteten Brief sagte er ohne Umschweife, daß er »die psychologische Mischung von wahrer Anhänglichkeit und der Neigung, mich übers Ohr zu hauen, bei einem Geschäftsmann jetzt wohl für möglich halte«. Damit aber hatte der Neunundsiebzigjährige nur ausgesprochen, was seiner Korrespondenz oft genug zu entnehmen war: »Von Geld ist allzuwenig zwischen uns die Rede...« – warnte er seinen Verleger 1938. Und: »Ich kann nur wiederholen, was ich schon in meinen Briefen aus Californien andeutete: daß es schön wäre, wenn Sie auch an meine geschäftlichen Interessen etwas dächten und auf diese Dinge von sich aus zu sprechen kämen, statt mir die Rolle des Fordernden und Drängenden zu überlassen.«

Unwillig und verärgert äußerte er sich 1946 »über die Unbegreiflichkeiten, die alles Vertrauen erschütternde Unordnung und Unstimmigkeit in unseren geschäftlichen Beziehungen«. Er habe »sich in guten, unbedingt zuverlässigen Händen« geglaubt und sehe nun, »daß dies nicht der Fall ist«. Als ihm die Herabsetzung des Honorars für eine Auslandsausgabe »eine einseitige Maßnahme Ihrerseits« schien, fragte er ganz ungeniert: »Haben Sie einen Zustimmungsbrief von mir bei Ihren Akten? Dann möchte ich ihn

sehen, denn ich bin einfach mißtrauisch geworden gegen
die geschäftliche Behandlung, die Sie mir angedeihen lassen.«

Mit zunehmendem Alter wurde Thomas Mann in seinen finanziellen Angelegenheiten weder nachlässiger noch
nachsichtiger. 1950 teilte er Bermann Fischer sehr direkt
mit, daß er ihm nicht mehr über den Weg traue: »Ich hatte
noch keine Möglichkeit festzustellen, ob Ihre Angabe auf
Wahrheit beruht, daß diese schweizerischen Lizenzaus-
gaben den Transfer meiner deutschen Honorare gefährden
würden.«

Die Ausführlichkeit vieler dieser Briefe macht zumindest wahrscheinlich, daß ihm die Kontrolle der Abrechnungen und die Erledigung anderer geschäftlicher Fragen
auch Spaß bereitete und daß es ihm oft eine wahre Genugtuung war, dem Verlag Unregelmäßigkeiten und Fehler
nachzuweisen. Freilich gab es überdies einen anderen
Grund, der ihn offenbar zwang, sich darum zu kümmern:
»In einem langen, arbeitsreichen und ja auch erfolgreichen
Leben« – klagte er 1953 – »ist es mir kaum gelungen, finanzielle Reserven für mich und die Meinen anzulegen...«

Noch in seinem letzten Lebensjahr schrieb und diktierte
Thomas Mann lange Briefe mit allerlei Vorwürfen und
Beanstandungen, die sich nicht immer als berechtigt erwiesen. Im August 1954 beispielsweise mußte er zurückstek-
ken: »Man ist heutzutage, bei diesem gequälten Leben
zwischen den Stühlen, manchmal nicht recht Herr seiner
Nerven.« Und: »Tragen Sie mir ein überschärftes Wort
nicht nach! Meine polemische Ader spielt mir manchmal
einen Streich.« Damit eben hängt zu einem nicht geringen
Teil die Attraktivität der Korrespondenz mit Bermann
Fischer zusammen: Weil Thomas Mann angesichts des
Geschäftlichen seine Fassung nicht unbedingt bewahren
wollte, weil ihm, dessen Selbstdisziplin schon fast unheimlich war, hier seine polemische Ader zuweilen einen

Streich spielen durfte, läßt sich diesen Briefen nachrühmen, was bei ihm Seltenheitswert hat: Spontaneität.

Freilich mag die Gereiztheit, die sich im Verhältnis Thomas Manns zu seinem Verleger doch oft und heftig bemerkbar machte, besondere Gründe haben. Bermann Fischer war es ja, der im Juli 1933 den damals in der Schweiz lebenden Thomas Mann zur Rückkehr nach Deutschland aufgefordert hatte: »Da nichts gegen Sie vorliegt, ... setzten Sie die Regierung gewissermaßen erst ins Recht, wenn Sie fernbleiben. Denn Sie bieten ihr durch Ihr Fernbleiben die Handhabe zu Maßnahmen gegen Sie, da man hier daraus schließen wird, daß Sie sich endgültig gegen Deutschland entschieden haben... Aus der Emigrantenatmosphäre lassen sich die Dinge nicht richtig beurteilen... Wir stehen Ihnen ganz zur Verfügung, würden Sie gern an der Grenze erwarten... Überlegen Sie nicht lange. Man steht allen diesen Dingen hier viel ruhiger gegenüber, als man es je im Ausland kann.«

Zwar wies Thomas Mann diese Aufforderung entrüstet zurück, doch zeigte er sich in einer anderen Angelegenheit weniger entschieden. Im August 1933 hielt er es für richtig, den ersten Band seiner »Joseph«-Tetralogie nicht in Deutschland zu veröffentlichen, sondern »draußen«, in Amsterdam, »wo er zwar nur auf eine beschränkte Publizität, dafür aber auf Wohlwollen, freie Empfänglichkeit rechnen kann... Mit einem Wort: überlassen Sie das Buch Querido...« Bermann Fischer wollte davon nichts wissen und warnte vor einem »endgültigen Schritt, der Ihnen nicht verziehen wird... Denken Sie doch an Ihre deutschen Leser hier«. Thomas Mann gab nach, das Buch erschien in Berlin, und wenige Wochen später distanzierte er sich (abermals einem dringenden Wunsch seines Verlegers folgend) von der in Amsterdam von seinem Sohn Klaus herausgegebenen antifaschistischen Zeitschrift »Die Sammlung«. Seine Position dem »Dritten Reich« gegenüber geriet vorübergehend in ein fatales Zwielicht. Es scheint, als habe er das Bermann Fischer nie ganz verziehen.

Sicher ist, daß erst vor diesem Hintergrund zwei Briefe Thomas Manns vom April 1938 verständlich werden. Von Beverly Hills aus fragte er den unmittelbar nach dem Anschluß aus Österreich geflohenen Bermann Fischer, ob er etwa beabsichtige, seine verlegerische Tätigkeit in den USA fortzusetzen, denn: »Ihre durch alle diese Jahre verfolgte Politik, Ihr bis zum erzwungenen Bruch aufrecht erhaltenes Verhältnis zu Deutschland und selbst noch der Charakter Ihres Wiener Unternehmens, das ja immer noch auf den deutschen Markt abgestellt war, (hat) Ihnen hier auf sehr negative Weise den Boden bereitet.« Bermann Fischer habe das moralische Recht verscherzt, »jetzt, wo es gar nicht mehr anders geht, *den* deutschen Emigrationsverlag in Amerika aufzutun«. Er möge sich doch seinem ursprünglichen Beruf zuwenden, also wieder als Arzt praktizieren, er jedenfalls, Thomas Mann, müsse sich von ihm trennen.

Da Bermann Fischer zwischen 1933 und 1938 den S. Fischer Verlag in Berlin und Wien mit Thomas Manns Billigung (und zum Teil in seinem Interesse) geführt hatte, zeigen solche Briefe den würdigsten Repräsentanten der deutschen Literatur unseres Jahrhunderts nicht gerade – um es gelinde auszudrücken – von der schönsten Seite. Aber es ist gut, daß auch sie deutlich sichtbar wird. Im übrigen änderte sich nichts: Bermann Fischer blieb Verleger (jetzt in Stockholm) und Thomas Mann sein Autor. Nur bekam Bermann Fischer gelegentlich zu hören, daß er den falschen Beruf ausübe, so noch 1950: »Sie kämpfen allein auf einem Posten, für den Sie nicht geboren sind, der Ihnen vom Schicksal nie zugedacht schien, und der mir oft schon ganz verloren vorkommt.«

Warum hatte Thomas Mann, trotz aller Unzufriedenheit

und trotz vieler Versuchungen, Bermann Fischer und seinen Verlag doch nie verlassen? Anhänglichkeit? Treue? Tradition? Oder gar Sentimentalität? Es gab, will mir scheinen, einen anderen und einfacheren Grund: Er mochte schimpfen und nörgeln, protestieren und rebellieren, er mochte Bermann Fischer Dilettantismus und Schlimmeres vorwerfen, aber letztlich scheint er überzeugt gewesen zu sein, daß sein Werk bei ihm und in seinem Verlag gar nicht schlecht aufgehoben war.

Daß sich Bermann Fischer um seinen Autor unaufhörlich bemühte, versteht sich von selbst. So spendete er ihm in vielen Briefen – oft die Hilfe der Verlegergattin in Anspruch nehmend –, wovon Thomas Mann nie genug bekommen konnte: Lob. »Wir alle tragen Wunden«, heißt es in der »Entstehung des Doktor Faustus«, »und Lob ist, wenn nicht heilender, so doch lindernder Balsam für sie.«

Von der »bestallten Kritik« hielt er nicht viel, dennoch erkundigte er sich bei Bermann Fischer häufig nach Rezensionen seines jeweils neuesten Buches. Er las sie aufmerksam, bisweilen, wie er ironisch vermerkte, »mit heißen Backen«, und wertete sie ernsthaft als Echo auf seine Produktion, obwohl er genau wußte, daß ihm der rücksichtsvolle Verleger »nur die gut gemeinten« zu zeigen pflegte, ja, er verlangte von Bermann Fischer, ihm bloß das zu schicken, »wovon Sie denken, daß es mir nicht auf die Magennerven geht«. Die Qualität einer Kritik entging ihm nicht, doch wichtiger war ihm der Tenor. Zu einer Rezension Eduard Korrodis in der »Neuen Zürcher Zeitung« meinte er: »Sie ist unglaublich schlecht geschrieben und zeugt auch von ungenauem Lesen, hat mir aber doch Freude gemacht durch ihre Beherztheit und Wärme...« Blieben Zeitungsausschnitte aus, so hielt sich Thomas Mann, in dieser Hinsicht den meisten Schriftstellern auf Erden auffallend ähnlich, an freundliche Zuschriften von unbekannten Lesern. Wenn nichts anderes da war, wurde dankbar registriert, daß jemand aus Afghanistan »sehr nett geschrieben« habe.

Eigenlob war Thomas Mann ebenfalls nicht unbekannt und galt sowohl entstehenden Arbeiten als auch früheren, die aus diesem oder jenem Grunde ins Gespräch kamen. Regungen des Selbstzweifels erlaubte er sich seinem Verleger gegenüber erst in den letzten Lebensjahren. Bei der Durchsicht seiner politischen Schriften, deren Neuausgabe 1950 geplant war, sei ihm »garnicht wohl«, er bitte, »die Veröffentlichung zu unterlassen«, denn »manches darin ist veraltet, liest sich nicht mehr richtig . . .« 1952 teilte er Bermann Fischer mit: »Eigentlich gefällt mir nur wenig noch von den alten Dingen aus den drei verschollenen Bänden.« Es handelte sich um seine Bücher »Rede und Antwort«, »Bemühungen« und »Die Forderung des Tages«.

Am Vortag seines neunundsiebzigsten Geburtstags bekannte er, daß er der Veröffentlichung des »Felix Krull« nicht »besonders freudig entgegensehe«: »Und das Schlimmste ist, daß mir das Ganze jetzt im Licht des Unfughaften und Unwürdigen erscheint, wenig geeignet, eine öffentliche Stimmung der Ehrerbietung für das Leben des Achtzigjährigen vorzubereiten. Oft denke ich, es wäre mir besser gewesen, wenn ich nach dem ›Faustus‹ das Zeitliche gesegnet hätte. Das war doch ein Buch von Ernst und Gewalt und hätte ein Lebenswerk gerundet, dessen lose Nachspiele mir oft peinlich-überflüssig erscheinen.«

Der strenge Ausspruch zeigt noch einmal, wie er gesehen werden wollte, er, der von sich selber glaubte sagen zu können, er sei »zum Repräsentieren geboren«. Aber sein wirkliches Bild ergibt sich nicht nur aus der Summe seines Werks, sondern auch aus jenen nüchternen Dokumenten, die etwas Licht auf sein alltägliches Leben werfen und die beweisen, daß es sogar ihm widerfahren konnte, aus der Rolle zu fallen. Nichts, was Thomas Mann geschrieben hat, darf uns gleichgültig sein.   (1973)

Das Genie und seine Helfer

Empfindlich war er wie eine Primadonna und eitel wie ein Tenor. Er war ichbezogen und selbstgefällig, kalt, rücksichtslos und bisweilen sogar grausam. Tausende haben ihn im Laufe seines Lebens mit Briefen belästigt. Keines dieser Schreiben blieb unbeantwortet. Gewiß, er hat vielen Menschen, zumal in der Zeit des Exils, geholfen. Aber hat er je einen Freund gehabt? Zu jenen Beziehungen, die man gemeinhin als Freundschaft bezeichnet, war er wohl fähig, indes kaum bereit. Hat er je eine Frau geliebt? Wohl nur Katia. Doch die Liebesbriefe, die er ihr schrieb, hat er sich bald zurückerbeten, um sie in einem Roman (»Königliche Hoheit«, 1909) zu verwenden.

Sein Tonio Kröger klagt, er sei oft sterbensmüde, das Menschliche darzustellen, ohne am Menschlichen teilzuhaben. Für ihn, Thomas Mann, war die Darstellung des Menschlichen stets ungleich wichtiger als die Teilnahme am Menschlichen. Zwischen beidem besteht ein kaum faßbares, ein in der Geschichte der Weltliteratur beispielloses Mißverhältnis. Um es überspitzt auszudrücken: Er hat fast nichts erlebt und fast alles beschrieben. Einem Minimum an tatsächlicher, an persönlicher Erfahrung wußte er ein Maximum an Literatur abzugewinnen. Und vielleicht war die Energie, die er ein Leben lang – und noch in den letzten Monaten – aufbrachte, um mit seinem Pfunde zu wuchern, seine eigentliche Genialität.

Man wird sagen: kein sympathischer, eher schon ein abstoßender Mensch. Mag sein. Aber das gilt auch für Goethe, Heine und Richard Wagner, für Rilke, Musil und Brecht. Sympathisch können nur diejenigen Genies sein, über die wir fast nichts wissen – Wolfram von Eschenbach etwa oder Shakespeare.

Je mehr wir von Thomas Mann zu lesen bekommen, desto schwieriger wird es, diesen Leistungsethiker, diesen gigantischen Enzyklopädisten zu lieben – und desto leichter, ihn zu bewundern, ja zu verehren. Seine Briefe an zwei Menschen, die ihm fremd und gleichgültig waren und die er dennoch gebraucht hat – an Otto Grautoff und Ida Boy-Ed – bestätigen dies erneut.[3]

Im März 1895 schrieb der neunzehnjährige Thomas Mann, der damals schon in München lebte, an seinen ehemaligen, etwas jüngeren Schulkameraden Otto Grautoff, der eine Buchhandelslehre in Brandenburg an der Havel absolvierte: »Wirklich befreundet, wirklich intim bin ich doch nur mit einem gewesen, und das warst Du. Zufällig vielleicht. Aber es ist auch Wahlverwandtschaft im Spiele.« Davon stimmt kein Wort. Weder war der junge Thomas Mann mit Grautoff »wirklich befreundet« oder gar »intim«, noch konnte hier von Wahlverwandtschaft die Rede sein. Doch »zufällig« war diese Beziehung eben auch nicht, sie hatte schon einen guten Grund. Im selben Brief heißt es: »Gegen keinen kann ich mich so aussprechen wie ich es gegen Dich konnte...«

Grautoff war häßlich und unbegabt und überdies noch der Sohn eines Bankrotteurs. Die vornehmeren Kameraden »lachten über ihn, fanden ihn unmöglich und ließen ihn in ihrer Gesellschaft nicht zu« – so Peter de Mendelssohn in seinem informativen Vorwort zu der sorgfältig edierten Briefsammlung. Auch Thomas Mann habe sich »des schäbigen und unansehnlich-tölpelhaften Freundes« geschämt. Aber dieser unglückliche, an starken Minderwertigkeitskomplexen leidende Junge war ihm unbedingt und uneingeschränkt ergeben.

Wenn er gerade zu ihm reden konnte, wieviel und worüber er wollte, so hatte dies mit jenem Umstand zu tun, den Thomas Mann in einem Brief vom Juli 1897 offen aussprach: »Ich habe stets als Deinen großen Vorzug geschätzt, daß Du zuhören kannst...« Dies ist das entwaffnend simple Geheimnis der immerhin nicht kurzfristigen Beziehung zwischen den beiden ungleichen Partnern, und zwar ebenso in den Lübecker Schuljahren wie auch später, als sich der Kontakt auf den Briefwechsel beschränkte. Mit anderen Worten: Grautoff war weder ein Pylades noch ein Horatio, er war nur ein von dem monologisierenden Helden benötigter Zuhörer, also ein Statist.

Nicht einmal die Vermutung, der Anfänger Thomas Mann habe Grautoffs Bewunderung oder Hörigkeit als eine Art Selbstbestätigung empfunden, wäre zutreffend. Gewiß, der junge Meister, der allerdings seine Meisterschaft noch zu beweisen hatte, wollte anerkannt werden und Einfluß ausüben, er wollte eine Autorität sein. Aber es konnte ihm nicht entgehen, daß dies alles hier allzuleicht zu haben war. Er hatte nicht den geringsten Respekt vor dem Intellekt Grautoffs und teilte dies dem fast Zwanzigjährigen nicht ohne Sadismus mit: »Du weißt nicht recht, was Metaphysik ist, und Du weißt nicht recht, was Christentum ist, aber Du gebrauchst diese Wörter mit Zuversicht... Jetzt kannst Du über dergleichen Dinge nicht mitreden.«

Doch eben damit hängt auch zusammen, was die Briefe an Grautoff so aufschlußreich macht. Der dem Bedürfnis, über sich selber zu sprechen, immer wieder nachgab, kannte kaum Hemmungen: Vor dem einstigen Schulkameraden, der die Rolle des subalternen Faktotums auf Distanz offenbar gern akzeptierte, genierte er sich nicht. »Wenn ich in die akademische Lesehalle komme, wo ich Mitglied bin«, berichtet der neunzehnjährige Thomas Mann, »stößt sich alles vor Ehrfurcht in die Seite. Dann bin ich so recht in meinem Element. Du weißt ja, wie kindisch eitel ich bin!« Auch noch Ende 1901, nach der Veröffentlichung der »Buddenbrooks«, spricht er offen von seiner Ruhmsucht: »Bisweilen kehrt sich mir vor Ehrgeiz der Magen um.«

Von ähnlicher Direktheit sind die Äußerungen des jungen Thomas Mann über sein (uns bisher kaum bekanntes) Sexualleben: »Ich habe mich letzter Zeit nahezu zum Asketen entwickelt... Ich sage, trennen wir den Unterleib von der Liebe!« – heißt es 1895. Und Ende 1896 meditierte er in Neapel: »Woran leide ich? An der Geschlechtlichkeit... wird sie mich denn zu Grunde richten? (...) Wie komme ich von der Geschlechtlichkeit los?«

Zugleich zeigen diese Briefe, daß Thomas Mann von Anfang an ein virtuoser Organisator seines literarischen Erfolgs war. Ende 1901 wurde Grautoff, der jetzt in der Feuilletonredaktion der »Münchner Neusten Nachrichten« arbeitete, ohne Umschweife unterwiesen, was er in einer Rezension der »Buddenbrooks« zu schreiben habe. Nicht nur, was er loben sollte, erfuhr Grautoff, sondern auch, was er beanstanden durfte: »Tadle ein wenig... die Hoffnungslosigkeit und Melancholie des Ausganges. Eine gewisse *nihilistische* Neigung sei bei dem Verf. manchmal zu spüren.« Die etwas später erschienene Besprechung, die jetzt im Anhang des Briefbands zu lesen ist, zeigt, daß Grautoff sich, wie nicht anders zu erwarten war, darauf beschränkt hat, die knappen, doch sehr entschiedenen Wünsche und Empfehlungen Thomas Manns gehorsam zu übernehmen und ein wenig zu ergänzen. Einen Dankbrief des Autors der »Buddenbrooks« hat es offenbar nicht gegeben.

In der Tat war diese Rezension der Endpunkt der Beziehung mit Grautoff. Der Freund hatte seine Schuldigkeit getan und wurde nun nicht mehr gebraucht. An seine Stelle traten andere: wiederum Statisten und Zuhörer, Gesprächs- und Korrespondenzpartner, die imstande und bereit waren, ihr Scherflein zum Ruhme Thomas Manns beizutragen. Sie erfüllten die gleiche Funktion, wenn auch auf zunehmend höherer Ebene. Es scheint, daß er in seiner unmittelbaren Umgebung (die wenigen Ausnahmen fallen kaum ins Gewicht) nur Menschen geduldet hat, die ihm und seinem Werk nützlich sein konnten. Es wäre unaufrichtig, wollte man dies verschweigen, es wäre absurd, wollte man es Thomas Mann vorwerfen.

Zu den vielen Nachfolgern Grautoffs gehörte die Lübecker Schriftstellerin Ida Boy-Ed. Sie war, wie eine von Peter de Mendelssohn liebevoll herausgegebene Auswahl aus ihrem Werk erkennen läßt[4], weder unintelligent noch unbegabt. Die Briefe Thomas Manns an diese (übrigens dreiundzwanzig Jahre ältere) Dame reichen von 1903 bis 1928 und sind mit jenen an Grautoff kaum vergleichbar: Jetzt schrieb nicht mehr ein flotter Anfänger auf der Suche nach seiner Identität, sondern ein bereits anerkannter Autor, der noch für die nebensächlichste Mitteilung einen würdevollen und gelegentlich schon gravitätischen Ausdruck wählte.

Eines der Leitmotive der Briefe ist der Dank für das jeweils neue Buch der Korrespondenzpartnerin. So 1904: »Die kleine Schöpfung erscheint mir als das Muster einer realistischen Novelle. Ich habe sie in einem Zug durchgelesen, beständig in Athem gehalten durch die außerordentliche Kraft der Darstellung und im Banne einer Wirklichkeitsillusion von seltener Stärke.« Im Jahre 1910: »... bitte, Ihnen meine respektvollsten Glückwünsche vorbringen zu dürfen zu dieser imposanten Leistung, die zum allerbesten und stärksten gehört, was ich von Ihnen kenne.« Und 1911: »Es ist rührend schön, dies Lebensbuch mit seiner zarten und tiefen Erkenntnis einer Frauenseele und der Frauenseele überhaupt. Es ist vielleicht ihr schönster Roman.«

War auch nur ein einziges Wort des Briefschreibers aufrichtig? Jedenfalls hat er Ida Boy-Ed immer wieder gebraucht: Sie begleitete Thomas Manns Werk mit meist enthusiastischen Kritiken, zu denen er sie mit schöner Regelmäßigkeit ermunterte. Als 1909 »Königliche Hoheit« erschien, belehrte er die Lübecker Autorin, Napoleon habe sich nach jeder Schlacht gefragt, was das Faubourg St. Germain dazu sagen werde: »Lübeck ist mein Faubourg St. Germain. Immer denke ich: Was wird Lübeck dazu sagen?« Die erwünschte Rezension kam bald, sie scheine, schrieb Thomas Mann, der offenbar beschlossen hatte, in den Briefen an Ida Boy-Ed stets Superlative zu verwenden, »zum Allerbesten, Glänzendsten, Wärmsten, Feinsten zu gehören, was ich von Ihnen kenne ...«

Die »Betrachtungen eines Unpolitischen« lobte Ida Boy-Ed nachdrücklich, doch deren mittlerweile verwöhnter Autor war noch nicht ganz zufrieden. In diesem Falle sei ja Gelegenheit gewesen, ließ er sie wissen, »auf das, was an Heimatlich-Überliefertem, Ahnenmäßigem in mir lebt und aus mir wirkt ... besonders hinzuweisen, etwa an der Hand des Kapitels ›Bürgerlichkeit‹«. Der Wink wurde verstanden, zwei Wochen später konnte Thomas Mann für einen »Nachtrag« zu der Rezension der »Betrachtungen« danken.

Doch wenn sich Frau Boy-Ed ausnahmsweise erlaubte, Zweifel an einem Buch Thomas Manns anzumelden, war auch die Höflichkeit des sonst so Dankbaren plötzlich verschwunden. Gerade mit dem »Zauberberg« zeigte sich die Lübeckerin nicht ganz einverstanden, was sie aber vorerst nur in einem Brief an den Autor mitteilte. Die mittlerweile Zweiundsiebzigjährige erhielt eine harte und schroffe Zurechtweisung: Er habe zu arbeiten und verfüge nicht über die Kraft, »daneben auch noch für Verwirrte und Erzürnte die Apologie meines Lebens und Thuns zu liefern«.

Sehr bezeichnend, daß in der Korrespondenz mit Ida Boy-Ed das Verhältnis zu Heinrich Mann eine wichtige Rolle spielt: »Das Bruderproblem« – erklärte Thomas Mann 1917 – »ist das eigentliche, jedenfalls das schwerste Problem meines Lebens. So große Nähe und so heftige innere Abstoßung ist qualvoll. Alles zugleich Verwandtschaft und Affront...« Es wäre übertrieben, wollte man sagen, daß diese Briefe auf den jetzt schon klassischen Bruderzwist der deutschen Literaturgeschichte ein neues Licht werfen. Aber sie lassen deutlicher als bisher einen Aspekt wahrnehmen, von dem die Forschung vielleicht deshalb nicht viel wissen wollte, weil er allzu platt und allzu prosaisch anmutet. Denn neben weltanschaulichen, politischen und psychologischen Motiven hatte der langjährige Streit einen professionellen Hintergrund, der nebensächlich sein mochte, doch nicht ganz übersehen werden darf: Es war auch der Konkurrenzkampf zweier ehrgeiziger Schriftsteller um den größeren Erfolg.

Gerade in den Briefen an die in der Geburtsstadt beider Brüder wirkende Autorin ist das Element simpler Nebenbuhlerschaft unverkennbar. So plädiert Thomas Mann 1904: »Haben Sie geglaubt, daß ich ein Verhältnis zu seinen Sachen habe?... Dennoch ist die Empfindung, die seine künstlerische Persönlichkeit mir erweckt, von Geringschätzung am weitesten entfernt. Sie ist eher Haß. Seine Bücher sind schlecht, aber sie sind es in so außerordentlicher Weise, daß sie zu leidenschaftlichem Widerstande herausfordern. Ich rede nicht von der *langweiligen* Schamlosigkeit seiner Erotik, von der geistlosen und unseelischen Betastungssucht seiner Sinnlichkeit. Was mich empört, ist die ästhetisierende Grabeskälte, die mir aus seinen Büchern entgegenweht...«

Als 1917 Heinrich Manns Schauspiel »Madame Legros« in Lübeck uraufgeführt wird, hält es Thomas Mann für angebracht, die ortsansässige Kritikerin von der Minderwertigkeit des Stückes zu überzeugen: Er spricht von dem »durchaus anti-deutschen Sinn dieser Verherrlichung des französischen Revolutionsaktivismus« und meint, es handle sich hier »um eine Mischung oder Kreuzung aus Ästhetizismus und Politik, die mir, ich kann mir nicht helfen, auf die Nerven geht, wie nicht leicht etwas anderes . . .« Die Lübecker, denen das Stück offenbar gefallen hat, werden zur Ordnung gerufen: Sie hätten das »Intellektuell-Doktrinäre« nicht erfaßt, »eine Entsetzen erregende Rechthaberei, eine aggressive Selbstgerechtigkeit, eine jakobinische Humanitätsprinzipienreiterei, von deren verbohrter Unduldsamkeit man sich schwer eine Vorstellung macht«.

Heinrich Manns Roman »Die Armen« (1917), ein freilich auf peinliche Weise mißratenes Buch, wurde in den »Lübekkischen Blättern« ungünstig beurteilt. Thomas Mann konstatierte offenbar nicht ohne Genugtuung: »Ich glaube, er wird mehr dergleichen zu hören bekommen, aber ich kenne niemanden, der dem Tadel weniger zugänglich wäre. Das beruht auf Dummheit, ein für alle Mal.« Bemerkenswert, daß Thomas Mann, der angeblich »Unpolitische«, weit besser als der Bruder das politisch Bedenkliche des Romans »Die Armen« und ähnlicher damals moderner Literatur gesehen hat – nämlich die »Wirklichkeitsfeindschaft« des »auf's Sozialkritische angewandten Expressionismus«.

Allerdings war, wie schon erwähnt, auch Thomas Mann dem Tadel nicht gerade zugänglich. 1905 hatte er bekannt: »Ich hege eine Schwäche für alles, was Kritik heißt, – und diese Liebe möcht' ich nie besiegen.« Gewiß, aber er hatte es nicht gern, wenn man *seine* Bücher kritisch betrachtete. 1918 schrieb er Ida Boy-Ed, er habe über sein »Lebenswerkchen« von der Kritik noch nie etwas Gescheites gehört, »was ich nicht schon selber gesagt hätte«. Ein provozierendes Wort. Aber ist es ganz falsch? Es läßt sich nicht verschweigen: Der das größte Romanwerk in deutscher Sprache geschaffen, war auch der beste Kenner dieses Werks.

Genug der Zitate. Es sind ohnehin sehr viele. Aber »belächeln Sie nicht meine Neigung zum Zitieren!« – sagte Thomas Mann in einem 1939 gehaltenen Vortrag. »Auch das Zitieren ist eine Form der Dankbarkeit.«[5]   (1976)

Die ungeschminkte Wahrheit

Sein Porträt, dessen Umrisse schon erstarrt und im Bewußtsein eines großen Teils der deutschen Leserschaft fest eingeprägt schienen, hat seine Deutlichkeit wieder eingebüßt: Die Linien verblassen und verschwimmen, die Legende kann ihre Fragwürdigkeit nicht mehr verbergen, das Denkmal schwankt und bröckelt ab. Und allmählich entsteht ein anderes Porträt, fast unmerklich bildet sich die nächste Legende, in weiter Ferne wird ein neues Denkmal sichtbar.

So war es schon einmal, um 1832 und später, als Grabbe, Börne und viele andere Vertreter der nachfolgenden literarischen Generation gegen Goethe Sturm liefen. Seine übermächtige Gestalt hatte den Protest der Jüngeren geradezu herausgefordert. Das Ergebnis kennt man: Der ehrgeizige Revisionsprozeß, mit Verve und Zorn geführt, vermochte gewiß einiges zur Klärung beizutragen, hat aber vor allem Ruf und Geltung dessen, den man unbedingt auf der Anklagebank sehen wollte, auf ungeahnte Weise gefestigt und gleichsam mit einem neuen und noch breiteren Fundament versehen. Denn dies ist sicher: Nicht die Attacken, mit denen ein genialer Dichter in den Jahrzehnten nach seinem Tod bedacht wird, gefährden seinen Nachruhm, sondern das Ausbleiben solcher Attacken. Es kann ja die Abwendung nur da mißlingen, wo man sich auch die Mühe macht, sie tatsächlich zu versuchen.

Er, Thomas Mann, hat in dieser Hinsicht keinen Anlaß zu Klagen. Schon zu Lebzeiten von vielen seiner schreibenden Zeitgenossen als ein Ärgernis und oft als eine kaum noch zu ertragende Provokation empfunden, wurde er 1975, als man seinen hundertsten Geburtstag beging, zum Gegenstand einer Generaloffensive, die in der Geschichte der deutschen Literatur ihresgleichen nicht kennt: Dutzende von Schriftstellern erklärten, niemand sei ihnen gleichgültiger als der Autor des »Zauberberg«. Aber sie beteuerten es mit vor Wut und wohl auch vor Neid bebender Stimme.

Der ebenso unvermeidliche wie notwendige Prozeß der Entmonumentalisierung ist also längst im Gange. Vorerst jedoch betrifft er weniger das Werk Thomas Manns als vor allem seine Person. Und anders als in vergleichbaren Fällen kommen die entscheidenden Anstöße zur Überprüfung der bisherigen Ansichten und Urteile nicht etwa von rebellischen Vatermördern oder meuternden Interpreten, sondern von ihm selber – von Dokumenten nämlich, die noch aus seiner Hand stammen.

Schon die 1973 erschienene Korrespondenz mit seinem Verleger Bermann Fischer, die einen umfassenden Einblick in den Alltag des professionellen Schriftstellers gewährte, bereitete auch den Kennern Thomas Manns einige Überraschung. In noch höherem Maße gilt dies für seine zwei Jahre später publizierten Briefe an den Jugendfreund Otto Grautoff und an die Gönnerin Ida Boy-Ed. Alle diese Zeugnisse trugen dazu bei, die gängige Vorstellung vom bürgerlichen Dichterfürsten und souveränen Repräsentanten der deutschen Nation ins Wanken zu bringen: Sie nahmen seiner Figur nicht wenig von ihrer Klassizität. Doch was das überlieferte Bild an Pathos und Feierlichkeit verlor, gewann es zugleich an Wahrhaftigkeit und barer Menschlichkeit.

Während Thomas Mann die postume Veröffentlichung dieser Briefe weder gewünscht noch untersagt hat, verhält es sich mit den Tagebüchern, deren erster Band jetzt erschienen ist[6], ganz anders. Er führte sie seit seiner Lübecker Gymnasiastenzeit, aber einen beträchtlichen Teil dieser privaten Aufzeichnungen hat er selber vernichtet. Um so bemerkenswerter, daß jene aus den Jahren 1918 bis 1921 sowie 1933 bis 1951 von ihm sorgfältig aufbewahrt wurden: Er hat sie vor seiner Rückkehr nach Europa eigenhändig verpackt und versiegelt und mit der Weisung versehen, sie nicht vor Ablauf von zwanzig Jahren nach seinem Tod zu öffnen. Dieselbe eindeutige Verfügung, nun schon von der Tochter Erika Mann geschrieben, fand sich auf einem weiteren Paket mit den Tagebüchern aus seinen letzten Lebensjahren.

Er hatte also nichts dagegen, daß man diese Manuskripte einst lesen werde. Eine derartige Genehmigung kommt indes bei einem Schriftsteller wie Thomas Mann – der Herausgeber Peter de Mendelssohn weist darauf hin – einer Aufforderung gleich: Seine intimen Tagebücher sollten nach der von ihm bestimmten Schutzfrist, die er übrigens von ursprünglich 25 Jahren auf zwanzig reduziert hat, doch jedermann zugänglich sein. Warum war ihm daran gelegen?

»Da sein ganzes Wesen auf Ruhm gestellt war, zeigte er sich, ... dank der Entschiedenheit und persönlichen Prägnanz seines Tonfalls, früh für die Öffentlichkeit reif und geschickt. Beinahe noch Gymnasiast, besaß er einen Namen. Zehn Jahre später hatte er gelernt, von seinem Schreibtisch aus zu repräsentieren, seinen Ruhm zu verwalten ...« So heißt es von dem Schriftsteller Aschenbach, dem Helden der Novelle »Der Tod in Venedig«. Aber es trifft auch auf ihren Autor zu.

Meisterhaft hat er seinen Ruhm verwaltet: Er hat in diese Tätigkeit, für die ihm niemals seine Zeit zu schade war, unendlich viel Kraft und Energie, List und Diplomatie investiert. Seine zahlreichen, genießerisch und glanzvoll geschriebenen Autoporträts und Lebensabrisse, Erinnerungen und Rechenschaftsberichte demonstrieren die Kunst der raffinierten Selbstpräsentation auf höchster Ebene. Auch in dieser Hinsicht war er überaus erfolgreich: Denn das Bild, das sich die Menschen von Thomas Mann gemacht hatten, entsprach in hohem Maße seinen Wünschen.

Auf die literarkritische Darstellung und Beurteilung seines Werks hat er ebenfalls – neben den essayistischen Arbeiten beweisen es die vielen Briefe – einen entscheidenden Einfluß ausgeübt: Da er der beste Kenner dieses Werks war, konnte er immer wieder mit Gedanken und Formulierungen aufwarten, die von den Interpreten in der ganzen Welt dankbar (und meist zu Recht) übernommen wurden. Und fast will es scheinen, als sei er zu dem Ergebnis gekommen, daß es leichtsinnig und inopportun wäre, den postumen Revisionsprozeß, der schließlich auch ihm nicht erspart bleiben konnte, anderen, möglicherweise Inkompetenten zu überlassen, daß es vielmehr richtiger sei, sich der Sache beizeiten und persönlich anzunehmen und so diesem Prozeß von vornherein die ihm gebührenden Dimensionen zu sichern. Der kluge Mann baut vor.

Wie auch immer: Jenen, die schon seit Jahren seine radikale Entmonumentalisierung für das Gebot der Stunde halten, ging er, wie wir jetzt wissen, mit gutem Beispiel voran. Und sie läßt sich schwerlich noch weiter treiben, als er selber es schon getan hat – eben in seinen Tagebüchern. Wieder einmal zeigt es sich, daß man Thomas Mann nicht übertreffen kann.

Der eigentliche Impuls, der ihn ein Leben lang zum intimen Tagebuch drängte, ist allerdings auf einer anderen Ebene zu suchen. Er war noch ein junger Mensch, als er 1904 seinem Bruder Heinrich schrieb: »Ich habe im Grunde ein gewisses fürstliches Talent zum Repräsentieren...«[7] Was hier als Befund formuliert wurde, verriet den Wunsch und die Sehnsucht: Er, dessen »ganzes Wesen auf Ruhm gestellt war«, wollte nicht leben, ohne zu »repräsentieren«, und er brauchte das »Fürstliche«, um repräsentieren zu können.

Sein Traum ging in Erfüllung: Schon vor dem Ersten Weltkrieg konnte Thomas Mann in München fürstlich leben – allerdings nur dank der Unterstützung seiner

Schwiegereltern. Schon in den Jahren der Weimarer Republik war er ein König im Reich der Literatur: Jeder Zoll ein bürgerlicher Dichterfürst. Schließlich durfte er in der Zeit des Dritten Reiches zur höchsten Repräsentanz aufsteigen, die je einem deutschen Schriftsteller zugefallen war: Als Oberhaupt der Emigration wurde er zur einzigen und weithin sichtbaren Gegenfigur – mitten im Krieg verkörperte er für die gesittete Welt das andere Deutschland.

Er liebte die Rolle, die er spielte; und er spielte sie vorzüglich. Denn er war – viele Zeitgenossen haben es bestätigt – ein großartiger Akteur, ein passionierter Komödiant. Er brauchte das Publikum, aber nicht nur Leser, sondern auch Zuhörer und Zuschauer, vor denen er sich produzieren konnte. Ja, er war bereit, seinen ganzen Habitus den Erfordernissen der Rolle unterzuordnen, die er auf sich genommen hatte. Die kunstvolle Selbststilisierung – das war sein Element. Die diskrete Selbstinszenierung – das war die Basis seiner Existenz.

Freilich hatte er dafür einen hohen Preis zu zahlen: Denn nie durfte er sich vergessen, nie aus der Fassung geraten, nie die Beherrschung verlieren. Er lebte inmitten seiner großen Familie und umgeben von Bewunderern und jenen, die sich für seine Freunde hielten. Aber er blieb unnahbar und einsam. Er kannte die Leiden des Liebenden. Das Glück der Freundschaft kannte er nicht. Sogar seinen eigenen Kindern war er – Klaus Mann hat es im »Wendepunkt« anschaulich geschildert – fremd.

Wie konnte sich ein Mensch von einzigartiger Empfindlichkeit, ein Künstler von außergewöhnlicher Reizbarkeit jahrzehntelang mit einem derartigen Dasein abfinden? Viele fanden hierauf eine angeblich bündige Antwort: Man sagte Thomas Mann Gefühllosigkeit, Kälte und Hartherzigkeit nach. Daß aber jener, der den Tod Hanno Buddenbrooks, Joachim Ziemßens oder der Rahel beschrieben hat, bloß ein kalkulierender Artist gewesen sein soll, scheint eine allzu simple Erklärung dieser auf jeden Fall überaus differenzierten und komplizierten Psyche. Mehr noch: Sie ist nicht nur simpel, sie ist im Grunde absurd.

Allerdings mutet die Erklärung, die sich jetzt anbietet, ebenfalls einfach an. Sie braucht deshalb nicht falsch zu sein. Vielleicht also konnte Thomas Mann die Existenz, für die er sich entschieden hat und die er so konsequent verwirklichte, nur ertragen, weil er sich einen Freiraum zu bewahren wußte, zu dem niemand zugelassen war und den er auch in Zeiten größter Inanspruchnahme energisch verteidigte: eben das Tagebuch. Es war ein Monolog ohne Zuhörer, es war der Schlupfwinkel, in dem er ohne Zeugen sein konnte. Es war sein Asyl und sein Rettungsring. Nur im Tagebuch leistete er sich den Verzicht auf Schminke und Maske, auf die Selbststilisierung, also auf die Rolle, die er spielen wollte und die er längst zu spielen gewohnt war.

Weil niemand diese Aufzeichnungen lesen sollte, weil sie tatsächlich nur für ihn selber bestimmt waren – ich bin sicher, daß er sich erst in seinen späten Jahren entschlossen hat, sie der Nachwelt zu überliefern –, schrieb er hier, wie sonst nie oder nur in seltenen Ausnahmefällen. Was den Charme seiner Prosa ausmacht und was ihr einen unvergleichlichen Reiz verleiht, was die einen entzückt und was freilich den anderen auf die Nerven geht, wird man in den Tagebüchern vergeblich suchen: also Thomas Manns makellose Gepflegtheit, seine elegante Umständlichkeit und Überlegenheit, seinen zärtlichen Spott und sein vielsagendes Augenzwinkern.

Die Diktion seiner Epik ist von nicht überbietbarer Virtuosität, sie ist vollkommen. Es fragt sich nur, ob die Vokabel »Virtuosität« nicht neben höchster Anerkennung auch eine Grenze andeutet, und ob sich in der Vollkommenheit, die man dieser Prosa bescheinigen kann, nicht zugleich ein Vorwurf verbirgt. Jedenfalls sind die größten

Werke der Dichtung unvollkommen wie die Tragödien Shakespeares, wie Goethes »Faust«.

In der Geschichte der Weltliteratur finden sich auch, allerdings überaus selten, Romanciers, die der Virtuosität nicht bedurften und deren Epik jenseits künstlerischer Vollendung ist. Ich nenne nur zwei Beispiele: Dostojewski und Kafka. Thomas Mann mag sie in mancherlei Hinsicht übertreffen. Aber von beiden trennt ihn, was sie überhaupt nicht kennen und nie gekannt haben: die auch in seinen bedeutendsten Werken spürbare, bisweilen nur winzige, doch stets vorhandene Beimischung der Koketterie.

Anders ausgedrückt: In Thomas Manns Prosa ist immer das augurenhafte Lächeln des großen Zaubermeisters wahrnehmbar, der sich souverän und gelassen gibt und der gleichwohl ungeduldig, ja gierig auf die Zustimmung des Publikums wartet, der den Applaus hören will und der die Bewunderung braucht. Thomas Manns Romane, Erzählungen und Essays sind immer auch Bravourstücke. Und dies ist vielleicht das Element, das ihn mit jenem deutschen Genie verband, das er gewiß nicht am meisten verehrte, das ihn aber am stärksten irritierte – mit Richard Wagner.

Die Tagebücher hingegen stammen nicht aus der Feder eines brillierenden Virtuosen, eines Zaubermeisters. Sie sind frei von Koketterie: Der sie geschrieben hat, will niemandem gefallen, niemanden beeindrucken. Man könnte sagen: Was er sucht, ist nicht mehr und nicht weniger als die ungeschminkte Wahrheit. Aber worüber? Über die Epoche, über Deutschland, über die Zeitgenossen, über Literatur und Musik? Gewiß, davon ist hier immer wieder die Rede.

Doch die Äußerungen über allgemeinere Themen sind nur Anlaß und Vorwand. Sie skizzieren den Hintergrund, sie liefern Kulissen für die intimen Auftritte des leidenden Helden. Denn die einzige Wahrheit, nach der Thomas Mann unermüdlich forscht, ist jene über seine eigene Person. Aber fast noch stärker als sein Drang zur Selbsterkundung ist sein Bedürfnis, der Liebe zu sich selbst gerecht zu werden, sie auszudrücken und zu fixieren.

Heinrich Mann erwähnt in einem (nie abgeschickten) Brief vom 5. Januar 1918 an seinen Bruder Thomas dessen »wüthende Leidenschaft für das eigene Ich«. Ihr verdanke er zwar »einige enge, aber geschlossene Hervorbringungen«, doch auch »die Unfähigkeit, den wirklichen Ernst eines fremden Lebens je zu erfassen«.[8] Thomas Manns Tagebücher bestätigen diesen Befund.

Nur die außergewöhnlich intensive, freilich eher zärtliche als wütende Leidenschaft kann den Umstand erklären, daß ihm stets daran gelegen war, jede noch so unerhebliche Einzelheit seines Alltags festzuhalten. 1933, als sich die Nachrichten aus Deutschland überstürzten und auch seine Zukunft ganz ungewiß war, glaubte er, notieren zu müssen: »Rasierte mich vor Tisch im Badezimmer.« Oder »Kaufte Cigarren u. Cigaretten.« Und: »Wir tranken Lindenblütenthee mit einer Citronenscheibe.« Daß es in einem Restaurant eine »schmackhafte Fischsuppe« gab und »vorzügliche Rumsteaks«, war ebenso erwähnenswert wie der Ankauf »leinener Unterhosen«.

Ein Theaterbesuch in Zürich wird vermerkt, man spielt Shakespeares »Heinrich IV.« Über Stück und Aufführung findet sich kein Wort, statt dessen: »In der Pause mit Genuß Kaffee getrunken.« Sorgfältig registriert er jeden Gang zum Friseur, mitunter erfahren wir auch, daß die Kopfwäsche mit »Ölbehandlung« verbunden war oder mit »nachfolgender Anwendung zu starken französischen Haarwassers«. In den Satz »Ging mit K. spazieren« (und nahezu jeder Spaziergang mit der Ehefrau Katia wird mit einer Eintragung bedacht) sind in Klammern die Worte eingefügt: »Ohne Weste«.

Wo die Qualität des während einer Theaterpause genossenen Kaffees oder des angewandten Haarwassers notierenswert scheint, ist es der gesundheitliche Zustand des Tagebuch-Schreibers erst recht. Die Verdauung vor allem bereitet ihm Qualen, die Medizin scheint da ratlos gewesen zu sein. Er leidet meist an »hartnäckiger Konstipation«, an »Verstockung des Unterleibs«, bisweilen wiederum an der »Neigung zum Durchfall«. Er klagt über »Diarrhoe in Folge des Mittels Agarol« und stellt dann verzweifelt fest: »Meine Constipation ist außerordentlich«.

So häufig die Hinweise auf die körperliche Verfassung, so bleiben sie fast immer knapp und einsilbig. Ausführlicher und exakter wird das Tagebuch, wo es um Thomas Manns psychischen Zustand geht. Dieser ist, um es gleich zu sagen, erschreckend: Wer da nur von Labilität oder gelegentlichen seelischen Krisen reden wollte, würde das Bild, das er selber schonungslos enthüllt hat, wieder verwischen und retuschieren.

Die Wahrheit ist, daß jener, der in der Öffentlichkeit stets steif und förmlich auftrat, der sich gleichsam mit einer Schicht aus Ironie und Würde umgab und auf den Habitus des Repräsentanten und Großschriftstellers den größten Wert legte, in Wirklichkeit ein Neurotiker war, der wochen- und monatelang in der Angst lebte, die Zurechnungsfähigkeit einzubüßen. So heißt es im März 1933, während seines Aufenthalts im schweizerischen Kurort Lenzerheide: »Nach dem Erwachen zunehmender Erregungs- und Verzagtheitszustand, krisenhaft, von 8 Uhr an unter K's Beistand. Schreckliche Excitation, Ratlosigkeit, Muskelzittern, fast Schüttelfrost u. Furcht, die vernünftige Besinnung zu verlieren. Unter dem Zuspruch K's mit Hilfe von Luminaletten u. Kompresse langsame Beruhigung...« Ein Arzt wird hinzugezogen, der Patient bleibt im Bett und verweilt »im Hindämmern«.

Stichworte wie »Ekel und Depression«, »tiefe Lebenswehmut« oder »melancholische Depression« wiederholen sich wie düstere Begleitakkorde. Gelegentlich heißt es:

»Ein Weinkrampf war abzuwehren.« Ein politisches Gespräch mit der Ehefrau Katia bringt »gleich wieder die Nerven zum Zittern«, die Lektüre von Rezensionen verursacht »nervöse Erregung u. Erschütterung«. Vor allem aber: »Es gibt Augenblicke, wo ich fürchte, meine Nerven könnten überwältigt werden.« Bei einer anderen Gelegenheit: »Recht böser Erregungszustand mit Herzfliegen, Zittern und großer Beängstigung«. Immer wieder muß Katia helfen – mit Stirnkompressen, Beruhigungsmitteln oder auch nur die Hand des Patienten haltend.

Einsame Spaziergänge wirken auf ihn keineswegs günstig. Im Oktober 1933 beklagt er »auf einem einstündigen Abendspaziergang Zwischenfall von Verlust der Fassung, Angst und Schrecken«. Weihnachten 1933: »Ging allein spazieren... Neigung zum Verlust der Nerven in noch unbegangener Einsamkeit.« Und noch einmal, wenige Tage später: »Unterwegs... befiel mich in der fremden Einsamkeit, der bekannte Angst- und Erregungszustand, ein Versagen der Nerven, das sich auf Muskeln und Herz schlägt und die Besinnung bedroht.«

Das Selbstbildnis des von Unsicherheit und Furcht gequälten und übrigens ständig an Schlaflosigkeit leidenden Neurotikers widerlegt auf nahezu jeder Seite die schon seit seinen frühen Jahren eingebürgerte Vorstellung vom kühlen Systematiker, den nichts davon abbringen kann, täglich vormittags drei Stunden am Schreibtisch zu verbringen und der dank eiserner Energie in diesen Stunden jeweils eine Manuskriptseite produziert. Diese eher an einen Beamten als an einen Künstler erinnernde Arbeitsdisziplin, die seine Bewunderer oft gerühmt und seine Gegner noch häufiger verspottet haben – sie war bloß eine von ihm erfundene und immer wieder propagierte Legende, freilich eine, die zeigt, wie er gesehen sein wollte.

Streckenweise hat Thomas Manns Selbstbeobachtung einen geradezu wollüstigen, wenn nicht monomanischen

Beigeschmack. Worüber er auch im Tagebuch schreibt, er beschäftigt sich immer mit sich selbst. So verzeichnet er pedantisch jede Erkältung, jedes Unwohlsein, jede Blasenreizung. Er verspürt »die aphrodisierende Wirkung des Meeres«, er prüft, ob und in welchem Maße seine Haare ergraut sind.

Zugleich ist er von der Gier nach Selbstbestätigung, nach Anerkennung besessen: Der längst als einer der größten Schriftsteller des Jahrhunderts gilt, er, dessen Werk Millionenauflagen erzielt hat und Gegenstand unzähliger wissenschaftlicher Abhandlungen ist, notiert dankbar alle zufälligen Begegnungen mit irgendwelchen anonymen Personen, die ihn erkennen, die sich freundlich über seine Bücher äußern oder ihn gar um eine Unterschrift bitten. Auch die Ansichten der Familienmitglieder werden, wenn sie sich von seinen Arbeiten begeistert zeigen – und es ist ihm offenbar nie aufgefallen, daß sie es damals immer taten –, im Tagebuch gewissenhaft festgehalten.

Während einer Atlantik-Überfahrt im Mai 1934 bedauert er das »besonders niedrige geistige Niveau unserer Tischgenossenschaft«. Im nächsten Satz erfährt man, worauf dieses harte Urteil zurückzuführen sei – nämlich auf die »völlige Unbekanntschaft mit meiner Existenz«. Angesichts eines derartigen Umstands kann sich Thomas Mann »gewisser Empfindungen der Beschämung... nicht entschlagen«. Wer bei solchen Eintragungen etwa Ironie erwartet, wird enttäuscht: Von diesem erhabenen Ausdrucksmittel will Deutschlands vorzüglichster Ironiker, wenn er mit sich allein ist, allem Anschein nach nichts wissen.

Tritt er öffentlich auf, so wird der Beifall genau vermerkt. Man habe ihn – heißt es im November 1933 – »mit stärkstem, lang andauerndem Applaus« empfangen. Nach der Lesung: »Die Wirkung schien außerordentlich, der kompakte, einhellige, lange sich hinziehende Beifall tat mir wohl.« In Zürich im April 1934 ist der Saal nur schwach besetzt, doch immerhin: »Ich wurde zweimal wieder herausapplaudiert.« Ist der Applaus zu kurz, um wieder vor dem Auditorium zu erscheinen, so empfindet er dies als enttäuschend. Das Tagebuch informiert uns genau: »Dichter Beifall am Schluß, der aber nicht vorhielt, um mich nach dem Abgang in den Saal zurückzurufen, was mich jedesmal kindischer Weise verstimmt.«

Was immer geschieht und womit er sich auch befaßt – er verbindet es, und sei es das Beiläufigste, mit dem Kern seiner ganzen Existenz, mit seiner künstlerischen Aufgabe. Natürlich wird die Lektüre vor allem im Hinblick auf das gerade im Entstehen begriffene eigene Werk ausgewählt. Edgar Allan Poe – heißt es – passe besser »zu der vorgesehenen Faust-Novelle« (aus der dann die Geschichte des deutschen Tonsetzers Adrian Leverkühn wurde), für den »Joseph« hingegen ziehe er den »Don Quixote« vor. Daß ihn der weltberühmte Cervantes-Roman »redlich langweilt«, stellt er, so will es scheinen, nicht ohne stille Genugtuung fest.

Nach der Lektüre von »Krieg und Frieden« gesteht er, daß ihn »die Schwächen, Unerlaubtheiten, Ermüdungen« dieses Romans nicht weniger trösten als seine »Meisterhaftigkeit und Größe«. Stifters »Witiko« will er lesen, weil er sich gerade von der »Unmöglichkeit« des Buches Ermutigung verspricht. Mit »Befriedigung« nimmt er zur Kenntnis, daß Joseph Conrad dreißig Zeilen für einen guten Tagesdurchschnitt hielt. Nach einer »Salome«-Aufführung fragt er: »Ist nicht dieser Strauss, dies naive Gewächs des Kaiserreichs, viel unzeitgemäßer geworden als ich?«

Von einem tiefen Eindruck, den auf ihn Bücher und Theater- oder Opernaufführungen gemacht hätten, ist im Tagebuch dieser Jahre nie die Rede, freilich mit einer Ausnahme: »Nach Tische die Korrektur des 1. Bandes beendet, zu Tränen gerührt wieder von Rahels Tod, wie es beim

Schreiben war und bei jedem Wiederlesen unfehlbar sich wiederholt.« Es handelt sich um den ersten Band des Romanwerks »Joseph und seine Brüder«.

Daß Thomas Mann unfähig gewesen sein soll, »den wirklichen Ernst eines fremden Lebens je zu erfassen« – wie es ihm Heinrich Mann 1918 vorgeworfen hatte –, war gewiß eine Übertreibung des erzürnten Bruders. Während seine Romane und Erzählungen diese etwas leichtsinnige Behauptung widerlegen, lassen die Tagebücher erkennen, daß er zwar imstande, doch kaum bereit war, auf fremdes Leben einzugehen – es sei denn, er benötigte es für das Buch, an dem er gerade arbeitete.

Sowohl die Ehefrau Katia als auch seine Kinder erwähnt er in dem Tagebuch häufig. Aber sie sind kaum mehr als Statisten, sie werden von ihm nur insofern wahrgenommen, als sie für seine Existenz Bedeutung haben. Er, der stets Wert darauf legt, daß sein Geburtstag auf gebührende Weise gefeiert wird, vergißt die Geburtstage der in seinem Haus lebenden Kinder (Elisabeth und Michael). Und es ist schwerlich ein Zufall, daß ihm der Geburtstag seiner Frau ebenfalls entgeht.

Bezeichnend ist seine Reaktion auf Todesnachrichten: Manche werden kommentarlos registriert (etwa der Tod Stefan Georges), andere lösen Äußerungen aus, die nicht den Toten, sondern ihn selber betreffen. So heißt es nach dem Tod Jakob Wassermanns: »Warum hinschreiben, daß der Tod des Generationsgenossen und guten Freundes die Frage, wie lange ich selbst noch leben werde, recht lebhaft wachruft?« Er zitiert eine Zeitung aus dem »Dritten Reich«, die Wassermann zwar einen der angesehensten Schriftsteller »November-Deutschlands« nennt, aber hinzufügt, er habe mit der deutschen Literatur fast nichts zu tun gehabt. Thomas Mann fragt: »Ist das auch mein Nekrolog?«

Als im August 1933 der Kulturphilosoph Theodor Les-

sing in Marienbad von den Nationalsozialisten ermordet
wird, ist in der Eintragung Thomas Manns zwar der
Schreck spürbar, doch lautet sie: »Mir graust vor einem
solchen Ende, nicht weil es das Ende ist, sondern weil es so
elend ist und einem Lessing anstehen mag, aber nicht mir.«
1910 hatte Thomas Mann mit Lessing eine scharfe öffentliche Kontroverse; die in der Tat bösartigen Invektiven des
Gegners kann er auch jetzt, nach 23 Jahren und nach dessen Tod, offenbar nicht vergessen. Am selben Tag, dem
1. September 1933, schreibt er an seinen Sohn Klaus:
»Mein alter Freund Lessing ist ja ermordet worden. War
immer schon ein falscher Märtyrer.«

Natürlich wäre es absurd, sagen zu wollen, Thomas
Mann habe die Ermordung Lessings gebilligt. Aber eine
gewisse Genugtuung kann er nicht unterdrücken, unverkennbar ist der Gedanke, der andere habe ein solches Ende
verdient. So ungeheuerlich diese beiden Äußerungen zu
Lessings Tod, so exemplarisch sind sie auch: Sie beweisen,
in wie hohem Maße Persönliches die Sicht Thomas Manns
bestimmt und somit, oft genug, auch eingeschränkt und
getrübt hat.

Gewiß, er äußert sich über den Nationalsozialismus mit
»Grauen und Erbitterung«, er gibt sich keinerlei Illusionen
hin. Am 27. März 1933 urteilt er lapidar: »Es war den
Deutschen vorbehalten, eine Revolution nie gesehener Art
zu veranstalten: Ohne Idee, gegen die Idee, gegen alles
Höhere, Bessere, Anständige, gegen die Freiheit, die
Wahrheit, das Recht. Es ist menschlich nie etwas Ähnliches vorgekommen.« Was sich in Deutschland abspielt,
nennt er (am 2. Mai 1933) »eine Riesen-Ungezogenheit
gegen den Willen des Weltgeistes«.

Doch zugleich läßt das Tagebuch erkennen, daß Thomas
Manns Verhältnis zu Deutschland und zum Dritten Reich
stets vom Bewußtsein seiner einzigartigen Persönlichkeit
geprägt ist, seiner »singulären, mit anderen Schicksalen

nicht zu verwechselnden Stellung«. Mehr noch: Er macht die eigene Person und ihre Rolle in der Öffentlichkeit zum zentralen Motiv seiner politischen Meinungen.

So schreibt er im April 1933 über die Reaktion der Welt auf die Französische und die Russische Revolution und fragt: »Was ist es mit dieser ›deutschen‹, die das Land isoliert, ihm Hohn und verständnislosen Abscheu einträgt ringsum? Die nicht nur die Kerr und Tucholsky, sondern auch Menschen u. Geister wie mich zwingt, außer Landes zu gehen?« Warum ihm die Gesellschaft Alfred Kerrs und Kurt Tucholskys mißfällt, bleibt im Tagebuch unerwähnt: Beide haben ihn mehr als einmal mit höhnischen Seitenhieben bedacht. Daß Thomas Manns Leiden an Deutschland untrennbar sind von seinen Leiden an sich selbst – wir wußten es längst. Doch erst das Tagebuch läßt dank der Spontaneität und der Intimität vieler Eintragungen das Dramatische, ja auch das Unheimliche dieser Beziehung ganz zum Vorschein kommen.

Am 10. April 1933 notiert er während eines Aufenthalts in Lugano: »Die Juden ... Daß die übermütige und vergiftende Nietzsche-Vermauschelung Kerr's ausgeschlossen ist, ist am Ende kein Unglück; auch die Entjudung der Justiz am Ende nicht.« Über die Juden und ihre Rolle im geistigen Leben Deutschlands und Europas hatte sich Thomas Mann häufig geäußert. 1907 meinte er, daß ein Exodus der Juden, wie ihn die Zionisten von der strengen Observanz wünschten, »ungefähr das größte Unglück bedeuten würde, das unserem Europa zustoßen könnte«.[9] Um so erstaunlicher die Bemerkung, mit der er die antisemitischen Maßnahmen des nationalsozialistischen Regimes doch teilweise zu akzeptieren scheint.

Er selber ist sich der Ungeheuerlichkeit seiner Worte bewußt, denn halb kommentierend und halb rechtfertigend fügt er hinzu: »Geheime, bewegte, angestrengte Gedanken. Widrig-Feindseliges, Niedriges, Undeutsches im höheren Sinne bleibt auf jeden Fall bestehen.« Aber sein Verhältnis zum Nationalsozialismus ist, zumindest in diesem Augenblick, keineswegs eindeutig. Er fragt: »Geht dennoch Bedeutendes und Groß-Revolutionäres vor in Deutschland?« Und sagt im Fazit der Eintragung: »Ich fange an zu argwöhnen, daß der Prozeß immerhin von dem Range derer sein könnte, die ihre zwei Seiten haben...«

Zwei Seiten hatte vor allem Thomas Mann selber, der Bürger auf Irrwegen, der Hanseatensproß mit der Sehnsucht nach den Zigeunern im grünen Wagen. Die Antinomie war ein Grundzug seines Wesens. Bereits in seinen frühen Arbeiten postulierte und verteidigte er die kritische, moralische und didaktische Aufgabe der Literatur. Doch wurde er nicht müde, um Verständnis für die außersittlichen, die bohemehaften und rebellischen Elemente in der Existenz des Künstlers zu werben. Er huldigte einem hohen Ordnungsbegriff, von dem er alle Sphären seines Lebens und Werks beherrscht sehen wollte. Aber nie verheimlichte er seine Schwäche für das Zweideutige und Anrüchige, für das Abenteuerhafte, ja für das Anarchische. Schon seinen Tonio Kröger ließ er bekennen: »Man ist als Künstler innerlich immer Abenteurer genug.«

Es mag sein, daß es jene andere Seite in der Persönlichkeit Thomas Manns war, die ihn, wenn auch nur kurz und flüchtig, überlegen ließ, ob das, was in Deutschland geschah, nicht auch sein Gutes habe. Der Abenteurer in ihm beobachtete nicht ohne Interesse, ja vielleicht nicht ohne eine Spur widerwillig empfundener Faszination die Abenteurer am Werk. 1938 schrieb er in dem Essay »Bruder Hitler«: »Man kann unmöglich umhin, der Erscheinung eine gewisse angewiderte Bewunderung entgegenzubringen.«[10]

Zehn Tage nach jener ominösen Eintragung über die Juden kommt Thomas Mann noch einmal auf die antise-

mitischen Maßnahmen im Reich zu sprechen: »Die Revolte gegen das Jüdische hätte gewissermaßen mein Verständnis, wenn nicht der Wegfall der Kontrolle des Deutschen durch den jüdischen Geist für jenes so bedenklich
und das Deutschtum nicht so dumm wäre, meinen Typus
mit in den selben Topf zu werfen und mich mit auszutrei-
ben.«

Man kann schwerlich einerseits die Revolte gegen das
Jüdische billigen, andererseits den Juden eine hohe und
notwendige Funktion im deutschen Geistesleben zuschrei-
ben. Der Widerspruch ist offensichtlich, seine Quelle war
wohl vor allem verletzte Eigenliebe. Die Ereignisse im
Frühjahr 1933 haben Thomas Mann bestürzt. Niemand
schien ihn in Deutschland zu vermissen, niemand forderte
ihn zur Rückkehr auf. Das verwirrte ihn in so hohem
Maße, daß er im geheimen Tagebuch (und nur dort!) seinen Zorn auch gegen jene richtete, mit denen zusammen er
sich vertrieben fühlte: Für einen Augenblick lebten die
antisemitischen Gedanken wieder auf, die ihm und seinem
Bruder Heinrich einst, in den neunziger Jahren des vorigen
Jahrhunderts, nicht fremd waren.

Im Tagebuch der folgenden Monate finden sich keinerlei
Anzeichen auch nur eines geringfügigen Schwankens im
Verhältnis zum Nationalsozialismus und in der Verurtei-
lung aller Formen der im Reich praktizierten Judenverfol-
gung. Unsicher ist allerdings Thomas Mann, ob er weiter-
hin im Ausland bleiben sollte. Er scheut sich (im Mai 1933),
»das Tischtuch zu zerschneiden und mich von Deutschland
auf immer auszuschließen«. Zwei Monate später erkennt
er, daß »ein solches Lavieren zwischen Entschiedenheit
und Rücksicht« nicht länger möglich sei. Die Rückkehr sei
»ausgeschlossen, unmöglich, absurd, unsinnig und voll
wüster Gefahr für Freiheit und Leben«. Aber im November 1933 taucht der Gedanke an die Rückkehr wieder auf:
»Schließlich brauchte man sich nicht zu benehmen wie

Hauptmann und Strauss, sondern könnte eine ernste und jedes Hervortreten ablehnende Isolierung bewahren.« Und im März 1934 möchte er seinem »Außensein den Fluchtcharakter nehmen und zwischen der Heimat und mir ein würdig-friedliches Verhältnis herstellen«.

Indes hatte er schon 1933 den rettenden Einfall, der es ihm ermöglichte, das Exil und die Trennung von seiner bisherigen Lebenssphäre und von Deutschland nicht als bitteren Schicksalsschlag, sondern als förderlich-günstigen Umstand zu sehen: »Die gewaltsame Befreiung aus der deutschen Misere und die Verpflanzung ins Europäische« würden, tröstete er sich, »belebende und steigernde Wirkungen« auf sein Künstlertum ausüben. Was immer geschah – im Mittelpunkt stand die Frage, welchen Einfluß es auf sein Werk haben werde. Im übrigen war Thomas Manns Vermutung nicht falsch, nur hatte die Befreiung aus der deutschen Misere gerade die deutschesten seiner Romane zur Folge: »Lotte in Weimar« und »Doktor Faustus«.

Seine zärtliche Selbstliebe, diese alle anderen Gefühle verdrängende oder doch relativierende »Leidenschaft für das eigene Ich«, lassen besonders jene Passagen des Tagebuchs erkennen, in denen Thomas Mann über seine homoerotischen Neigungen und Erlebnisse nachdenkt.

Für weibliche Schönheit war er – zumindest in den Jahren 1933/34 – kaum empfänglich: Nie wird im Tagebuch ein anmutiges Mädchen erwähnt, nie hören wir von einer gut aussehenden Frau. Indes fällt ihm beim Signieren seiner Bücher »ein sehr hübscher Junge« auf, am Strand beobachtet er »14jährige Knaben-Zwillinge ... die mich durch ihre anmutige Gleichmäßigkeit interessieren«. In einer Gärtnerei sieht er »mit großer Freude und Ergriffenheit« einen jungen Burschen mit nacktem Oberkörper. In einem Film bewundert er »anziehende junge Menschen« – es handelt sich dabei um zwei Männer. Dem deutschen

Film bescheinigt er »die Freude an jugendlichen Körpern, namentlich männlichen in ihrer Nacktheit«: Gezeigt werde »jungmännliche Nacktheit in kleidsamer, ja liebevoller photographischer Beleuchtung, sobald sich Gelegenheit dazu bietet«.

Am intensivsten beschäftigt ihn in dieser frühen Exilzeit die Beziehung zu Klaus Heuser. Thomas Mann, damals 52 Jahre alt, hatte ihn 1927 auf Sylt kennengelernt und – wie Peter de Mendelssohn informiert – »eine Zuneigung zu dem ansprechenden siebzehnjährigen Jungen gefaßt«; er habe Klaus Heuser zu sich nach München eingeladen und ihm »viel Zeit und Aufmerksamkeit« gewidmet.

Im September 1933, während des Aufenthalts in Sanary-sur-mer, hört er, Klaus Heuser werde möglicherweise demnächst diesen Ort zusammen mit seiner Mutter aufsuchen. Die Nachricht beunruhigt ihn, es wäre »wohl besser«, meint er, die Begegnung zu vermeiden, denn: »Nach menschlichem Ermessen war das meine letzte Leidenschaft, – und es war die glücklichste.« Zu dieser Begegnung ist es nicht gekommen. Doch im Januar 1934 taucht der Name Klaus Heuser wieder im Tagebuch auf.

Aber Thomas Mann schreibt nicht etwa über dessen Person – vielmehr fällt es auf, daß er über ihn kein einziges Wort verliert –, sondern ausschließlich über seine Beziehung zu ihm. Er liest Tagebuch-Eintragungen aus den Jahren 1927/28, die den Aufenthalt des jungen Klaus Heuser im Haus der Manns in München betreffen und Thomas Manns Besuch in Düsseldorf, wo die Familie Heuser wohnte. Er sei – notiert er – »tief aufgewühlt, gerührt und ergriffen von dem Rückblick auf dieses Erlebnis«, das er »mit Stolz und Dankbarkeit bewahre, weil es die unverhoffte Erfüllung einer Lebenssehnsucht war, das ›Glück‹, wie es im Buche des Menschen, wenn auch nicht der Gewöhnlichkeit, steht«. Die Beziehung zu Klaus Heuser habe er schon damals – stellt Thomas Mann jetzt fest – mit

seinen früheren homoerotischen Freundschaften vergli-
chen und »alle diese Fälle als mit aufgenommen in die späte
und erstaunliche Erfüllung« empfunden.

Im Mai 1934 kommt er abermals auf seine homoerotischen Erlebnisse zu sprechen. Schon der Anlaß ist symptomatisch: Auf der Suche nach Inspiration zu der Darstellung der großen Leidenschaft der Mut-em-enet, der Frau
des Potiphar, in seinem Roman »Joseph in Ägypten« vertieft sich Thomas Mann in die Tagebücher, die er 1901/
1902, zur Zeit seiner überaus intensiven Beziehung zu Paul
Ehrenberg, geführt hat. Rückblickend konstatiert er nun:
»Ich habe gelebt und geliebt, ich habe auf meine Art ›das
Menschliche ausgebadet‹. Ich bin, auch damals schon, aber
20 Jahre später in höherem Maße, sogar glücklich gewesen
und durfte wirklich in die Arme schließen, was ich
ersehnte.«

Aufschlußreich ist auch der Vergleich der beiden offenbar wichtigsten homoerotischen Beziehungen im Leben
Thomas Manns: Die Leidenschaft zu dem siebzehnjährigen Klaus Heuser sei »reifer, überlegener, glücklicher«
gewesen, »ein spätes Glück mit dem Charakter lebensgüti-
ger Erfüllung, aber doch schon ohne die jugendliche Intensität des Gefühls, das Himmelhochjauchzende und tief
Erschütterte jener zentralen Herzenserfahrung meiner 25
Jahre«. 1901, als ihn die Leidenschaft zu Paul Ehrenberg
beherrschte, beurteilte Thomas Mann diese Freundschaft
in einem Brief an seinen Bruder Heinrich mit überraschen-
der Nüchternheit: »Das Ganze ist Metaphysik, Musik und
Pubertätserotik: – ich komme nie aus der Pubertät heraus.«[11] Es scheint in der Tat, daß seine Homoerotik in den
Grenzen pubertärer Schwärmerei blieb.

In diesem Zusammenhang kommt möglicherweise einer
Äußerung im Tagebuch besondere Bedeutung zu. Thomas
Mann schreibt über die Begeisterung, die er beim Anblick
des männlichen Körpers empfindet und macht sich Gedan-

ken über »das Irreale, Illusionäre und Ästhetische solcher
Neigung, deren Ziel, wie es scheint, im Anschauen und
›Bewundern‹ beruht und, obgleich erotisch, von irgendwelchen Realisierungen weder mit der Vernunft noch auch
nur mit den Sinnen etwas wissen will«.

Ging es hier lediglich um den Anblick des männlichen
Körpers oder überhaupt um die Art der Homoerotik Thomas Manns? Bei aller Intensität und Leidenschaft wies sie
wohl »irgendwelche Realisierungen« weit von sich. Oder
sollten wir sagen: Sie scheute die Realisierungen? Oder
vielleicht auch: Seine betont monologische Homoerotik
brauchte keine Realisierungen?

In dem 1930 veröffentlichten Essay über August von
Platen bezeichnet Thomas Mann dessen Veranlagung als
»die Grundtatsache« seiner Existenz. Allerdings habe Platen selber seine Homoerotik »als heilige Unterjochung
durch das Schöne, als Dichterreinheit, Dichterweihe zum
Höheren auch in der Liebe« verstanden. Diese poetische
Mystifizierung lehnt Thomas Mann ab und meint, daß Platens Liebe »durchaus keine höhere, sondern eine Liebe war
wie jede andere...«[12]

Das jedenfalls ist sicher: Die Homoerotik als großes
Mysterium konnte und wollte Thomas Mann nicht akzep-
tieren. Doch die gleichgeschlechtliche Liebe ohne Realisie-
rungen ist schwerlich eine Liebe wie jede andere. An dem
Widerspruch, der hier augenscheinlich wird, hat Thomas
Mann ein Leben lang gelitten. Denn die Homoerotik
gehörte – kein Zweifel ist jetzt noch möglich – zu den
Grundtatsachen seiner Existenz. Die Tagebücher aus den
Jahren 1933/1934 zeigen dies zum erstenmal.

So steht er am Ende vor uns da: schwach und wehrlos,
leidend und Mitleid erweckend, ichbezogen und selbstgefällig, abstoßend für die einen, imponierend für die anderen. Seine stärkste Passion war die Eigenliebe. Sie hat ihn
veranlaßt, alle Hemmungen zu überwinden und die Wahr-

heit über seine Person zu enthüllen oder, richtiger gesagt, das, was er für diese Wahrheit hielt. Er hatte den Mut und die Größe, sich den Nachgeborenen auszuliefern.

Goethe – meinte Börne – war »das größte künstlerische Genie und der größte Egoist seines Jahrhunderts«. Er fügte hinzu: »Ohne dieses zu sein, hätte er jenes wohl nicht sein können.«[13]   (1978)

Die Chronik seines Leidens

Friedrich Schlegels knappe Bemerkung, daß alle höchsten Wahrheiten »durchaus trivial« seien und daß man sie, damit sie nicht vergessen würden, immer neu und womöglich immer paradoxer ausdrücken sollte[14], definiert zusammen mit der fundamentalen Aufgabe der Literatur auch jene der Kritik. Denn zu ihren wesentlichsten, wenngleich gewiß nicht dankbarsten Pflichten gehört es, die Zeitgenossen an Erkenntnisse über die Literatur zu erinnern, die zwar schon tausendfach formuliert wurden und deshalb vom Beigeschmack der Banalität nicht frei sein können, die aber trotzdem nichts von ihrer Gültigkeit eingebüßt haben, ja gerade in Zeiten einer tiefgreifenden Krise der künstlerischen Produktion – also heutzutage – wichtiger denn je sind.

Eine jener höchsten und deshalb durchaus trivialen Wahrheiten besagt, daß es die Leiden des Individuums an sich selber und an seiner Umwelt sind, denen die Literatur ihre Entstehung verdankt und daß sie daher – um es mit einer haarsträubend vereinfachenden Abkürzung anzudeuten – den Protest gegen die Ungerechtigkeit des Daseins artikuliert und also Kritik des Lebens ist. Indes sollte man daraus noch nicht folgern, von allen unglücklichen Individuen seien gerade die Schriftsteller die unglücklichsten. Nur sind sie mit außergewöhnlicher Reizbarkeit begnadet und zugleich geschlagen: Obwohl es ihnen, objektiv gesehen, gar nicht schlechter ergehen mag als anderen Zeitgenossen, müssen sie sich schon deshalb mehr quälen, weil sie alles stärker und intensiver empfinden. Es ist die gesteigerte Leidensfähigkeit, die sie verurteilt, mehr als andere zu leiden.

Gewiß, hohe öffentliche Anerkennung kann die Qualen des Schriftstellers lindern. Doch sogar der Weltruhm vermag diese Wirkung in der Regel nur zeitweilig auszuüben. Die Biographie Goethes, den seine relativen Mißerfolge – von der »Iphigenie« bis zu den »Wahlverwandtschaften« – mehr geschmerzt zu haben scheinen, als ihn seine wahrhaft internationalen Triumphe beglücken konnten, bestätigt dies nicht weniger deutlich als das glanzvolle Leben seines größten, vielleicht seines einzigen legitimen Erben und Nachfolgers. Also Thomas Manns.

Wenn wir über ihn und alles, was mit seiner Person und seinem Werk zusammenhängt, genauer und besser informiert sind als sogar über Goethe (von anderen deutschen Schriftstellern ganz zu schweigen), wenn wir auch die geringfügigsten Details seines Alltags ebenso kennen wie die intimsten seiner psychischen Regungen, so verdanken wir dieses Wissen in erster Linie seinen seit 1977 publizierten Tagebüchern. Der 1980 erschienene Band enthält Eintragungen aus den Jahren 1937, 1938 und 1939, als zunächst Küsnacht am Zürichsee und dann Princeton im Bundesstaat New Jersey die Aufenthaltsorte des Verbannten waren.[15]

Aber nicht wie ein Verbannter oder gar wie ein Märtyrer lebte Thomas Mann im Exil. Seine Villa in der Münchener Poschingerstraße war bequem und vornehm gewesen: das standesgemäße Domizil einer großbürgerlichen Familie. In Princeton jedoch residierte er nahezu wie ein Fürst. Vergli-

chen mit diesem ersten amerikanischen Wohnsitz Thomas
Manns wirkt das Haus, in dem, nur wenige Straßen entfernt, ein anderes aus Deutschland vertriebenes Genie,
Albert Einstein, sich eingerichtet hatte, klein und unauffäl-
lig. Und das Haus am Frauenplan in Weimar mutet vor
diesem Hintergrund eher zierlich an, jedenfalls bescheiden.

Auch seine Reisen – und er unternahm sie in diesen
Jahren häufig und offenbar gern – erinnern an den Lebens-
stil eines Souveräns. Gemeint sind damit weniger die
Luxuskabinen, die man auf den komfortabelsten Ozean-
riesen für ihn reservierte (das konnten sich schließlich auch
andere Passagiere leisten), als vor allem die ausgiebigen
Begrüßungszeremonien, die ihn keineswegs störten, die er
vielmehr mit Genugtuung registrierte. Wohin Thomas
Mann auch kam, er wurde im Hafen, auf dem Bahnhof
oder am Flughafen respektvoll und neugierig erwartet –
von Reportern und Fotografen, Verlagschefs und Univer-
sitätsprofessoren, Sekretären und Tournee-Impresarios,
von (oft prominenten) Freunden und natürlich von Familienangehörigen. Er war ein König der Literatur, den sich
die Zeitgenossen nicht entgehen lassen wollten, und vor
dem die Mächtigen dieser Welt sich selbst dann verneigten,
wenn sie von Literatur nicht viel wußten.

Nun, da das Exil, das doch für die weitaus meisten
geflüchteten Schriftsteller Not und Demütigung mit sich
brachte, den Künstler und Intellektuellen Thomas Mann
zu einem inoffiziellen und gleichwohl veritablen Würden-
träger werden ließ, da er bald das von niemandem ernannte
und von allen akzeptierte Oberhaupt der deutschen Emigration war, da konnte sich sein »fürstliches Talent zum
Repräsentieren«, dessen er sich schon in einem Brief von
1904 gerühmt hatte, nahezu täglich bewähren. Und es sind
die tatsächlichen oder nur vermeintlichen, oft nur geringfügigen Zeichen und Beweise dieser ersehnten Repräsen-

tanz, die er immer wieder im Tagebuch zu fixieren für nötig hielt.

Er arbeitet an einem neuen Roman, dem er höchste Bedeutung beimißt und der vieler zeitraubender Studien bedarf. Er schreibt Essays, die zu seinen besten gehören. Er wird von allen Seiten bedrängt: Man erwartet von ihm Aufrufe und Vorträge, Proteste und Interventionen – und er entzieht sich diesen Forderungen der Öffentlichkeit nur selten. Täglich erhält er Dutzende von Briefen, er beantwortet viele und manche auch ausführlich. Nahezu täglich empfängt er Besucher – Verehrer, Bittsteller, Neugierige, denen (wohl nicht gerade ungern) Audienzen gewährt werden. Die politischen Ereignisse überstürzen sich, sie irritieren ihn, lenken ihn ab und nehmen auf jeden Fall seine Zeit in Anspruch.

Zugleich hat die wachsende Sympathie für den Emigranten und Antifaschisten die längst fällige weltweite Anerkennung seines Werks noch beschleunigt und gesteigert. Die internationalen Ehrungen folgen in diesen Jahren so dicht aufeinander, daß er bisweilen im Tagebuch zwei in einem einzigen Satz zusammenfaßt: »Princeton bietet wie Yale den Ehrendoktor an.« Dieser Mann also, der mittlerweile über sechzig Jahre alt ist, den mehr oder weniger ernste Krankheiten nahezu unentwegt plagen und den schwere Depressionen häufig arbeitsunfähig machen, hat die Muße, im Tagebuch immer wieder wenigstens einige Worte seiner Kleidung zu widmen. Die Eintragungen »Smoking-Toilette« und »Frack-Toilette« wiederholen sich gleichsam refrainartig. Er vergißt nicht, seine seidenen Unterhosen zu erwähnen und die neue »mit lila Seide bezogene Bettdecke«. Er vermerkt gelegentlich sein »Nichtsthun im seidenen Schlafrock«. Er habe, lesen wir, »in der Kaschmir-Weste« gefrühstückt.

Daß ihn die luxuriösen Häuser, Räumlichkeiten und Gärten mancher seiner amerikanischen Gastgeber beeindrucken, ist nicht verwunderlich. Aber auch eine großzügige Bewirtung scheint ihm bemerkenswert. Und jedesmal, wenn ihm Champagner angeboten wird, ist es ein kleines Ereignis, ein buchenswertes. Mitunter heißt es »viel Champagner«. Ja, sogar die Anschaffung einer Chauffeur-Mütze für den schwarzen Diener John ist einer Notiz wert.

Sind es etwa parvenühafte Züge, die hier bei Thomas Mann zum Vorschein kommen? Auch sein Vater hatte, wenn nicht einen Chauffeur, so doch einen Kutscher und gewiß einen mit passender Mütze. Auch in Lübeck hat man Champagner getrunken. Schon in München hatte Thomas Mann Gelegenheit genug, einen Smoking oder Frack zu tragen und in den vornehmsten Häusern zu verkehren – wobei noch zu fragen wäre, ob es denn in der Weimarer Republik viele vornehmere Häuser gab als das der Familie Mann.

Hinter dem, was auf den ersten Blick parvenühaft scheinen mag, verbirgt sich in Wirklichkeit etwas ganz anderes, etwas, was in einem gewissen Sinne als Grundelement seiner Persönlichkeit und somit auch seiner Biographie bezeichnet werden kann – der Hang zum Theatralischen, die Leidenschaft für das Komödiantische. Seine Tagebücher zeigen nicht die große Welt aus der Perspektive des kleinen Mannes, sondern die Bühne aus der Sicht des Schauspielers.

Er schreibt über sich nicht ohne Distanz, doch sieht er sich fast immer in einer szenischen Konstellation: Er notiert die Regungen und Erlebnisse eines Menschen, der eine Rolle zu spielen hat und dies niemals vergißt. Wo er auch ist, er will Eindruck machen: Ob er einen Vortrag hält oder ein Interview erteilt, an einem Empfang teilnimmt oder auch nur seine Gäste unterhält – es sind immer Auftritte, *seine* Auftritte, bei denen die anderen in der Regel bloß als Stichwortgeber zu fungieren haben. Ihm ist an einem großen Lebensrahmen gelegen, der freilich würdig und gediegen sein muß.

Wie ein Schauspieler war er stets um sein Kostüm besorgt, ohne die Garderobe der Mitwirkenden auch nur eines Wortes zu würdigen: Nie erfahren wir, ob Frau Katia Mann ein langes oder ein kurzes, ein wollenes oder ein seidenes Kleid trug. Und wichtiger als die Gastgeber sind ihre Salons und Terrassen: Keinem Schauspieler kann der Hintergrund, vor dem er agiert, gleichgültig sein. Vielleicht hat er auch den Champagner so geschätzt, weil er das Knallen der Pfropfen als akustische Akzente empfand, die zum festlichen Charakter seiner Auftritte beitragen können. Vor seinen Vorträgen litt er, obwohl er immer einem genau vorbereiteten Manuskript folgte, an so starkem Lampenfieber, daß er gelegentlich eine beruhigende oder stimulierende Tablette einnehmen mußte.

Aber was immer geschah und welchen Schwankungen seine Launen und Stimmungen auch unterliegen mochten – das Bedürfnis, aus seinen entstehenden Werken vorzulesen, ließ nie nach. In Princeton begnügte er sich bisweilen mit einem einzigen Zuhörer, einem mehr oder weniger zufälligen Gast. Dabei war ihm (dieser Band zeigt es noch deutlicher als die vorangegangenen) immer nur an Zustimmung und Beifall gelegen. Als Ferdinand Lion einmal nach einer Lesung aus dem großen Schopenhauer-Essay vorsichtig und eher devot Einwände vorzubringen wagte, wurde ihm im Tagebuch sogleich »kleinliches Gebaren« angekreidet.

Wie Thomas Mann sich fast täglich mit Schlaf- oder Beruhigungsmitteln behelfen mußte, so brauchte er, um weiter produzieren, um überhaupt existieren zu können, die fortwährende Selbstbestätigung. Er gierte förmlich nach Lob, er war süchtig nach Anerkennung. Von kritischen Äußerungen über sein Werk wollte er nichts wissen, es war ihm lieber, wenn sein Verleger, seine Sekretäre und

Familienangehörigen derartige Artikel vor ihm verbargen. Denn auch geringfügige Kritik empfand er sogleich als persönliche Beleidigung, wenn nicht als ungeheuerliche Kränkung. Ja, es genügte, daß er sich übergangen fühlte – und schon war er verärgert.

So lesen wir im Mai 1937: »Schrieb vormittags energischen Brief an Frank über das infame jüdische Cliquen-Wesen beim ›Tagebuch‹ (Kesten-Döblin)...« Das infame jüdische Cliquen-Wesen? Das ist immerhin erstaunlich, zumal Thomas Mann viele Jahre früher, 1907, geschrieben hatte: »Diesen unentbehrlichen europäischen Kultur-Stimulus, der Judentum heißt, heute noch, und zumal in Deutschland, das ihn so bitter nötig hat, in irgend einem feindseligen und aufsässigen Sinne zu diskutieren, scheint mir so roh und abgeschmackt, daß ich mich ungeeignet fühle, zu solcher Diskussion auch nur ein Wort beizusteuern.«[16]

Was also hat im Mai 1937 Thomas Manns heftigen Unmut ausgelöst? In der Exilzeitschrift »Das neue Tage-Buch« war eine Besprechung des Romans »Die Fahrt ins Land ohne Tod« von Alfred Döblin erschienen. Der Rezensent, Hermann Kesten, der sich über die Bücher seiner Freunde und Kollegen niemals in der Öffentlichkeit ungünstig zu äußern pflegte, rühmte auch den neuen Roman Döblins ausgiebig. Von Thomas Mann war in dem Artikel nicht die Rede. Das eben empörte ihn.

Kestens Kritik sei – schrieb er in einem am selben Tag abgeschickten Brief an Bruno Frank – »tendenziöse Lobhudelei« und zwar »unverkennbar auf meine Kosten«. Denn Kesten habe von Döblin als dem Schöpfer des »mythischen Epos deutscher Zunge« gesprochen, als gäbe es Thomas Manns mythisches Epos, »Joseph und seine Brüder«, überhaupt nicht. Und da Kesten Jude ist – und Döblin auch – wird gleich die ganze jüdische Kritik beschuldigt und beschimpft: Sie, die ihn immer schon schnöde behandelt habe, ignoriere seine Leistung, »indem sie einen Bluts- und Cliquen-Genossen mit unverschämter Ostentation gegen mich, den dummen Goi, auf den Schild erhebt«. [17]

Die Feststellung, jüdische Kritiker hätten Thomas Mann immer schon schnöde behandelt, läßt bei dem Erzürnten auf Gedächtnislücken schließen. So hatte er – um nur dieses eine Beispiel anzuführen – 1921 geschrieben: »Juden haben mich ›entdeckt‹, Juden mich verlegt und propagiert, Juden haben mein unmögliches Theaterstück aufgeführt... Und wenn ich in die Welt gehe, Städte bereise, so sind es, nicht nur in Wien und Berlin, fast ohne Ausnahme Juden, die mich empfangen, beherbergen, speisen und hätscheln.« [18]

Bleibt hinzuzufügen, daß sein Zorn auf das angebliche »jüdische Cliquen-Wesen« nicht lange anhielt. Wenige Monate später notierte er: »Im ›Tagebuch‹ guter Aufsatz von H. Kesten über den Krull. Wie matt und gleichgültig ist das Fragment einst in Deutschland aufgenommen worden. Wahrhaftig, die deutsche Literatur braucht die Juden!« Und in einem (ebenfalls im Januar 1938 geschriebenen) Brief an Kesten meinte er, »daß es ohne Euch Juden eigentlich überhaupt keine Erkenntniß deutscher literarischen Werke gäbe«. [19]

Thomas Manns bisweilen fast hysterische Reaktionen auf öffentliche Stellungnahmen zu seinem Werk und seiner Person hatten zur Folge, daß man ihn nicht selten als eitel und selbstgefällig charakterisierte. Es ist in der Tat nicht schwer, auf nahezu jeder Seite dieser Tagebücher Eintragungen zu finden, die, zumal isoliert betrachtet, derartige Vorwürfe zu rechtfertigen scheinen. Jawohl, Thomas Mann war ein egozentrischer Mensch und dies sogar auf extreme Weise. Er hielt es tatsächlich für notierenswert, daß er zum Frühstück nicht mehr und nicht weniger als »1½ Tassen Kaffee« getrunken und an einem anderen Tag

»Thee, 2 Eier ohne das Weiße des einen« zu sich genommen hatte. Er schrieb auf, daß er irgendwann »nur im
Sitzen etwas die Augen geschlossen« habe und daß er »zur
wollenen Unterhose zurückgekehrt« sei. Und: »Den
Hund ausgeführt. Bier getrunken.« Oder: »Mit dem Pudel
gescherzt.«

Der Egozentrik hat sich Thomas Mann nie geschämt, ja,
er hat sie schon in den »Betrachtungen eines Unpolitischen« (1918) als Voraussetzung für seine Produktivität
verteidigt. »Alle Qual um die Dinge«, heißt es dort, »ist
Selbstquälerei, und nur der quält sich, der sich wichtig
nimmt.« Er hatte keine Bedenken zu behaupten, daß alles,
was »gut und edel scheint, Geist, Kunst, Moral – menschlichem Sichwichtignehmen entstammt«.[20] Seine intimen
Tagebücher, in denen er sich unentwegt und mit einer
Zärtlichkeit, die manch einem Leser auf die Nerven gehen
mag, mit seiner eigenen Person beschäftigt, zeigen – und
dies trägt entscheidend zu ihrer Bedeutung bei –, in wie
hohem Maße das »Sichwichtignehmen«, das etwas anderes
ist als Eitelkeit oder Selbstgefälligkeit, tatsächlich die Voraussetzung für Thomas Manns Produktivität war. Und es
wird deutlich, wie wenig man einem Genie mit derartigen
Kategorien beikommen kann: Statt den Gegenstand der
Betrachtung zu erhellen, lassen sie in der Regel eher auf die
subalterne Mentalität derer schließen, die sie anwenden.

Der Vorwurf der Selbstüberschätzung oder gar des Grö-
ßenwahns ist ihm ebenfalls nicht erspart geblieben. Auch
hier belehren uns seine Tagebücher eines Besseren. Er
äußert sich spöttisch über Feuchtwanger, Emil Ludwig,
Remarque und Stefan Zweig und fragt, welchem von ihnen
»die Palme der Minderwertigkeit zu reichen« sei. Er kennt
seinen Wert, er weiß, daß seine Literatur mit den Büchern
dieser Autoren überhaupt keinen Berührungspunkt hat.
Aber er macht sich keine Illusionen, daß seine eminente
Rolle auch »im sinkenden Niveau der Zeit begründet ist«

und daß die Zeitgenossen in ihm »den Überlebenden einer höheren Epoche« sehen, ihn also in einem gewissen Sinne für eine anachronistische Figur halten.

Als ihm der ungarische Religionswissenschaftler Karl Kerényi 1937 schrieb, er sei nach Küsnacht gekommen, »um eine Pflicht des in Europa Reisenden zu erfüllen, wie einst der Aufenthalt in Weimar es war« – hat Thomas Mann den Satz sofort ins Tagebuch aufgenommen und mit der Bemerkung versehen: »Hübsch, hübsch.«Im selben Jahr erreichte ihn die Nachricht, die renommierte *Yale University* beabsichtige, ein Archiv mit Dokumenten über sein Leben und Werk einzurichten. Derartige Briefe, kommentierte er knapp, habe Goethe empfangen, und fügte so aufrichtig wie bedeutungsvoll hinzu: »Ich schiele.«

Dieses »Schielen« nach Goethe, das man Thomas Mann so oft verübelt hat – wovon zeugt es denn eigentlich: von Anmaßung und Überheblichkeit, von Hochmut, Vermessenheit und Größenwahn? Oder vielleicht doch vom Bewußtsein der eigenen Grenzen und Möglichkeiten, von Thomas Manns Unsicherheit und seinem Bedürfnis nach Anlehnung, von seiner Sehnsucht nach einem Vorbild, einer Identifikationsfigur?

Daß der Goethe-Roman, an dem er in dieser Zeit arbeitet, Thomas Manns persönlichstes, intimstes Deutschlandbuch geworden ist, daß es im Bild der geistigen Heimat des Ausgebürgerten das Bekenntnis zur Weimarer Klassik mit einem heimlichen Selbstporträt verbindet, wissen die Leser der »Lotte in Weimar«. Aber erst jetzt können wir ermessen, unter welchen Bedingungen und in welcher Verfassung Thomas Mann diesen Roman geschrieben hat.

Die fundamentale Frage, ob es denn überhaupt seine Aufgabe sei, sich politisch zu engagieren und am Kampf gegen das »Dritte Reich« zu beteiligen, beschäftigt und quält ihn immer wieder. Einst, während des Ersten Weltkriegs, hatte er, keinen Zweifel zulassend, erklärt: »Menschlich denken und betrachten heißt unpolitisch denken und betrachten...«[21] Wenn er feststellte, daß dem deutschen Bildungsbegriff das politische Element fehle, so war dies nicht etwa ein Vorwurf, sondern eine Sympathieerklärung. Gewiß, später gingen seine Gedanken in anderer Richtung. Und doch hat er derartigen Vorstellungen nie ganz abgeschworen.

Der berühmte Brief an den Dekan der philosophischen Fakultät der Bonner Universität, der, am Neujahrstag 1937 abgeschickt, seinen von vielen ungeduldig erwarteten Bruch mit dem nationalsozialistischen Deutschland besiegelte, gilt – und nicht zu Unrecht – als Wendepunkt in Thomas Manns Biographie, er selber versprach sich von dem Brief »weitreichende innere Wirkungen«. Aber schon wenige Tage später, am 7. Januar 1937, lassen die Eintragungen erkennen, wie wenig er aus seiner Haut konnte. Sein inneres Verhalten zu dieser Publikation wechsle »zwischen Freude und Bedrücktheit«, denn: »Man ist zum Freien und Heiteren geboren, nicht dazu.«

Sosehr er sich in den nächsten Jahren politisch engagierte, sowenig konnte er vergessen und wollte er verdrängen, daß dieses Engagement, mochte es auch unumgänglich sein, mit seinem Wesen schwerlich in Einklang zu bringen war: Die politische Sphäre blieb ihm fremd, er traute ihr nicht, sie war für ihn nur ein notwendiges Übel, ärgerlich und störend. Ende 1937 schien er fast entschlossen, sich von der Politik wieder abzuwenden: »Keine Vorspanndienste mehr! Keine Äußerungen und Antworten! Wozu Haß erregen? Freiheit und Heiterkeit! Man sollte sich endlich das Recht dazu nehmen.« Im September 1938 meinte er resigniert, der Faschismus werde nach Amerika hinüberlangen: »Abwenden, abwenden! Beschränkung aufs Persönliche und Geistige... Ohnmächtiger Haß darf nicht meine Sache sein.«

Doch allen Skrupeln zum Trotz blieb Thomas Mann der

ihm zugefallenen öffentlichen Rolle treu. Er spielte sie immer intensiver, immer besser. Was stand dahinter? Verantwortung, Pflicht, Gewissen? Ganz bestimmt. Aber vielleicht hat er sich der Politik auch deshalb nicht entzogen, weil es gerade ihre Ansprüche und Zumutungen waren, die sein Repräsentationsbedürfnis in höherem Maße befriedigten, als es die Literatur je hätte tun können.

Allerdings konnte es ihm nicht verborgen bleiben, daß seine politischen Aktivitäten ihre Autorität lediglich von seiner künstlerischen Produktion bezogen: Man brauchte seinen Ruhm und seine Beredsamkeit, ohne an seinem Urteil sonderlich interessiert zu sein. In der Tat zeigen viele dieser Tagebuch-Eintragungen, daß er von der aktuellen politischen Situation eher vage Vorstellungen hatte.

Im Herbst 1938 war er – ähnlich wie zahlreiche andere Emigranten – sicher, es werde nicht zum Kriege kommen, weil Deutschland ihn gar nicht führen könne. Am 17. August 1939 zweifelte er, »daß Hitler kämpfen will«. Am 27. August hielt er den Krieg für »die moralisch ersehnte Consequenz alles Geschehenen«, meinte aber noch am 30. August, daß »Hitler, wie ich immer wußte, den Krieg nicht führen will und kann«. Und nach dem Feldzug in Polen war er überzeugt, daß die Westmächte nun mit Hitler Frieden schließen werden.

In dieser Zeit beklagt sich Thomas Mann, der ohnehin zur Hypochondrie neigte, noch häufiger als in früheren Jahren über seinen körperlichen und psychischen Zustand: Er fühlt sich alt und müde, der »vitale Antrieb« sei zu schwach, die Produktionsfähigkeit stark reduziert. Im Februar 1938 heißt es: »Depression und Durchdrungensein von der Sinn- und Zwecklosigkeit des Ganzen.« An dem Tag, an dem er 33 Jahre verheiratet war, sagte er seiner Frau, er möchte dieses Leben nicht wiederholen: »Das Peinliche habe zu sehr überwogen.« Wenige Wochen später: »Gequält nachmittags von Gram und Haß. Käme der

Krieg!« Im Juni 1938: »Nervöses Einsamkeitsgefühl und Beklemmung.« Und: »Ganzen Tag beklommen und geängstigt von Alters- und anderen Schrecken.«

Dies etwa ist das Klima, in dem Thomas Mann die Geschichte vom Besuch der Hofrätin Charlotte Kestner, geborene Buff, in Goethes Weimar schrieb. Er versuchte, täglich an dem Manuskript zu arbeiten, auch auf Reisen. Die meisten Briefe diktierte er rasch, ohne sie später zu korrigieren. Auch die zahlreichen Gelegenheitsarbeiten machten ihm nicht viel Mühe. Doch auf den Autor der »Lotte in Weimar« traf zu, was er selber über den Helden seiner Novelle »Tristan« gesagt hatte: »Für einen, dessen bürgerlicher Beruf das Schreiben ist, kam er jämmerlich langsam von der Stelle.« Hatte er an einem Vormittag einen als brauchbar empfundenen Absatz verfaßt – und oft waren es nur wenige Zeilen –, dann verzeichnete er diesen Umstand im Tagebuch als Erfolg.

Als der Zweite Weltkrieg ausbrach, hielt er sich (leichtsinnigerweise) in Europa auf, in Schweden. Eintragung vom 2. September: »Kämpfe, Bombardierungen in Polen, Frühstück mit Erika. Schrieb einiges am 8ten Kapitel« (der »Lotte in Weimar«). Am 3. September: »Ich schrieb meine Seite wie gewohnt, der Ereignisse gewärtig.« Am 12. September reist er von Southampton nach New York. Das Schiff ist überfüllt, Kabinen sind nicht erhältlich, er muß in einem improvisierten, nur notdürftig mit Pritschen ausgestatteten Schlafraum übernachten: »Nach dem Frühstück (Kaffee und Oat Meal) im Deckstuhl Bleistift-Arbeit am 8ten Kapitel, eigensinnig.« Wer glaubte, Thomas Manns Arbeitsethos belächeln zu dürfen, wird hierzu nach der Lektüre solcher Tagebuch-Eintragungen schwerlich Lust haben.

Seine innere Zerrissenheit in den Jahren des Exils, sein Trübsinn und seine Verzweiflung haben in dem Goethe-Roman keine Spuren hinterlassen. Anders als der nur einige Jahre später geschriebene »Doktor Faustus« verrät »Lotte in Weimar« nichts von der qualvollen Anstrengung des Autors: Es ist ein heiteres und anmutiges, ein wahrhaft souveränes Buch. Superlative rufen immer Widerspruch hervor. Dennoch: Dies ist, wenn auch nicht Thomas Manns bedeutendster, so doch sein vollkommenster Roman. Auf stille Weise triumphiert hier die Kultur im Kampf gegen die Barbarei.

In der »Lotte in Weimar« meditiert Goethe über das »Sackermentsvolk, aus dem – und dem zuwider – du lebst, zu dessen Bildung berufen du dies unbeschreiblich prekäre und penible, nicht nur durch Rang, auch durch Instinct schon isolierte Leben führst...« Das Tagebuch, diese unvergleichliche Chronik des Leidens, dieser Bericht voller Einsamkeitspathos, läßt uns Thomas Manns prekäres, penibles und stets isoliertes Leben ahnen. Einst hatte er eine Zeile von Platen zitiert: »Es kenne mich die Welt, auf daß sie mir verzeihe.«   (1981)

Die Geburt der Kritik
aus dem Geiste der Epik

Tolstoj hielt von Shakespeare nichts. Er sei überhaupt kein Künstler gewesen, seine Dramen genügten allesamt den Anforderungen der Kunst nicht: »und dabei sind ihre Tendenzen von niedrigster, unsittlichster Art«. Sein Werk sei »das trivialste und verachtenswerteste, das es gibt«.[22] Dieses Urteil ist beides zugleich – absurd und in hohem Maße symptomatisch. Hat Tolstoj Shakespeare verkannt, obwohl oder weil auch er selber ein Genie war? Wir wissen es längst: Genies haben es schwer, die Leistungen anderer Genies anzuerkennen. Das trifft nicht auf alle zu, doch mit

Sicherheit auf viele. In Goethes Aufsätzen und Erinnerungen, Briefen und Gesprächen findet sich – auf Tausenden von Seiten – nur auffallend wenig über Lessing: einige eher dürftige und meist herablassende Äußerungen. Kleists Größe hat er ebensowenig erkannt wie Schiller jene Hölderlins.

Das scharfsinnige Diktum Friedrich Schlegels, Goethe sei zu sehr Dichter, um Kunstkenner zu sein[23] – für welches Genie gilt es nicht? Tolstoj habe, so Thomas Mann, über Dostojewski nur Dummheiten gesagt: »Von Dostojewski hat Tolstoj natürlich nichts verstanden.«[24] Man beachte hier die Vokabel »natürlich«. So ließe sich auch sagen: Thomas Mann hat von Brecht natürlich nichts verstanden und Brecht natürlich noch viel weniger von Thomas Mann. »Künstler sind Säulenheilige; jeder lebt in seiner ›Menschenleere‹ wie die Einsiedler in den ›Vertauschten Köpfen‹; im Grunde will keiner vom anderen wissen, und jeder fühlt: ›Lebt man denn, wenn andere leben?‹« – heißt es in einem Brief Thomas Manns aus dem Jahre 1950.[25]

Er war es auch, der Tolstojs verblendeten Haß auf Shakespeare schlüssig erklärt hat. Dieser bedeute »das Wegstreben von Natur, Naivität, moralischer Indifferenz zum Geist im moralisch-kritischen Sinn des Wortes, zur sittlichen Wertung und bessernden Lehre«. In Shakespeare habe Tolstoj sich selbst gehaßt, »seine eigene vitale Bärenkraft, die ursprünglich ebenfalls naturhaft und künstlerisch-amoralisch war«.[26] Tolstojs Angriff auf Shakespeare ziele somit auf nichts anderes als auf seine eigene, wenn auch inzwischen überwundene Vergangenheit. Sollte etwa Literaturkritik aus der Feder eines Genies insgeheim immer Selbstauseinandersetzung sein? Und hätten wir damit den Schlüssel zum literarkritischen Œuvre auch Thomas Manns?

Er hat dieses Gewerbe sein ganzes Leben hindurch ausgeübt: Die Zahl seiner literarkritischen Arbeiten ist ungleich größer, als allgemein angenommen wird. Denn auf die vom S. Fischer Verlag publizierten Werkausgaben kann man sich in dieser Hinsicht, so umfangreich sie auch sind, leider nicht verlassen. Die seit 1983 in Ost-Berlin erscheinende und auf acht Bände berechnete Edition seiner »Aufsätze, Reden und Essays« bietet schon in den ersten Bänden zahlreiche und keineswegs unerhebliche literarkritische Beiträge, die in keiner der bisherigen Buchausgaben enthalten waren und von deren Existenz man in der Bundesrepublik offenbar nichts wußte.[27]

Es versteht sich, daß es Arbeiten sehr unterschiedlicher Art sind: Rezensionen und Feuilletons, Reden und Essays, Gratulationsartikel und Nachrufe, Einleitungen und Vorlesungen, Selbstkommentare und Antworten auf Umfragen; hinzu kommen noch Hunderte, ja Tausende von Briefen. Oft haben wir es mit baren Pflichtleistungen zu tun, mit flüchtigen Gelegenheitsarbeiten und rasch verfaßten Glossen, die meist die Gegenwartsliteratur betreffen. Früher oder später hat sich Thomas Mann über jeden bekannten Schriftsteller seiner Epoche geäußert, doch, von Gerhart Hauptmann abgesehen, über keinen ausführlicher. Rilke, Hofmannsthal, George, Wedekind, Sternheim, Schnitzler, Döblin, Hesse – sie alle haben ihn nicht sonderlich interessiert, von Brecht ganz zu schweigen. Über Kafka schrieb er erst viele Jahre nach dessen Tod, 1941, als er gebeten wurde, die amerikanische Ausgabe des Romans »Das Schloß« mit einem Vorwort zu versehen.

Es sei nicht der Panegyrikus, es sei die Kritik, »und zwar die böse und selbst gehässige Kritik, ja geradezu das Pamphlet, vorausgesetzt, daß es geistreich und Produkt der Leidenschaft ist – worin passioniertes Interesse sein Genüge findet...« – erklärt Thomas Mann in den »Betrachtungen eines Unpolitischen«. Im selben Buch lesen wir: »Warum nicht sagen, daß ich gern bewundere, mich gern verliere, daß ich mich im Grunde langweile, wenn es nichts zu lieben, zu erobern und zu durchdringen gibt? Dann fühle ich mich alt, während der Zustand der Begeisterung für irgendein Geschaffenes mich lehrt, daß ich es noch nicht bin...«[28]

Aber gerade davon spürt man in den meisten seiner Äußerungen über Zeitgenossen wenig oder nichts – sie zeugen weder vom »passionierten Interesse« noch vom »Zustand der Begeisterung«, sie sind weder gehässig noch leidenschaftlich, vielmehr in der Regel kühl und freundlich und nicht selten belanglos. Häufig gelingen ihm glänzende Formulierungen, allerdings kann man sich des Verdachts nicht erwehren, der Schreiber kenne das, was er begutachtet, nur obenhin. Direktere und zuweilen auch härtere Urteile finden sich noch am ehesten in den Berichten, die Thomas Mann von 1922 bis 1925 der amerikanischen Zeitschrift »Dial« geliefert hat. Hier wird ebenfalls viel gelobt, doch zwischendurch gibt es Sätze über die gerühmten Bücher, die das soeben gespendete Lob unvermittelt annullieren.

An baren Gefälligkeitsrezensionen ist kein Mangel. Was Thomas Mann von der Epik seines Bruders Heinrich hielt, wissen wir aus Briefen, in denen er, sobald von dessen Werken die Rede war, auf Worte wie »Ekel« oder »Haß« nicht verzichten wollte. Gleichwohl hat er 1925 Heinrich Manns mißratenen Roman »Der Kopf« mit Komplimenten überhäuft – ohne freilich irgend etwas über das Buch zu sagen, weshalb es zumindest nicht unwahrscheinlich ist, daß er es kaum kannte. Auch später waren derartige Buchbesprechungen an der Tagesordnung. Als 1936 – um sich auf dieses Beispiel zu beschränken – von dem Exilgefährten Leonhard Frank der hoffnungslos verfehlte und auch noch äußerst süßliche Roman »Traumgefährten« veröffentlicht wurde, hatte Thomas Mann keine Bedenken, dieses zweifelhafte Produkt ausgiebig zu preisen.

Gern und ungeniert kommt er, über Zeitgenossen schreibend, auf seine eigene Person und seine eigenen Werke zu sprechen. So weist er in dem Aufsatz über Kafkas »Schloß« darauf hin, daß dieser seinen »Tonio Kröger« gelesen und geschätzt habe. Und im Nachruf auf Bernard Shaw kann man lesen: »Ich habe ihn nie besucht, und zwar aus Humanität. Denn ich war und bin überzeugt, daß er nie eine Zeile von mir gelesen hatte, was ihn ebenfalls in Verlegenheit hätte bringen können.«[29]

Tief ergriffen und erschüttert zeigt sich Thomas Mann in einer 1952 gehaltenen Rede auf Gerhart Hauptmann. Doch was ihn ergriffen hat, ist nicht etwa ein Werk Hauptmanns, sondern ein eigenes, der »Zauberberg«. Während er diese Hauptmann-Rede vorbereitete, habe er die drei Peeperkorn-Kapitel nachgelesen: »Und ich gestehe Ihnen: ich war ergriffen von der überwirklichen Getroffenheit dieser Porträt-Phantasie.« Mehr noch: Er meint tatsächlich, daß die Figur Peeperkorns der Nachwelt von der Persönlichkeit Hauptmanns, »von seines Wesens weher Festlichkeit«, mehr überliefern werde als noch so viele kritische Monographien. In einem Geburtstagsglückwunsch behauptet er gar, die Persönlichkeit Hauptmanns überrage dessen literarische Triumphe: Die Nachgeborenen werde sein Menschenbild mehr erschüttern als seine Werke.[30] Wir wissen inzwischen, daß Thomas Mann sich geirrt hat: Für die junge Generation von heute bedeutet Hauptmanns Persönlichkeit wenig oder nichts, aber die »Ratten« und einige andere seiner Stücke haben überlebt.

Warum sind diese Studien so enttäuschend? Wohl nur deshalb, weil ihm das Werk Hauptmanns, für den er nicht wenig Sympathie hatte, letztlich fremd blieb – wie auch das Hofmannsthals, den er beinahe verehrte, oder das Hesses, mit dem er jahrzehntelang befreundet war. Seine Versuche, sich mit Hauptmann auf irgendeine Weise zu identifizieren, ergaben nichts: Von welcher Seite aus er sich seiner

Welt zu nähern bemühte, eine Selbstauseinandersetzung
war nicht möglich.

So verbreitete sich Thomas Mann zwar immer wieder
über die Literatur seiner Epoche, hatte indes weder die
Lust noch das Bedürfnis, sich mit ihr näher zu befassen
und sich für die Bücher von Zeitgenossen zu engagieren
oder gegen sie zu polemisieren. Er äußerte sich mehr oder
weniger originell über Gegenstände, die ihn im Grunde
wenig angingen: Kein einziger dieser Autoren konnte ihn
aus der Reserve locken – und schon das beweist, daß er,
der Verfasser von Hunderten von Rezensionen und Gelegenheitsarbeiten, doch nicht das Temperament eines Kriti-
kers hatte. Nein, Literaturkritiker war Thomas Mann –
wie übrigens auch Goethe – ganz bestimmt nicht. Aber er
war einer der größten literarkritischen Essayisten, die je in
deutscher Sprache geschrieben haben.

Von seinen Rezensionen und den anderen kleineren
Arbeiten über Bücher und Schriftsteller unterscheiden sich
seine großen literarkritischen Essays sowohl durch deren
Schreibweise als auch durch ein Thema, das, mehr oder
weniger getarnt, deren Achse bildet. In einem seiner
Hauptmann-Aufsätze findet sich die bescheiden anmu-
tende Bemerkung: »Zum Schluß dann, was hilft uns die
Analyse, erzählen wir Freunde uns Anekdoten. Auch hier
will ich's tun, ich fahre am besten dabei.«[31] In diesem bei-
läufigen Hinweis verbirgt sich beinahe ein Programm:
Denn in der Tat ist die Anekdote, wenn nicht das Epische
schlechthin, ein wesentliches Element der literarkritischen
Essayistik Thomas Manns.

Es geht hier keineswegs, wie man vermuten könnte,
bloß um Ornamente und Arabesken. Vielmehr erweist sich
dieser Essayist, sobald er von der Literatur spricht, als ein
Erzähler. Wenn er das Leben eines Dichters oder ein
Drama oder einen Roman referiert, erreicht er beides auf
einmal: eine kaum zu übertreffende Anschaulichkeit der

Darstellung und das in dieser Darstellung bereits enthaltene Werturteil. Den Nietzsche-Titel paraphrasierend, sagt Thomas Mann: »In Lessing hatte Deutschland etwas erlebt wie die Geburt der Poesie aus dem Geiste der Kritik.« Für ihn selber gilt: Die Geburt der Kritik aus dem Geiste der Epik. Überspitzt ausgedrückt: Während seine Romane große essayistische Partien bieten, sind seine Essays über Literatur in Wahrheit Geschichten.

Um sich aber als erzählender Kritiker entfalten zu können, benötigt Thomas Mann – nichts simpler als diese Einsicht – möglichst viel Platz. Den jedoch kann er schwerlich in einer Buchbesprechung oder in einem Glückwunsch von drei oder vier Seiten finden, dazu braucht er zehn oder zwanzig, besser dreißig Seiten. Es zeigt sich, daß die Quantität hier nahezu automatisch zur Qualität wird. Das andere Charakteristikum der literarkritischen Essays ist, wie gesagt, ihr zentrales Thema. Es sei doch interessant, meint Schiller zu Goethes Äußerungen über Literatur, wie dieser »alles in seine eigene Art und Manier kleidet und überraschend zurückgibt, was er las«.[32] Das trifft erst recht auf Thomas Mann zu – und diese »eigene Art und Manier« hat mit der Intention seiner Essays zu tun.

»Wozu, woher überhaupt Schriftstellertum« – heißt es in den »Betrachtungen eines Unpolitischen« – »wenn es nicht geistig-sittliche Bemühung ist um ein problematisches Ich?«[33] Mit dieser Formulierung läßt sich seine ganze literarkritische Essayistik definieren; und das problematische Individuum, das in ihrem Mittelpunkt steht, ist kein anderer als er selbst. Er weiß es, und er scheut sich nicht, es gelegentlich klar auszusprechen. So schreibt er 1917 in einem Brief: »Wir finden in Büchern immer nur uns selbst. Komisch, daß dann allemal die Freude groß ist und wir den Autor für ein Genie erklären.«[34] Was Heinrich Mann seines Bruders »wütende Leidenschaft für das eigene Ich« genannt hat, das eben ist es, was die Lektüre seiner Essays überaus reizvoll macht und was manchen dieser Arbeiten eine dramatische, wenn nicht gar tragische Dimension gibt.

Als ihr Motto könnten die berühmten Worte des Marquis Posa dienen: »Sagen Sie / Ihm, daß er für die Träume seiner Jugend / Soll Achtung tragen, wenn er Mann sein wird.« Denn die Essays beschäftigen sich mit Künstlern, denen Thomas Mann die Träume seiner Jugend verdankt. Ob Goethe, Schiller oder Kleist, Platen oder Chamisso, Storm oder Fontane, ob Richard Wagner oder Leo Tolstoj – es sind immer Jugenderlebnisse, die Thomas Mann nach Jahrzehnten rekapituliert und besingt, revidiert und ergänzt. Es sind die Träume seiner Jugend, an die er sich mit Respekt und Wehmut erinnert und denen er auf rührende Weise die Treue hält.

Besonders deutlich wird dies in seinem Verhältnis zu Schiller. »Wer bin ich« – fragt Thomas Mann gegen Ende seines Lebens – »daß ich das Wort führen soll zu seinem Preis, vor meinen Augen die Gebirge kundiger Würdigungen, welche in anderthalb Jahrhunderten die gelehrte Forschung aufgetürmt hat?« Und er antwortet: Es berechtige ihn höchstens »die Erfahrungsverwandtschaft, die Brüderlichkeit, die zur Zutraulichkeit keck machende Familiarität, die ungeachtet jedes Rang-, Zeit- und Wesensunterschieds waltet zwischen allem hervorbringenden Künstlertum.«[35] Der Nachsatz, der eine Gemeinsamkeit der produktiven Künstler beschwört, überzeugt allerdings nicht: Es zeigt sich ja, daß Thomas Mann die »Erfahrungsverwandtschaft« und »Brüderlichkeit« immer nur bei den Dichtern seiner Jugend findet und empfindet, bei ihnen aber in so hohem Maße, daß es bisweilen schwer ist zu entscheiden, auf wessen Kosten der Identifikationsprozeß erfolgt. »Noch der letzte seiner Gattung« – schreibt er – könne bei Schiller »die eigene Not, das eigene Glück mit bescheidenem Stolze« wiedererkennen.

Zweimal hat sich Thomas Mann in Friedrich Schiller wiedererkannt – 1905 in der Novelle »Schwere Stunde« und genau ein halbes Jahrhundert später in der Fortsetzung dieser Novelle, betitelt »Versuch über Schiller«. Die beiden Arbeiten – hier eine Erzählung mit essayistischen Akzenten, da ein Essay mit erzählerischen Passagen – werden von Bewunderung getragen und von Liebe zu Schiller. Aber diese Liebe ist in der Novelle des jungen Thomas Mann bedächtig, nachdenklich, es ist die Liebe eines reifen, abwägenden Enthusiasten. Im »Versuch« des Achtzigjährigen scheint es die Liebe eines jugendlich-stürmischen Bewunderers, der sich seiner Zuneigung und Hingabe nicht schämt.

Er zitiert aus dem »Don Carlos« und fragt: »Was gibt es Schöneres, Edleres, Herzbewegenderes?« Er verteidigt liebevoll sogar »Die Glocke«, er bittet um Verständnis für Schillers »Lust am höheren Indianerspiel, am Abenteuerlichen und psychologisch Sensationellen«. Er rühmt Schillers Generosität, die dem Effekt seine Unschuld zurückzugeben weiß, und bekennt sich ohne Reue zu dessen »edler Naivität«. Er interpretiert auf seine Weise den »Wallenstein«, die »Jungfrau«, den »Tell«, er erkennt in dem Autor des »Verbrechers aus verlorener Ehre« einen Vorläufer Kleists. Es ist über Schiller schon viel Kluges gesagt worden. Doch niemand in diesem Jahrhundert hat hochherziger und schöner über ihn geschrieben als der alte Thomas Mann.

Ähnlich zeugen seine Arbeiten über Goethe – und wieder muß man Essayistisches und Episches zusammen sehen, also die Reden und Aufsätze zusammen mit »Lotte in Weimar« – von einem unermüdlichen Prozeß der Annäherung. Als man Thomas Mann 1930 anbot, ein Buch über Goethe zu verfassen, konnte er sich nicht recht entscheiden und bat Ernst Bertram um Rat. Er schrieb ihm: »Ich werde nicht neu, ich werde höchstens persönlich sein können und nur dadurch so neu, wie man es immerhin verlangen kann.« Und: »Der Bildungsvoraussetzungen für ein solches Werk ermangelnd, wird mir nichts übrig bleiben, als aus Erfahrung zu reden, – über Goethe aus Erfahrung: eine mythische Identifikations-Hochstapelei«.[36]

Zwei Jahre später charakterisiert er sein Verhältnis zu Goethe in einem Brief an Käte Hamburger.[37] Jetzt spricht er, da er sich an eine Germanistin wendet, die über sein Werk arbeitet, eine ganz andere Sprache, hier ist schon die Rede vom »Verwandtschaftsgefühl« und vom »Bewußtsein ähnlicher Prägung«, ja sogar von einer »gewissen mythischen Nachfolge und Spurengängerei«. Er zitiert Stifter: »Ich bin kein Goethe, aber einer von seiner Familie«. Aus der Erfahrung, der einzigen Voraussetzung, über die er verfüge, ist also ein »Verwandtschaftsgefühl« geworden und aus der »mythischen Identifikations-Hochstapelei« gleich eine »gewisse mythische Nachfolge«. Der Brief an den Freund scheint aufrichtig, jener an die Germanistin eher diplomatisch. Was Stifter für sich in Anspruch nahm, läßt sich auf Thomas Mann schwerlich übertragen: Er war nicht von Goethes Familie. Aber indem er seine Erfahrungen in Goethes Person und Werk projizierte, zeichnete er ein Bild, das vermuten ließ, eigentlich gehöre Goethe zur Familie Mann. Die Selbstauseinandersetzung hat indes den Wert dieser Arbeiten nicht beeinträchtigt, sie vielmehr lebendiger und leidenschaftlicher gemacht.

Oft hat man Thomas Manns Annäherung an Goethe verspottet und ihn des Hochmuts, der Anmaßung und der Überheblichkeit beschuldigt. Doch sind es wohl subalterne Vorstellungen, denen derartige Vorwürfe entstammen. Nicht mit Größenwahn hat sein langjähriger Kampf um Goethe zu tun, sondern eher mit dem Bewußtsein der eigenen Möglichkeiten und Grenzen, vielleicht mit Schwäche und Unsicherheit, jedenfalls aber mit Thomas Manns Bedürfnis nach Anlehnung, mit seiner Sehnsucht nach einem Vorbild, nach einer Identifikationsfigur. Wie er Goethe für ein »Genie des Bewunderns« hielt und die Bewunderung für »eine Hauptstütze seines Schöpfertums«, so schrieb er über sich selber im Jahre 1950: »Ich war immer ein Bewunderer, ich erachte die Gabe der Bewunderung für die allernötigste, um selbst etwas zu werden, und wüßte nicht, wo ich wäre, ohne sie.«[38]

Damit mag es auch zusammenhängen, daß Thomas Mann bei verschiedenen Gelegenheiten einigermaßen überraschend die Identität von Kritik und Lyrik fordert, so 1909: »Wir sehen, alltäglich, den Kritiker in seinen niedrigsten Typen, als Schulmeister, als Nörgler, als Parodisten, als wachsamen, maulscharfen und im Grunde feindseligen Kunstaufseher. Aber der Kritiker hoher Art ist Lyriker und Bekenner.«[39] So protestiert Thomas Mann gegen die damals mehr oder weniger übliche Buchbesprechung und verteidigt zugleich seine Konzeption des literarkritischen Essays. Wieder einmal holt er sich die Rechtfertigung von Goethe, er zitiert »Dichtung und Wahrheit«: Die Kritiker lebten »in dem Wahn, man werde, indem man etwas leistet, ihr Schuldner, und bleibe jederzeit noch weit zurück hinter dem, was sie eigentlich wollten und wünschten, ob sie gleich kurz vorher, ehe sie unsere Arbeit gesehn, noch gar keinen Begriff hatten, daß so etwas vorhanden oder nur möglich sein könnte«.[40]

Es fällt schwer, diese Äußerung Goethes ohne Widerspruch hinzunehmen. Darf denn der Kritiker über das Neue, das Überraschende, das Ungeahnte nicht urteilen? Soll er nur dann urteilen, wenn er in dem Werk findet, was er schon vorher kannte? Thomas Mann zeigt sich jedoch entzückt: »Nie sind erheiterndere und zutreffendere (Worte) gefunden worden für das Verhältnis eines Künstlers, der sich der Neuheit und Ursprünglichkeit seiner Hervorbringung bewußt ist, zur nachhinkenden Kritik.«[41] Nachhinkende Kritik? Ein sonderbarer Vorwurf. So war es

immer, so muß es sein: Erst kommt die Poesie, dann die
Theorie, erst die Literatur, dann die Kritik. Der Poetik des
Aristoteles waren die Tragödien des Aischylos, des So-
phokles und des Euripides vorangegangen. An dieser Rei-
henfolge hat sich bis heute nichts geändert. Was will also
Thomas Mann? Er möchte, muß man befürchten, sein Werk
vor einer rational analysierenden, wertenden und fordernden Kritik schützen und, mit Goethes Hilfe, für den
bekenntnishaften literarkritischen Essay plädieren – jenen,
der zwar seine Gegenstände zu untersuchen vorgibt, doch
vor allem das eigene Rezeptionserlebnis, womöglich ein
Jugenderlebnis, artikuliert.

Zu den zentralen Jugenderlebnissen Thomas Manns
gehört, wie jedermann weiß, Richard Wagner, die Heimat
seiner Seele: »Auf jeden Fall bleibt Wagner der Künstler,
auf den ich mich am besten verstehe und in dessen Schatten
ich lebe« – lesen wir in einem Brief aus dem Jahre 1920.[42]
Tatsächlich fallen in seinen Arbeiten über Wagner Formulierungen auf, die zugleich seine eigene Epik charakterisieren. Wenn Thomas Mann (um sich auf dieses Beispiel zu
beschränken) vom Zug und Willen »zum großen Format,
zum Standardwerk, zum Monumentalen« spricht und fest-
stellt, daß diese Bestrebungen merkwürdigerweise verbunden seien »mit einer Verliebtheit in das ganz Kleine und
Minuziöse, das seelische Detail«, wenn er mit der Formel
»Psychologie und Mythus«[43] operiert – so bezieht sich das
alles auf das Wagnersche Musikdrama und charakterisiert
gleichzeitig die »Joseph«-Tetralogie.

Überdies entdeckt Thomas Mann auch bei Wagner
gewisse ihm nicht fremde Eigenschaften, genauer: Schwächen und Neigungen, die er zwar kritisch, doch sehr ver-
ständnisvoll beschreibt. So verweist er wiederholt auf
Wagners bedenkliche sowohl psychische als auch körperliche Konstitution, auf sein außerordentliches Bedürfnis
nach Eleganz und Luxus. Nun genügt es, Thomas Manns

verhältnismäßig bescheidenes Haus in Kilchberg am Zürcher
See mit Richard Wagners venezianischem Palazzo zu vergleichen, um die Kluft zwischen den beiden anzudeuten. Dennoch zeigen diese Arbeiten, wieviel sie miteinander gemein
haben – nicht zuletzt die Freude am Komödiantischen und an
der Selbstinszenierung.

Auch der Storm-Essay von 1930 dient der Selbstauseinandersetzung, auch hier ist Thomas Mann auf der Suche nach
Motiven, die an seine Existenz erinnern oder diese gar rechtfertigen. Die Themen seiner größeren literarkritischen
Arbeiten waren übrigens nur teilweise von Aufträgen abhängig gewesen. Es ist natürlich kein Zufall, daß er über Fontane
geschrieben hat und nicht über Stifter, über Storm und nicht
über Mörike. Mit großer Konsequenz greift er ein Leben lang
auf jene Literatur zurück, die ihn einst geprägt hat. Im
Mittelpunkt der Arbeit über Storm steht überraschender-
weise nicht dessen Novellistik, sondern die Lyrik. Thomas
Mann zitiert reichlich, knüpft an beinahe jedes Zitat eine
schwärmerische Bemerkung. Man spürt sofort: Hier werden
Erinnerungen an weit zurückliegende literarische Erlebnisse
aufgefrischt. Aber die wehmütigen Reminiszenzen hindern
ihn nicht, bei Storm auch das »larmoyant Eigensinnige« zu
sehen, das allzu Gemüthafte und das Sentimentale.

Indes interessieren Thomas Mann diesmal vor allem heikle
biographische und persönliche Umstände. Er, dessen Sohn
Klaus in hohem Grade drogenabhängig war, schreibt über
den Kummer, den der Dichter Storm mit seinem Sohn Hans
hatte: »Das Poetenkind wird ein Säufer. Der Fall ist hoffnungslos, lebensunmöglich; ›blutvergiftendes Entsetzen‹
erfaßt den Vater . . .« Bei dem scheinbar soliden Juristen aus
Husum und Hademarschen faszinieren Thomas Mann die
Elemente des Abenteuerlichen und des Exzentrischen, des
Unregelmäßigen und des Normwidrigen, das, er betont es,
von der künstlerischen Konstitution nicht zu trennen sei.

Als Student verliebte sich Storm in ein zehnjähriges Mädchen, das nicht viel von ihm wissen wollte und zehn Jahre später seine ernste, »todesbange« Werbung kurzerhand abwies. Und er war schon verlobt, als er sich in eine dreizehnjährige Blondine verliebte, die er später, als seine erste Frau gestorben war, geheiratet hat. Thomas Manns Kommentar ist knapp und trocken: »Diese Kinderliebe erscheint jedenfalls nicht ganz korrekt. Junge Leute pflegen sich eher in reife Frauen als in Zehnjährige zu verlieben. Aber wir haben es mit einem Dichter zu tun . . .« Immer wieder wendet er seine Aufmerksamkeit Gefühlen und Vorgängen zu, die »das Gepräge des Sündhaften, des Verfemten« tragen: Er möchte Dichtertum als »die *lebensmögliche* Form der Inkorrektheit«[44] verstanden wissen. Es bedarf keiner Begründung, daß dies mit seinen eigenen Leiden und seinen erotischen Komplexen zu tun hat, mit jenen seiner Neigungen also, die er als sündhaft und verfemt oder zumindest als inkorrekt empfindet.

Erst seit wir Thomas Manns Tagebücher kennen, sind wir über seine sexuelle Konstitution genauer informiert: Die homophile Veranlagung machte ihm nicht nur in der Jugend zu schaffen und war durchaus nicht nur Pubertätserotik; sie beeinflußte, vielleicht noch intensiver, auch seine reifen und späten Jahre. Seit wir dies wissen, liest sich sein Werk anders – und dies gilt nicht nur für seine Romane und Erzählungen, sondern auch für die literaturkritischen Essays.

Im Sommer 1927 lernte Thomas Mann während eines Urlaubs in Kampen auf Sylt den damals siebzehnjährigen Klaus Heuser kennen, an dem er sofort, um es vorsichtig auszudrücken, in hohem Maße interessiert war. Im offensichtlichen und nachweisbaren Zusammenhang mit dieser Beziehung sind zwei Aufsätze entstanden. Schon kurz nach dem Aufenthalt auf Sylt schrieb Thomas Mann eine gründliche, viele Details erörternde Interpretation des Kleistschen »Amphitryon«. Der einleitende Abschnitt, auf seine Weise einer der Höhepunkte seiner Essayistik, bestimmt die Begriffe Liebe, Treue, Trennungsschmerz und Vergessenheit. Daß hier die Gefühle zu Klaus Heuser artikuliert wurden, hat Thomas Mann viele Jahre später in seinem Tagebuch notiert. Aber es ist nicht ausgeschlossen – jetzt freilich geraten wir auf den Boden der Mutmaßungen –, daß dieses erotische Abenteuer noch eine weitere Widerspiegelung im »Amphitryon«-Essay gefunden hat: Die geistreiche Darstellung und Kommentierung der Gefühle Jupiters zur jungen Alkmene scheinen jenen des weltberühmten Schriftstellers zu dem siebzehnjährigen Jüngling zumindest nicht unähnlich.

Gleichzeitig äußert sich Thomas Mann über die Homosexualität in einer anderen literarkritischen Studie: in der Rede über Platen. Vorsichtig nähert er sich seinem Thema: »Es ist ein Glück, daß entscheidende Fortschritte, die das Wissen vom Menschen in den letzten Jahrzehnten gemacht hat, uns erlauben, von vielem mit schon selbstverständlichem Freimut zu reden, wovor eine ältere Ehrfurcht die Augen verschließen zu sollen glaubte.«[45] Man habe versucht, um die Grundtatsache von Platens Existenz herumzureden, nämlich »um die lebensentscheidende Tatsache seiner exklusiv homoerotischen Anlage«.

Die poetische Mystifizierung der Homoerotik (als »heilige Unterjochung durch das Schöne, als Dichterreinheit, Dichterweihe zum Höheren auch in der Liebe«) lehnt Thomas Mann allerdings ab und meint, gewiß auch in eigener Sache redend, daß Platens Liebe »durchaus keine höhere, sondern eine Liebe war wie jede andere ...« Andererseits erklärt er 1934 im Tagebuch, seine Neigung wolle, »obgleich erotisch, von irgendwelchen Realisierungen weder mit der Vernunft noch auch nur mit den Sinnen etwas wissen«. Aber kann die gleichgeschlechtliche Liebe ohne Realisierungen eine Liebe wie jede andere sein? An diesem Widerspruch hat Thomas Mann ein Leben lang gelitten. Er nannte Platen einen Don Quijote der Liebe. Er selber war es ebenfalls und vielleicht auf noch schmerzhaftere Weise.

Auch den ganz alten Thomas Mann überkam und beglückte die Liebe. Und auch sein letztes erotisches Erlebnis fand ein unmittelbares Echo in einem literarkritischen Essay. Im Juli 1950 – Thomas Mann ist jetzt 75 Jahre alt – fällt ihm in einem Zürcher Hotel ein aus Bayern kommender Kellner namens Franz auf: »Welche hübschen Augen und Zähne! Welche charmierende Stimme« – heißt es im Tagebuch.[46] Wenige Tage später: »Das Gefühl für den Jungen geht recht tief. Denke beständig an ihn und versuche, Begegnungen herbeizuführen...« Vor Glück und Unglück stammelnd konstatiert Thomas Mann die große Liebe: »Seit 25 Jahren war es nicht da und sollte mir noch einmal geschehen.« Und: »Sah sein Gesicht, das es mir angetan, einmal flüchtig bei der Herabkunft im Lift. Er wollte nichts von mir wissen... Weltruhm ist mir wichtig genug, aber wie gar kein Gewicht hat er gegen ein Lächeln von ihm, den Blick seiner Augen...« Er werde diesen Jungen bald nicht mehr sehen und auch sein Gesicht vergessen, »aber nicht das Abenteuer meines Herzens«.

Franz sei als fünfter in die Galerie gekommen, von der – hier irrte Thomas Mann – keine Literaturgeschichte melden werde. Jeder dieser vier Vorgänger lebe in seinem Werk: der erste im »Tonio Kröger«, der zweite im »Zauberberg«, der dritte im »Doktor Faustus«, der vierte im Amphitryon-Essay. Und Franz? Diese späte Liebe inspiriert Thomas Mann zu dem noch im Jahre 1950 veröffentlichten Aufsatz über »Die Erotik Michelangelos«. Den äußeren Anlaß zu dieser Arbeit bietet eine zweisprachige Edition ausgewählter Gedichte Michelangelos in neuer Übersetzung. Von dessen Lyrik bezieht er – so im Tagebuch – »die ›Ermächtigung‹ des Alters zur Liebe«, die er mit Goethe, mit Tolstoj und eben mit Michelangelo teile. Er interpretiert sie als Zeichen »einer ungeheuren und gequälten Vitalität«. Tief rührend sei »diese rettungslose Verfallenheit des Gewaltigen, weit über die schickliche Altersgrenze hinaus, an das bezaubernde Menschenantlitz«.

Michelangelo habe nie – und das ist gewiß eine Selbstcharakterisierung – »um der Erwiderung willen geliebt, noch an sie glauben wollen und können«. Denn dieser große Liebende liebte »die Liebe mehr als alles Geliebte«. Und nicht ohne Zufriedenheit bemerkt Thomas Mann, daß noch der zweiundsiebzigjährige Michelangelo an neue Liebe dachte, nach ihr verlangte: Die Liebe sei »der Untergrund seines Schöpfertums, sein inspirierender Genius, der Motor, die glühende Triebkraft seines übermännlichen, fast auch übermenschlichen Werkes« gewesen.[47] Gilt das für den Autor der Michelangelo-Studie ebenfalls, war die Liebe der Untergrund auch seines Schöpfertums? Oder sollten es eher die Eigenliebe gewesen sein, die Egozentrik und die Ichbezogenheit? Wer Auskunft sucht über ihn, über seine geheimen Gedanken und seine verborgenen Regungen, wird von den großen Essays niemals im Stich gelassen. Und es versteht sich, daß die hier herangezogenen Arbeiten bloß als Beispiele dienen sollen und daß man sich ebenso auf andere berufen könnte, auf jene über Tolstoj und Tschechow, über Chamisso und Fontane, über Schopenhauer und Nietzsche. Allerdings wirft dieses literarkritische Œuvre eine Frage auf, die zwar nicht mit seiner Qualität zu tun hat, wohl aber mit seiner Funktion.

Als man 1905 von Thomas Mann wissen wollte, wie er zur Kritik stehe, antwortete er mit einem geradezu enthusiastischen Bekenntnis: »Ich gehöre ja wohl gewissermaßen zu den ›Schaffenden‹; aber ich hege eine Schwäche für alles, was Kritik heißt, – und diese Liebe möcht' ich nie

besiegen.« Die Kritik sei »das steigernde, befeuernde,
emportreibende Prinzip, das Prinzip der Ungenügsamkeit«. Und: »Es gibt keinen wahren Künstler – heute
gewiß nicht! –, der nicht zuletzt auch ein Kritiker wäre,
und kein wahrhaft kritisches Talent ist denkbar ohne die
Feinheiten und Kräfte der Seele, welche den Künstler
machen.«[48] Dem braucht man nichts hinzuzufügen – es sei
denn den Hinweis, daß Thomas Mann auch in späteren
Jahren ähnliche Gedanken über die Kritik geäußert hat:
Einzelne Rezensenten haben ihn häufig enttäuscht und
erzürnt, doch hat er sich nie zu einem Wort gegen die
Kritik als Institution hinreißen lassen. Es kann auch kein
Zweifel sein, was er für ihre wichtigste Aufgabe hielt: Wer
sie als »Prinzip der Ungenügsamkeit« begreift, der erwartet von ihr, daß sie zur Literatur beitrage. Genauer: Die
Kritik soll das Ihrige tun, um Literatur zu ermöglichen.

Wir haben nicht das Recht, Thomas Mann vorzuwerfen,
daß er diese Aufgabe der Kritik anerkannt und gefordert,
aber nie auf sich genommen hat. Wie dieser geniale Schriftsteller, anders als Kafka und Rilke, Benn und Brecht, keine
Nachfolger hatte, so übte er auch keinen Einfluß auf das
literarische Leben seiner Epoche aus – woran ihm freilich
nie gelegen war. Seine kritische Tätigkeit blieb, sofern sie
die zeitgenössische Literatur betraf, ohne Konsequenzen:
Nie hat er einem Schriftsteller oder einer Strömung zum
Erfolg verholfen. Er geizte in seinen Artikeln nicht mit
Lob und ließ es Würdigen und Unwürdigen so verschwen-
derisch zugute kommen, daß es zunächst viel Verwirrung
stiftete und schon bald wirkungslos war. Seine preisenden
Worte seien höchstens, hieß es, Todesküsse.

Man könnte sagen: Er bekannte sich zur Kritik, er liebte
sie, aber leider nahm er sie nicht ganz ernst. Auch seine
Essays vertieften zwar auf unvergleichliche Weise das Verständnis für die Meister der Vergangenheit, doch zeitigten
sie in der Literatur unseres Jahrhunderts keine erkennba-

ren Folgen. Indes dürfen wir auf Thomas Mann beziehen, was er 1940 über Richard Wagner schrieb. Einige Einwände gegen diese »Mischung aus Dichter- und Musikertum« seien, gab er zu, schon berechtigt, aber »es gibt Fälle, bei denen man alles Mögliche zugeben mag, und es bleibt immer etwas Überwältigendes zurück.«[49]   (1986)

Alles Deutschtum ist betroffen

Die Lektüre der Tagebücher Thomas Manns erfordert viel Geduld und Hartnäckigkeit. Für den 1986 erschienenen Band, der die Zeit vom 1. Januar 1944 bis April 1946 umfaßt, gilt das ganz besonders.[50] Das mag verwundern, denn welche Periode war interessanter und spannungsvoller als jene, die den Hintergrund für diese Aufzeichnungen abgibt? Wann hätte sich mehr ereignet als in den letzten anderthalb Jahren des Krieges und in den ersten Nachkriegsmonaten? Die Meldungen überstürzten sich, wurden mit allerlei Mutmaßungen vermengt und mit bisweilen waghalsigen Hypothesen angereichert; hinzu kamen immer häufiger Pläne und Entwürfe für die Friedenszeit.

Auf das Tagebuch des im fernen Kalifornien lebenden Schriftstellers hat sich das alles ungünstig ausgewirkt. Bedenkt man indes, daß die Ansprüche, denen Thomas Mann als inoffizielles zwar, doch unumstrittenes Oberhaupt der deutschen Emigration fortwährend gerecht werden mußte, gerade in dieser Zeit ins beinahe Unermeßliche wuchsen, daß er zugleich an einem kühnen und komplizierten Romanprojekt (dem »Doktor Faustus«) arbeitete und nebenher noch meisterhafte Essays und Reden schrieb, daß er schließlich schon rund siebzig Jahre alt war und daß seine Gesundheit sich nie durch Stabilität auszeichnete – dann ist es in höchstem Maße erstaunlich, daß er überhaupt die Muße für ein Journal gefunden hat. Und dann versteht es sich von selbst, daß ihm meist Stichworte und rasche, lapidare Bemerkungen ausreichen mußten, daß er keine Zeit hatte, die Fakten und Informationen zu kommentieren.

Auch jetzt registriert der Tagebuchschreiber, ähnlich wie in den vorangegangenen Bänden, Beiläufigkeiten des Alltags: Da gab es auf einem Empfang schlechtes Essen, auf einem anderen hingegen guten Kaffee. Nach wie vor ist der Gang zum Friseur ebenso einer Bemerkung wert wie die auffallend regelmäßige Fußpflege. Häufig wiederholt sich die Vokabel »Geruht!«, bisweilen finden sich Verweise auf welthistorische Ereignisse in unmittelbarer Nachbarschaft von Formulierungen, die Alltägliches festhalten sollen. Kafkas berühmte Tagebuch-Notiz vom 2. August 1914 (»Deutschland hat Rußland den Krieg erklärt. Nachmittag Schwimmschule«), die Thomas Mann übrigens damals gar nicht kennen konnte, wird hier gleichsam paraphrasiert. So heißt es am 6. August 1945: »In Westwood zum Einkauf von weißen Schuhen u. farbigen Hemden. – Erster Angriff auf Japan mit Bomben, in denen die Kräfte des gesprengten Atoms (Uran) wirksam.«

Sein Interesse für die neuesten Zeitungen und Zeitschriften nimmt verständlicherweise zu. Doch wie dramatisch und irritierend das aktuelle Geschehen auch sein mag – Thomas Mann hört keineswegs auf, große Autoren der Vergangenheit zu lesen, zumal aus dem 19. Jahrhundert: Nietzsche, Fontane und Stifter, Balzac und Dostojewski und zwischendurch immer mal wieder jenen, den er bewundert und beneidet, den er als Vorbild benötigt und als Herausforderung empfindet: Goethe. Trotz der »Lotte in Weimar«, trotz seiner großen Aufsätze und Vorträge aus den zwanziger und dreißiger Jahren ist er nie mit dem Thema Goethe fertig geworden.

Und wie eh und je sucht er in den Büchern der anderen die eigene Not, nicht zuletzt die Neigung, der er Glück verdankt und die ihm gleichwohl bis zum Ende seiner Tage viel zu schaffen macht. Ihm fällt auf, daß Stendhal in seiner Korrespondenz über die Geburtswehen einer nicht ganz alltäglichen Leidenschaft berichtet: »Seltener Einbruch des Homoerotischen in eine völlig männlich verbleibende, aber sehr offene und psychologisch neugierige Natur.« Immer noch beschäftigt ihn Platen, zumal dessen Tagebuch: »Verglich und fand viel Grund zu Dankbarkeit.« Es sei, meint er in diesem Zusammenhang, »das Illusionäre der Liebe in der Homoerotik ungeheuer verstärkt«. Und er fährt fort: »Alle Wirklichkeit führt das Gefühl ad absurdum.« Das also ist der Weisheit letzter Schluß? Derartiges lesend, höre ich den Tristan-Akkord: Es will doch scheinen, daß Thomas Manns Sehnsucht nach den Wonnen der Gewöhnlichkeit stets ungleich größer war als das Glück, das sie ihm zu bereiten je imstande waren.

Auch an Hesses »Glasperlenspiel« interessierten ihn die vermeintlichen oder tatsächlichen homoerotischen Motive. Als das Buch ankam, reagierte er zunächst wie Schriftsteller auf neue Produkte ihrer anerkannten Kollegen zu reagieren pflegen – er hielt den Roman vor allem für ein lästiges Konkurrenzunternehmen, das geeignet sei, das Echo auf seinen (noch nicht vollendeten) »Doktor Faustus« zu beeinträchtigen: »Gewissermaßen erschrocken. Dieselbe Idee der fingierten Biographie. Die Erinnerung, daß man nicht allein auf der Welt, immer unangenehm.« Aber die Lektüre des »Glasperlenspiels« beruhigt ihn: »Vieles doch breit und schwach, undramatisch, vom Menschen nichts Neues.« Bald ist nicht ohne Erleichterung und, wie man hinzufügen darf, sehr treffend von Hesses »auf die Dauer doch recht langweiligem Roman« die Rede. Nur zwei Tage später richtet Thomas Mann an den Autor dieses Werks ein wortreiches und bedächtiges Dankschreiben: »Zu einer

Zeit, wo andere ermüden, . . . haben Sie Ihr Lebenswerk übergipfelt und gekrönt mit einer geistigen Dichtung, – zwar romantisch verwuchert und arabeskenreich, aber doch völlig zusammengehalten, ein in sich ruhendes, kugelrundes Meisterwerk . . .« So ist bisweilen das Leben, nicht nur das literarische.

Für neue deutsche Lyrik kann Thomas Mann ebenfalls ein wenig Zeit erübrigen. Im Juli 1945 bringt der Briefträger einen Gedichtband des damals immer noch berühmten und schon in Ost-Berlin residierenden Johannes R. Becher sowie einen anderen, »Deutschland« betitelten, aus der Feder eines in London ansässigen und noch ganz unbekannten jungen Autors. Seine Verse gefallen dem Tagebuchschreiber, sie seien »gut und volkstümlich«, sie scheinen ihm besser als die von Becher. Der Name des Anfängers: Erich Fried.

Das immerhin ist bemerkenswert: Der alte, der von der Umwelt oft genug überforderte Thomas Mann interessiert sich beinahe leidenschaftlich für das Neue – in der Literatur, in der Politik, in der Wissenschaft. Keine Nachricht, und sei sie noch so unwahrscheinlich, wird bagatellisiert, kein Gerücht ignoriert, keine Klatschgeschichte verpönt. Vergleicht man den Siebzigjährigen mit dem Vierzigjährigen, dem Thomas Mann also zur Zeit des Ersten Weltkriegs, so könnte man zum Ergebnis kommen, daß der fortwährende Hunger nach Neuigkeiten sich erst sehr spät bemerkbar gemacht habe. Das mag schon zutreffen, aber dieser Wandel kennt nur eine einzige Ursache – und sie heißt »Exil«.

Noch eine andere, eine nicht auf den ersten Blick wahrnehmbare Veränderung läßt sich feststellen. Nach wie vor braucht er das Lob und die Anerkennung, nach wie vor registriert er alle Anzeichen der Zustimmung und der Ehrerbietung – sei es die mit Ungeduld erwarteten, sei es die überraschenden, an denen es nun weniger denn je fehlt.

Franz Werfel beispielsweise habe »mit ergreifender Begeisterung« über die »Buddenbrooks« gesprochen: »Ein unsterbliches Meisterwerk, dessen Verfasser so empirisch vor sich zu sehen, sehr merkwürdig sei.« Nach einer Lesung aus dem »Doktor Faustus« habe sich Leonhard Frank enthusiastisch geäußert: »Bewegt und eingenommen von der ›Deutschheit‹ der Conception…« Nur am Rande vermerkt: In einem längeren Gespräch, das ich 1957 mit Leonhard Frank führte, zeigte es sich, daß er das Werk Thomas Manns kaum kannte, was ihn freilich nicht hinderte, dessen Romane, zumal den »Zauberberg« und eben den »Doktor Faustus«, als schwerfällig und langweilig zu verwerfen.

Daß ein Brief aus Deutschland, knapp adressiert »Herrn Thomas Mann, Amerika«, den Empfänger erreicht hat, vermerkt er mit Zufriedenheit. Und wenn es gar in einem amerikanischen Verlagsprospekt heißt, Henry James sei neben Proust, Joyce und ihm, Thomas Mann, einer der Größten des Zeitalters, dann wird dies vom beglückten Tagebuchschreiber mit dem Wort »Toll« quittiert. Aber solche Augenblicke des Jubels sind selten. Vielmehr dominieren düstere und auch bittere Töne: Mit dem Echo, mit dem Erfolg und dem Ruhm wachsen Trübsinn und Schwermut. Ein Professor der *Yale University* greift ihn in einem Offenen Brief an, in dem er mit Zitaten aus den »Betrachtungen eines Unpolitischen« operiert. Thomas Manns Reaktion: »Nervenbelastung und Nötigung zur Zurückweisung.« Eine im Magazin »Time« erschienene, begeisterte Besprechung des letzten Bandes der Joseph-Tetralogie vermag den Angegriffenen nicht zu beschwichtigen.

Wenige Zeilen weiter notiert er: »Wenn nur nicht all das Öffentliche, das Lob, der Tadel, das Geschwätz, so peinlich und sehnsuchterregend wäre – wonach? Diesen Trank des Mißverständnisses und der Unwissenheit von dem,

was ich bin, nicht mehr trinken zu müssen.« Selbstmordgedanken also? Und wenn ja – worauf wären sie zurückzuführen? Ist es vor allem das Alter, an dem Thomas Mann
leidet? Er selber meint dies häufig. Im März 1944: »In
letzter Zeit oft überzeugendes Gefühl der Kräfteabnahme
und einer nicht mehr langen Frist.« Im Mai 1944: »Fühle
mich oft über Gebühr und unerlaubt schlecht, habe es fast
aufgegeben, mich zu beklagen.« In Wirklichkeit beklagt er
sich immer wieder – über »spezielle Unlust und allgemeine Trägheit«, über »Elendsgefühl und Müdigkeit«, über
»Energiemangel, bis zur Unfähigkeit, einen Brief zu
schreiben«.

Das sind melancholische Geständnisse und alarmierende
Angstrufe in einem – und sie bilden das Leitmotiv dieses
Tagebuch-Bandes. Sind sie nicht stark übertrieben, wenn
nicht gar hysterisch? Denn eigentlich kommt Thomas
Mann mit der Arbeit nicht schlecht voran, der »Faustus«
macht gute Fortschritte. Doch ist er mit dem Roman unzu-
frieden, so im Februar 1944: »Wenig Gefallen an dem
Werk, das mir zu zerfließen scheint. Gewiß ist es ein originelles Unternehmen, aber ich bezweifle, ob meine Kräfte
reichen.« Und im Mai 1944: »Bin mir über die Art, wie der
Roman weiter und später vorzutragen durchaus nicht klar
und fürchte auch, zu müde zu sein, es zu erfinden.« Je
mehr er zu Papier gebracht hat, desto härter wird sein
Urteil. Anfang April 1945 heißt es knapp: »Das Mißraten
des Romans kann wohl keinem Zweifel mehr unterliegen.«
Freilich findet sich hier noch das Wörtchen »wohl«, und
dem Urteil folgt der trotzige Beschluß: »Dennoch werde
ich ihn zu Ende führen.«

Aber war es nicht immer so gewesen? Wollte er nicht
jedes größere Vorhaben nach einiger Zeit wieder aufgeben,
wollte er nicht jedem seiner Werke entfliehen, »dieser Last,
diesem Druck, dieser Gewissensqual, diesem Meer, das
auszutrinken, dieser furchtbaren Aufgabe, die sein Stolz

und sein Elend, sein Himmel und seine Verdammnis war«? Wenn »das unselige Werk ihn leiden machte, war es nicht in der Ordnung so und fast schon ein gutes Zeichen? Es hatte noch niemals gesprudelt, und sein Mißtrauen würde erst eigentlich beginnen, wenn es das täte.« Thomas Mann hatte dies vor Jahrzehnten in der Novelle »Schwere Stunde« geschrieben. Gemeint waren Schiller und sein »Wallenstein« und zugleich er selber, seine »Buddenbrooks« und, vor allem, »Fiorenza«. Im Tagebuch, im November 1944, spricht er von seinem »Grauen vor der Verfehltheit des Romans« und verwendet, wohl unbewußt, eben jenen Ausdruck, mit dem der Held der Novelle von 1905 im Augenblick der Krise seinen »Wallenstein« verwirft: »Ein verfehltes Unternehmen«.

Wie sein Schiller hat auch er jedes seiner Bücher als Last und Druck empfunden, und jede Aufgabe, die er sich gestellt hatte, war sein Stolz und sein Elend. In Heinrich Manns 1945 zum siebzigsten Geburtstag des Bruders verfaßten Aufsatz liest man verblüfft und ratlos: »Als sein Roman (von den »Buddenbrooks« ist die Rede) mitsamt dem Erfolg da war, habe ich ihn nie wieder am Leben leiden gesehen.« Das ist ein entwaffnender Satz, an den sich wenigstens ein einschränkender anschließt: »Oder er war jetzt stark genug, um es mit sich abzumachen.«[51] Die Wahrheit ist: Thomas Manns Lebensweg war ein Leidensweg.

Dennoch will es scheinen, daß er an keinem seiner Romane so sehr gelitten hat wie am »Faustus«. Gewiß hat er stets das Wort des alten Goethe beherzigt: »Wenn man der Nachwelt etwas Brauchbares hinterlassen will, so müssen es Konfessionen sein, man muß sich als Individuum hinstellen, wie mans denkt, wie mans meint...«[52] Aber in keiner seiner großen epischen Konfessionen hat er sich in so hohem Maße als Individuum hingestellt wie in dieser. Er wußte und wollte es, er selber hat es auch, allen seinen

Interpreten vorgreifend, unmißverständlich bekannt: Im Tagebuch nannte er im Juli 1944 Leverkühn »eine Idealgestalt«. Was soll das bedeuten? »Er ist eigentlich *mein* Ideal, und nie habe ich eine Imagination so geliebt, weder Goethe, noch Castorp, noch Thomas Buddenbrook, noch Joseph oder Aschenbach. Eine bewunderungsvolle und ergriffene Zärtlichkeit erfüllt mich für ihn.« Später, im Januar 1946, als er schon am XXXIII. Kapitel des Romans arbeitete, betonte er abermals dessen extrem persönlichen Charakter: »Wieviel enthält der ›Faustus‹ von meiner Lebensstimmung. Es war von Anfang an das Aufregende an dem Buch. Im Grunde ein radikales Bekenntnis.«

Damit ist auch gesagt, warum der »Faustus« als Kunstleistung den bedeutendsten epischen Werken Thomas Manns nicht ganz ebenbürtig ist: Der Autor war zu sehr in seine Figur verliebt, um die unbedingt erforderliche Distanz zum Gegenstand wahren zu können. Mit anderen Worten: Der »bewunderungsvollen und ergriffenen Zärtlichkeit« sind nicht nur die starken, die poetischen Seiten dieser Geschichte des deutschen Tonsetzers Adrian Leverkühn zuzuschreiben, sondern auch deren Schwächen. Als am 1. April 1946 Röntgen-Aufnahmen seiner Lunge zeigten, daß Thomas Manns gesundheitlicher Zustand zu schlimmsten Befürchtungen Anlaß gab, meinte er, es sei »sicher der schreckliche Roman zusammen mit den deutschen Ärgernissen an der Erkrankung schuld«. Was man auch von der Selbstdiagnose des Patienten halten mag – auf jeden Fall deutet sie auf die wichtigste Ursache jener Depression hin, die der jetzt erschienene Band auch dort erkennen oder doch ahnen läßt, wo die Aufzeichnungen besonders wortkarg werden oder plötzlich verstummen. Ob es sich hier tatsächlich um zwei verschiedene Faktoren handelt, darf man allerdings bezweifeln. Denn der »Faustus«, das »radikale Bekenntnis«, ist ja, ähnlich wie »Lotte in Weimar«, aber in einem noch umfassenderen und aktuelleren Sinne, ein Deutschland-Buch.

Als ihn am 7. Mai 1945 die Nachricht von der Kapitulation Deutschlands erreichte, fragte er sich, ob dies nun »ein Tag feierlichster Art« sei und antwortete knapp: »Es ist nicht gerade Hochstimmung, was ich empfinde.« In der Tat hat der lange ersehnte Zusammenbruch des »Dritten Reiches« seine Stimmung – so paradox dies im ersten Augenblick scheinen mag – eher auf einem Tiefpunkt anlangen lassen. Was wir bisher aus seinen damals geschriebenen Reden, Aufsätzen und Briefen, aus dem »Doktor Faustus« und dem Journal »Die Entstehung des Doktor Faustus« wußten, das wird jetzt durch spontane, oft unkontrollierte und eben deshalb aufschlußreiche Eintragungen ergänzt. Sie runden sich zu einem Bild, das noch 1987 von erschreckender Aktualität ist.

Im Unterschied zu vielen politischen Emigranten, zumal jenen linker Prägung, machte sich Thomas Mann, wenn es um seine Landsleute ging, keinerlei Illusionen. Nach wie vor hielt er – so im Tagebuch vom 17. Juli 1944 – an seiner Überzeugung fest, daß 1933 »eine enthusiastische, funkensprühende Revolution« stattgefunden habe. Keinen Zweifel hatte er, daß der Nationalsozialismus eine »deutsche Volksbewegung mit einer ungeheuren seelischen Investierung von Glauben und Begeisterung« war. Nur sei es den Deutschen vorbehalten gewesen, eine Revolution nie gesehener Art zu organisieren: »ohne Idee, gegen die Idee, gegen alles Höhere, Bessere, Anständige, gegen Freiheit, Wahrheit, Recht.« Und er fügte sogleich hinzu: »Es ist menschlich nie etwas Ähnliches vorgekommen.«[53] Doch habe sich die von ihm wiederholt unterstrichene Einzigartigkeit der nationalsozialistischen Bewegung nicht etwa im Gegensatz zur deutschen Vergangenheit und zur deutschen Kultur entwickelt. Sie sei vielmehr aus der deutschen Tradition (und wahrlich nicht der schlechtesten) unmittelbar hervorgegangen: Der Nationalsozialismus sei also keineswegs den Deutschen von außen aufgezwungen worden, vielmehr habe er – und diese Behauptung empörte einen beträchtlichen Teil der Exilpresse – »jahrhundertelange Wurzeln in der deutschen Lebensgeschichte«.[54] Gemeint ist vor allem die Innerlichkeit.

Thomas Mann scheut sich nicht, sie das schönste Element der deutschen Mentalität zu nennen. Ihr verdanke die Welt die deutsche Metaphysik und die deutsche Musik, »insonderheit das Wunder des deutschen Liedes«. Aber die Musikalität der Seele habe auf eine andere Sphäre einen fatalen Einfluß ausgeübt – auf das Zusammenleben der Menschen. Zu diesen folgenreichen Auswirkungen gehöre der »deutsche Dualismus von kühnster Spekulation und politischer Unmündigkeit«. Das Verhältnis des deutschen Gemütes zur Politik bezeichnet Thomas Mann als »ein Unverhältnis«. Die Deutschen seien ein Volk »der romantischen Gegenrevolution gegen den philosophischen Intellektualismus und Rationalismus der Aufklärung«. Von der beliebten Theorie, es gebe ein gutes und ein böses Deutschland, will er also nichts wissen, denn das böse sei »das fehlgegangene gute, das gute im Unglück, in Schuld und Untergang«.[55]

Was geht daraus hervor? Thomas Mann formuliert es im Frühjahr 1945 in dem Aufsatz »Das Ende«: »Alles Deutschtum ist betroffen und tief in Frage gestellt, auch der deutsche Geist, der deutsche Gedanke, das deutsche Wort...«[56] Wie also? Christentum, Humanismus und Aufklärung, Goethe, Beethoven und Kant – war alles für die Katz'? Nein, natürlich nicht. Doch so sicher Adornos vielzitiertes Diktum aus dem Jahre 1949, es sei nach Auschwitz barbarisch, ein Gedicht zu schreiben, längst und glücklicherweise widerlegt wurde, nicht zuletzt von solchen, die, wie Paul Celan, für Auschwitz bestimmt waren, so sicher sehen wir seither die aus der Zeit vor Auschwitz stammende deutsche Kultur in einem anderen Licht. Die Schriften Lessings oder Schillers haben inzwischen nichts von ihrem Gewicht eingebüßt. Nur hat das »Dritte Reich« die Folgenlosigkeit ihres Wirkens, ihr Scheitern also, deutlicher und schmerzhafter sichtbar werden lassen.

Und gilt das nicht für Thomas Manns Werk ebenfalls? Er war sich – wie er im September 1945 schrieb – der »unzerreißbaren Bande« wohl bewußt, die ihn mit dem Land verknüpften, das ihn ausgebürgert hatte: Nichts anderes sei sein Werk »als ein morbider und schon halb parodistischer Nachhall großen Deutschtums«.[57] Bloß ein Nachhall? In Wirklichkeit hatte er das Recht, für sich in Anspruch zu nehmen, was er Goethe, *seinen* Goethe, also den Helden der »Lotte in Weimar«, sagen läßt: »Sie meinen, sie sind Deutschland, aber ich bin's, und ging's zugrunde mit Stumpf und Stiel, es dauerte in mir. Gebärdet euch, wie ihr wollt, das Meine abzuwehren, – ich stehe doch für euch.« Das sind schöne und stolze Worte. Ja, er stand für Deutschland. Er, nur er, Thomas Mann war für die ganze Welt zur weithin sichtbaren und repräsentativen Gegenfigur dessen geworden, in dem er mit Ekel und Abscheu seinen auf den Hund gekommenen, seinen verbrecherischen Bruder erkannt hatte: Adolf Hitler.

Den Begriff »deutsch« haben beide, Thomas Mann und Adolf Hitler, neu definiert und festgesetzt – jeder auf seine Weise. Doch von den Taten des einen fiel ein erschreckender Schatten auf die Werke des anderen: Thomas Mann wußte wohl, was ihn in Depression und Hoffnungslosigkeit gestürzt hatte – die nicht anzuzweifelnde, die unselige Tatsache nämlich, daß zusammen mit allem Deutschtum auch seine Lebensleistung betroffen und in Frage gestellt war. Er ließ sich von seinem Erfolg in Amerika und von der Hochachtung, die ihm dort in wachsendem Maße entgegengebracht wurde, nicht beirren. Die verzweifelte Klage über die »Unwissenheit von dem, was ich bin« hat damit zu tun.

Nein, von Triumph kann keine Rede sein, er sieht sich nicht auf der Seite der Sieger. Thomas Manns Tagebuch-Eintragungen vom Frühjahr und Sommer 1945 scheinen zwar unerbittlich, aber sie sind frei von Selbstgerechtigkeit: Der hier spricht, will sich nicht von seiner Mitverantwortung und seiner Mitschuld wegstehlen. Am 3. April 1945 notiert er: »Das deutsche Volk – bittere Enttäuschung«; am 7. Mai, nach der Nachricht von der Kapitulation: »Die Verleugnung u. Verdammung der Taten des Nationalsozialismus innen und außen, die Erklärung, zur Wahrheit, zum Recht, zur Menschlichkeit zurückkehren zu wollen, – wo sind sie?« In diese Anklagen ist immer er selber einbezogen: Zusammen mit der besudelten Nation fühlt auch er sich besudelt. Am 28. Mai 1945 heißt es: »Sie wissen noch nicht, wie elend sie sind.« Er aber wußte, wie elend er war – trotz seines Wohlstands unter der kalifornischen Sonne, trotz des weltweiten Ruhmes, nach dem er sich von Jugend an gesehnt hatte. Es war der Preis, den dieser unvergleichbare, dieser deutscheste aller deutschen Schriftsteller unseres Jahrhunderts für sein Deutschtum zu zahlen hatte.

Im umfangreichen Anhang des von Inge Jens mit vorbildlicher Sorgfalt edierten Bandes findet sich neben vielen anderen aufschlußreichen Dokumenten auch ein Brief vom 4. August 1945, der noch einmal die Singularität des Nationalsozialismus unterstreicht: »Ewig wird es zu beklagen sein, daß das deutsche Volk sich nicht dazu ermannen konnte, sich selbst von dem verworfensten Regime zu befreien, das je eine große Nation beherrscht hat.« Wenig später schreibt Thomas Mann in einem Offenen Brief an Walter von Molo: »Ja, Deutschland ist mir in all diesen Jahren doch recht fremd geworden. Es ist, das müssen Sie zugeben, ein beängstigendes Land.«[58] Und heute? Hat Deutschland endlich aufgehört, ein beängstigendes Land zu sein? Ich frage, aber ich wage nicht zu antworten. (1987)

Eine Jahrhunderterzählung: »Tonio Kröger«

»›Tonio Kröger‹ ist die schlechteste Erzählung, die in diesem Jahrhundert in deutscher Sprache geschrieben wurde.« Martin Walser war es, der dies 1975 in einer Fernseh-Diskussion verkündete. So wörtlich hatte er das natürlich nicht gemeint; und als ich ihn daran erinnerte, daß er doch diese Erzählung, laut eigener Aussage, einst auswendig gelernt habe, geriet er ein wenig in Verlegenheit und murmelte: »Nun ja, zu Studienzwecken.«

Es ist mir im Laufe der Jahre und Jahrzehnte oft schwergefallen, Walsers stürmische Eskapaden zwischen den radikalen Strömungen unseres politischen Lebens ganz ernst zu nehmen oder ihm gar auf seinem Weg vom anrührenden alemannischen Regionalismus zum eher ärgerlichen deutschen Nationalismus zu folgen. Aber damals, 1975, als er mit erhobenem Haupt und leuchtenden Augen, mit vor Zorn bebender Stimme gegen den »Tonio Kröger« wütete – da waren, zu meiner eigenen Überraschung, alle meine Sympathien auf seiner Seite. Nicht daß ich mit ihm einverstanden wäre, gewiß nicht. Doch hielt er – und das eben beeindruckte mich – den »Tonio Kröger« allem Anschein nach für eine außergewöhnliche, für eine einzigartige literarische Arbeit, wenn auch für eine außergewöhnlich schlechte. Die Begründung für dieses extreme Urteil hat Walser wenige Jahre später in seinem Buch »Selbstbewußtsein und Ironie«[59] nachgeliefert und auch mit mehreren Tabellen versehen; und sie fiel abermals so heftig aus, daß man sich fragen mußte, ob hier nicht reichlich viel Energie und Engagement in eine Sache investiert wurde, deren Miserabilität angeblich geradezu in die Augen springe.

Nun läßt es sich nicht bestreiten, daß wir es tatsächlich mit einem unvollkommenen, ja mit einem entschieden unzulänglichen schriftstellerischen Produkt zu tun haben.

Zuerst bezeichnet Thomas Mann sein Opus als eine »Novelle«, später als eine »lyrische Novelle«, dann als eine »Prosa-Ballade« und schließlich einfach als eine »Erzählung«. Wie man sieht, hat ihm sein künstlerisches Gewissen Kummer bereitet. Bei Licht besehen ist nämlich »Tonio Kröger« weder novellistisch noch lyrisch oder balladesk. Man könnte von einer lockeren Episodenfolge sprechen, aber auch dies ist nur teilweise richtig, weil hier im Mittelpunkt ein essayistisches Kapitel steht und weil den Abschluß wiederum essayistische Darlegungen bilden. Es gibt keine Handlung und im Grunde auch keine Entwicklung, vielmehr Stimmungsbilder und Schilderungen seelischer Zustände, versetzt mit mehr oder weniger flüchtigen Bekenntnissen und Reflexionen und, vor allem, mit Erörterungen theoretischer, meist ästhetischer Fragen.

Es seien die Künstler – meinte Thomas Mann 1909 – »immer viel naiver und unwissender über sich selbst, unverantwortlicher, harmloser«, als der Kritiker für möglich hält; er nehme sie »viel zu bewußt, viel zu moralisch«.[60] Das mag auf nicht wenige Schriftsteller zutreffen, doch mit Sicherheit nicht auf Thomas Mann selber und am allerwenigsten auf den Autor des »Tonio Kröger«. Denn dieses Prosawerk ist ebenso bewußt entworfen wie konsequent realisiert. Die Bilder, die Schilderungen und Erörterungen haben innerhalb des Ganzen zwar unterschiedliche Funktionen, indes dienen sie nahezu immer einem einzigen Zweck – sie verdeutlichen und veranschaulichen ein Programm. Keiner der großen deutschen Novellisten in der zweiten Hälfte des vergangenen Jahrhunderts – also weder Storm noch Raabe, weder Keller noch Conrad Ferdinand Meyer – hat je eine so unzweifelhaft und offensichtlich programmatische Erzählung verfaßt; und auch den bedeutenderen Zeitgenossen Thomas Manns, Kafka etwa oder Musil, Schnitzler oder Hesse, läßt sich dies gewiß nicht nachsagen.

Sein Programm vermittelt der Autor des »Tonio Kröger« den Lesern mit Hilfe schroffer Antithesen. Schon im ersten Kapitel, das von der unglücklichen Liebe des vierzehnjährigen Tonio zu seinem Mitschüler Hans Hansen erzählt, werden die epischen Elemente rücksichtslos und ohne Pardon der programmatischen Absicht untergeordnet; und schon hier arbeitet der Erzähler unentwegt mit Kontrasteffekten von eher schlichter Machart. Tonio Kröger ist brünett und hat dunkle Augen, Hans Hansen hat »bastblonde Haare« und »stahlblaue Augen«. Tonio geht ungleichmäßig und nachlässig, Hans schreitet taktfest und elastisch. Tonio ist frühgereift und zart und traurig, Hans hell und kräftig und gesund. Während Tonio dichtet und den »Don Carlos« liebt, reitet und schwimmt Hans wie ein Held, er liest und liebt Bücher über Pferde. Tonio fühlt sich unter seinen Altersgenossen fremd und einsam, Hans hingegen erfreut sich allgemeiner Beliebtheit, er lebt in glücklicher Gemeinschaft mit aller Welt. Kurz: Tonio ist der von des Gedankens Blässe angekränkelte Hamlet aus Lübeck, aus Hans wird nie ein Hamlet werden, wohl aber hat er das Zeug zu einem Fortinbras.

Dies alles können die Leser der Erzählung gar nicht übersehen. Denn der Autor selber informiert und belehrt sie unmißverständlich: Nicht die Darstellung steht hier im Vordergrund, sondern die Mitteilung. So werden wir über die Art der Beziehung, die diese beiden Halbwüchsigen miteinander verbindet, ebenfalls ohne Umschweife unterrichtet: »Die Sache war die, daß Tonio Hans Hansen liebte und schon vieles um ihn gelitten hatte. Wer am meisten liebt, ist der Unterlegene und muß leiden.« Und warum liebt Tonio den Hans? Weil er schön war und weil er »in allen Stücken als sein eigenes Widerspiel und Gegenteil erschien«. Mehr noch: Wir erfahren auch, daß Tonio, vergeblich bemüht, eine geistige Gemeinschaft mit Hans Hansen herzustellen, diesen um dessen Daseinsart beneidet und trotzdem beständig danach trachtet, ihn zu seiner eigenen herüberzuziehen. Der zentrale Konflikt der Erzählung, das zwiespältige Verhältnis des Künstlers zur bürgerlichen Sphäre und also zum Leben, ist damit bereits umrissen und formuliert.

Folglich erinnert das einleitende Kapitel des »Tonio Kröger« an jene Ouvertüren, die alle wichtigeren Melodien einer Oper ankündigen und vorwegnehmen. Und schon hier sagt Thomas Mann um seiner programmatischen Absicht willen alles, was er sagen möchte, mit erstaunlicher Regelmäßigkeit mehrfach: Seine Methode ist – Hermann Kurzke hat darauf hingewiesen[61] – die ständige Wiederholung, und zwar nicht nur von Gedanken und Anschauungen, sondern auch von Motiven, Figuren und Situationen. Tatsächlich wird in der zweiten Episode das, was wir aus der ersten schon wissen, paraphrasiert und mit neuen Beispielen illustriert. Der Geschichte von Tonios unglücklicher Liebe zu Hans Hansen folgt die auffallend ähnliche Geschichte seiner genauso qualvollen Sehnsucht nach Ingeborg Holm: Auch sie gehört zu den Blonden und den Blauäugigen, auch sie ist eine »übermütig gewöhnliche kleine Persönlichkeit«, auch sie repräsentiert das »warme Leben«. Während Hans Hansen vom »Don Carlos« leider nichts wissen wollte, hat Ingeborg Holm »Immensee« leider nicht gelesen. Tonio Kröger genießt die Literatur ohne Welt – und leidet darunter. Hans Hansen und Ingeborg Holm hingegen genießen die Welt ohne Literatur und ohne Reue. Und wenn es heißt, daß die blonde Inge ihm, Tonio, »fern und fremd und befremdet erschien, denn seine Sprache war nicht ihre Sprache« – so hätte man genau dasselbe auch im ersten Kapitel lesen können. Sollte etwa, darf man fragen, der einzige wesentliche Unterschied zwischen Hans und Inge in deren Geschlecht bestehen?

Die Schwächen und Mängel, die in diesen beiden Kapiteln offen zutage liegen, werden in den nächsten keineswegs vermieden, vielmehr wiederholt und noch vertieft. Als Tonio Kröger für Ingeborg Holm schwärmt, ohne sich freilich ihr ernsthaft nähern zu wollen, ist er sechzehn Jahre alt. Wir sehen ihn erst erheblich später wieder, er ist nun doppelt so alt. Auch jetzt bleibt Thomas Mann seiner antithetischen Konzeption treu: Tonio Kröger sucht Zuflucht in jener unbürgerlichen Welt, die ihn einst, von Zigeunern im grünen Wagen symbolisiert, lockte und schreckte. Gegen die hanseatische Solidität von Lübeck wird das Bohème-Milieu von München-Schwabing ausgespielt. Was geschah in den sechzehn verstrichenen Jahren? Tonios Erlebnisse in der Zwischenzeit werden lediglich knapp referiert. Das Prosastück von kaum drei Seiten, das die beiden Jugendepisoden mit dem Herzstück der Erzählung, der Lisaweta-Szene, eher notdürftig als kunstvoll verbindet, liest sich wie eine Inhaltsangabe von Kapiteln, die Thomas Mann bedauerlicherweise nicht geschrieben hat.

Das große Gespräch mit Lisaweta Iwanowna, der russischen Malerin, die nicht weniger, aber auch nicht mehr als Tonios Vertraute ist, bietet, so will es zunächst scheinen, das theoretische Fundament für die Thesen und Einsichten, die in den ersten Kapiteln zu finden waren. Doch der Schein trügt, denn in Wirklichkeit war es umgekehrt: Wie es sich für eine programmatische Erzählung schickt, ist zuerst dieses theoretische Kapitel entstanden, dem dann Tonios Jugenderlebnisse als epische Belege vorangestellt wurden. Als eine einigermaßen lebendige Figur kann Lisaweta Iwanowna schwerlich gelten. Nicht zufällig genauso alt wie Tonio Kröger, wenn auch im Unterschied zu ihm an den Schläfen schon leicht ergraut, verkörpert sie – sofern sie überhaupt etwas verkörpert – eine der beiden Seelen in seiner Brust. So ist denn der große Dialog im Zentrum bloß Tonios innerer Monolog, ohne viel Aufwand auf zwei Stimmen verteilt.

Skizziert ist hier unter anderem eine Art Ästhetik, die
freilich den aufmerksamen Leser gerade dieser Erzählung
verwundern muß. So erklärt Tonio, ein Stümper sei, wer
glaubt, »der Schaffende dürfe empfinden«. Und: »Liegt
Ihnen zu viel an dem, was Sie zu sagen haben, schlägt Ihr
Herz zu warm dafür, so können Sie eines vollständigen
Fiaskos sicher sein. Sie werden pathetisch, sie werden sentimental...« Das Gefühl, »das warme, herzliche Gefühl«
sei immer banal und unbrauchbar. Zum Menschlichen
müsse man, um es wirksam darstellen zu können, in einem
»seltsam fernen und unbeteiligten Verhältnis« stehen.
Sollte sich in diesen Postulaten etwa eine Selbstkritik Thomas Manns verbergen? Formuliert sind hier ästhetische
Ansprüche, denen von allen seinen epischen Arbeiten die
Erzählung »Tonio Kröger« am wenigsten genügt. Ihr ist
immer wieder anzumerken, daß sie von einem geschrieben
wurde, der viel, gar zu viel empfindet, dem außerordentlich an dem gelegen ist, was er sagen möchte, dessen Herz
eben dafür zu warm schlägt und der es deshalb nicht verhindern kann, daß er pathetisch und sentimental wird.
Nein, nicht das geforderte kühle, »seltsam ferne und unbe-
teiligte Verhältnis« zum Menschlichen ist für diese Prosa
charakteristisch, vielmehr das Fehlen der Distanz.

Wie anders könnte man sich erklären, daß ein Autor,
der schon die »Buddenbrooks« und einige wunderbare
Geschichten verfaßt hat, nun, wohl zum ersten und letzten
Mal in seinem Werk, der Wehmut freien Lauf läßt – beispielsweise wenn der geigende Tonio »in seinem Zimmer
umherging und die Töne so weich, wie er sie nur hervor-
zubringen vermochte, in das Plätschern des Springstrahles
hinein erklingen ließ, der drunten im Garten unter den
Zweigen des alten Walnußbaumes tänzelnd empor-
stieg...« Doch das genügt offenbar noch nicht, es wird
gleich noch einmal präsentiert: »Der Springbrunnen, der
alte Walnußbaum, seine Geige und in der Ferne das Meer,

die Ostsee, deren sommerliche Träume er in den Ferien belauschen durfte...«

Einem höchst zweifelhaften Jugendstil verpflichtet und nicht weniger sentimental ist jenes Kapitel, das die Wiederbegegnung des erwachsenen Tonio mit seiner Vaterstadt zeigt: »Eine stechende Wehmut durchzuckte ihn« – heißt es hier, ganz ungeniert und ohne eine Spur von Ironie. Abermals triumphiert das Prinzip der fortwährenden und mittlerweile aufdringlich wirkenden Wiederholung – im Lübeck-Kapitel, das auf die Bilder und die Motive der einleitenden Episoden zurückkommt, ebenso wie im dänischen Urlaubshotel, wo sie alle wieder auftauchen, zwar nicht dieselben Personen, doch dieselben Typen: Wieder genießen Blauäugige, die sich von Hans Hansen und Ingeborg Holm nicht unterscheiden lassen, fröhlich, zufrieden und selbstbewußt das Leben in seiner verführerischen Banalität, wieder gibt es ein blasses und stilles Mädchen, das ungeschickt und reizlos ist und beim Tanzen häufig hinfällt wie jene Magdalena Vermehren, die sich für Tonios Verse interessierte, und wieder wird die Tanzbelustigung von einem geleitet, der ein ebenso »unbegreiflicher Affe« ist wie der Ballettmeister Knaak in Tonios Jugend.

Dieser immerhin erstaunliche Wiederholungszwang hat schließlich, in den beiden letzten Kapiteln, eine ganze Reihe von Selbstzitaten zur Folge. Noch einmal erklärt Tonio, daß er einer von jenen sei, die in die Irre gehen müssen, »weil es einen rechten Weg für sie überhaupt nicht gibt«, noch einmal beteuert er, wem seine »zutiefst und verstohlenste Liebe gehört« – nämlich den Glücklichen und Gewöhnlichen, den Blonden und Blauäugigen –; und als Fazit der Erzählung lesen wir einen schönen Satz, mit dem aber schon ihr erstes Kapitel endete. Als neu, doch keineswegs als überraschend, kann, wenn man unbedingt will, Tonios feierliches Bekenntnis zum Bürgertum und zur Bürgerliebe gelten.

So ist hier jedes Kapitel angreifbar. Mit Novellen wie »Der Tod in Venedig« oder »Mario und der Zauberer« und, von den frühen, »Tristan« läßt sich »Tonio Kröger«, als episches Kunstwerk betrachtet – obwohl Thomas Mann an keiner seiner Erzählungen so lange gearbeitet hat wie an dieser –, überhaupt nicht vergleichen. Er selber war sich ihrer entscheidenden Schwäche sehr wohl bewußt und hatte keine Bedenken, einen Freund hierüber zu belehren: In den »Tonio Kröger« sei »das Geständnis einer Liebe zum Leben hineingeschrieben, die in ihrer Deutlichkeit und Direktheit bis zum Unkünstlerischen geht«.[62]

Sollte die Beliebtheit dieser Erzählung eben damit zu tun haben, also mit ihrer übergroßen Deutlichkeit, mit ihrer schon hemmungslosen Direktheit? Eignet sich »Tonio Kröger« als Thema für Schulaufsätze vor allem deshalb, weil diese Prosa es einfach macht, die alte und gar nicht so törichte Oberlehrer-Frage »Was wollte der Dichter uns sagen?« auf Anhieb zu beantworten und die Antworten mit Zitaten zu belegen? Wir wissen es: Sogar die größten Schriftsteller verdanken ihren Erfolg nicht nur den starken und originellen Seiten ihres Talents, vielmehr haben bisweilen zu ihrer Publikumswirksamkeit auch gewisse Untugenden beigetragen. Man denke etwa, um nicht gleich auf Schillers Dramen zurückzugreifen, an Rilkes Preziosität und Brechts Simplizität, an Kafkas Dunkelheit und Hesses Innerlichkeit. Ist hier auch die offenkundige Sentimentalität des »Tonio Kröger« zu nennen? Es fällt nicht schwer, all diese Fragen zu bejahen.

Aber ich muß hier auf eine andere Frage eingehen, die ungleich schwieriger ist. Ich möchte zu erklären versuchen, warum ich diese Erzählung allen Einwänden zum Trotz nicht nur schätze, sondern auch liebe, warum sie auf mich nachhaltiger gewirkt hat als irgendeine Geschichte, in diesem Jahrhundert in deutscher Sprache geschrieben.

Indes: Wer sich zum »Tonio Kröger« bekennt, ist kei-

neswegs vereinsamt, vielmehr in bester Gesellschaft. Kafka
habe – berichtet sein Freund Max Brod – für Heinrich Mann
nichts übrig gehabt, aber »er liebte Thomas Manns ›Tonio
Kröger‹ und suchte in der ›Neuen Rundschau‹ jede Zeile
dieses Autors andächtig auf«.[63] Dort eben war die Erzählung 1903 erschienen, und schon 1904 schrieb Kafka in
einem Brief an Brod, er habe »Tonio Kröger« »wieder gelesen«. Die abermalige Lektüre muß für ihn ein ungewöhnli-
ches Erlebnis gewesen sein, denn er konnte es gar nicht
begreifen, daß sein Korrespondenzpartner sich zu der
Erzählung noch nicht geäußert habe, da sei gewiß – meinte
er – ein Brief verlorengegangen. Doch nicht der Gegensatz
von Kunst und Natur, von Geist und Leben fasziniert
Kafka, das Neue liege vielmehr »in dem eigentümlichen
nutzbringenden... Verliebtsein in das Gegensätzliche«.[64]
Das läßt vermuten, daß er im »Tonio Kröger« die eigene
Problematik entdeckt hat. Jedenfalls spricht Heinz Politzer
in seiner bis heute nicht übertroffenen Kafka-Monographie
geradezu von einer »Tonio-Kröger-Zeit« im Leben des Prager Autors, er veranschlagt den Einfluß des jungen Thomas
Mann auf Kafka sehr hoch und meint, daß er noch in seinen
späten Jahren, zumal in der Geschichte »Der Hungerkünst-
ler«, deutlich erkennbar sei.[65]

Offenbar ist es damals üblich gewesen, den »Tonio Kröger« mehr als einmal zu lesen. Arthur Schnitzler vermerkt
die Lektüre der Erzählung in seinem Tagebuch und versieht
diese Eintragung ebenfalls mit der Notiz »wieder«.[66] Und
Georg Lukács glaubt, daß vom »Tonio Kröger« die wichtigsten Motive seiner eigenen jugendlichen Produktion »zen-
tral determiniert« wurden.[67] Man übertreibt nicht, wenn
man sagt, dieses Frühwerk Thomas Manns habe mehr als
eine literarische Generation geprägt. Er selber, der Vergleichen mit Goethe nicht aus dem Weg ging, nannte das kleine
Buch seinen »Werther«, andere sprachen von seinem »Tasso«
– und beides ist richtig.

Diese enorme Wirkung beschränkt sich nicht nur auf die Epoche vor dem Ersten Weltkrieg und nicht nur auf deutschsprachige Autoren. Im Jahre 1921 hält sich eine Pariser Studentin der Rechtswissenschaften eine Weile in Berlin auf, in einer Buchhandlung fällt ihr Thomas Manns Erzählung in die Hände: »Ich fühlte mich« – erinnert sie sich – »Tonio Kröger verwandt, ich fand, daß er mir ähnlich war. Ich hatte schon große Lust..., selbst zu schreiben.«[68] So begann der Weg einer Schriftstellerin, die, sollte man meinen, mit deutscher Literatur oder gar mit Thomas Mann nichts im Sinne hat. Es ist die Rede von Nathalie Sarraute.

Um die deutsche Literatur wollte sich auch der größte polnische Dichter unserer Zeit, der Nobelpreisträger Czeslaw Milosz nie kümmern: Sie sei ihm fremd. Doch »Tonio Kröger« hatte er immerhin zur Kenntnis genommen, ohne indes der Erzählung zustimmen zu können, ja er habe gegen sie rebelliert. 1977 widerruft Milosz sein Urteil und kommt zum Ergebnis, daß die Erfahrung des Horrors in unserem Jahrhundert eine neue Aktualität dieser Geschichte bewirkt und ihrer Problematik eine noch größere Schärfe und Dringlichkeit gegeben habe.[69] Anders der wohl bedeutendste ungarische Epiker unserer Jahre, György Konrad. Er brauchte sein Verhältnis zu Tonio Kröger nie zu revidieren, er gesteht emphatisch: »Ich habe ihn geliebt, wie wir alle, wir Budapester Gymnasiasten.« Sollten etwa Autoren, die die kommunistische Welt kennen, für diese Erzählung besonders empfänglich sein?

Der in der DDR lebende Romancier und Essayist Günter de Bruyn empfindet das Leiden Tonio Krögers, trotz der gänzlich veränderten Lebensbedingungen, als »Abbild des unseren, oder zumindest ihm ähnlich und dadurch nachvollziehbar«. Ihm verdanke er mehr als Selbstbestätigung, nämlich »ein Verhaltensmuster, eine Anleitung zum seelischen Überleben«: Er habe uns gelehrt – schreibt de

Bruyn 1975 –, »unsere Leiden an der Gesellschaft als Auszeichnung zu empfinden«.[70]

So wird diese Geschichte eines Schriftstellers immer noch
von Schriftstellern bewundert und geliebt und nicht selten,
auch heute, nachgeahmt. Ein Beispiel mag genügen: Im
Mittelpunkt des Romans »Die Anatomiestunde« des Ame-
rikaners Philip Roth steht ein erfolgreicher Autor, der von
der Literatur genug hat, der das ganze »gottverdammte
Geschäft« haßt und der nun »das wahre Leben«, das Leben
»im Rohzustand« sucht. Wie man sieht, hat Philip Roth den
»Tonio Kröger« aufmerksam und mit Gewinn studiert. Die
vielen für die europäische ebenso wie für die amerikanische
Literatur unseres Jahrhunderts charakteristischen unheroi-
schen Helden, diese einsamen Intellektuellen, die sich mit
der Gesellschaft, der sie angehören, nicht abfinden können
und daher wie Fremdlinge im eigenen Haus leben, diese
Gezeichneten inmitten der Harmlosen – sie alle sind, so will
es mir scheinen, nahe Verwandte unseres Tonio Kröger. Ja,
ich glaube sogar – um wieder ganz hoch zu greifen –, daß
auch die zentralen Gestalten in Kafkas Gleichnissen von der
Heimatlosigkeit und der Entfremdung, daß diese Angeklagten und Ausgestoßenen wenn nicht von Tonio Kröger
abstammen, so ihm zumindest ähneln.

Hätten wir es also mit einer programmatischen Erzählung vor allem für Schriftsteller zu tun? Aus der Zeit des
»Jungen Deutschland« stammt das böse Wort, es sei das
traurige Schicksal der deutschen Literatur, »geschrieben zu
werden von Literaten für Literaten«.[71] Auf unsere Erzählung trifft dieses höhnische Diktum mit Sicherheit nicht zu.
Im Gegenteil: Wenn wir von den »Buddenbrooks« absehen,
gibt es keine Arbeit Thomas Manns, die nach wie vor so
zahlreiche Leser findet wie »Tonio Kröger«. Daß ein solcher Triumph nicht nur jenen Schwächen oder Untugenden
zugeschrieben werden kann, von denen schon die Rede
war, liegt auf der Hand.

Als Hermann Hesse 1910 den Roman »Königliche Hoheit« rezensierte, glaubte er, dem Autor »Antreibereien des
Publikums« vorwerfen zu müssen. Er wünschte sich ein
Buch von Thomas Mann, in dem dieser an die Leser gar
nicht denkt, »in dem er niemand zu verlocken und niemand
zu ironisieren trachtet«.[72] Der Kritisierte antwortete
sogleich: Er zeigte sich zufrieden, daß offenbar Menschen
mit sehr unterschiedlichen Ansprüchen bei seinen Büchern
auf ihre Kosten kommen. Die populären Elemente in
»Königliche Hoheit« seien »ebenso ehrlicher und instinktiver Herkunft wie die artistischen«. Die von Hesse beanstandeten »Antreibereien des Publikums« hätten mit seinem
Enthusiasmus für die Kunst Richard Wagners zu tun.
Nietzsche habe einmal von Wagners »wechselnder Optik«
gesprochen, und zwar »bald in Hinsicht auf die gröbsten
Bedürfnisse, bald auf die raffiniertesten«. Er, Thomas
Mann, gebe zu, daß er sich nicht nur an die Kenner und an
die Eingeweihten wende, vielmehr wünsche er sich eine
erheblich breitere Wirkung. Und er scheut sich nicht zu
gestehen: »Mich verlangt auch nach den Dummen.«[73] Das
ist eine verblüffende Äußerung, doch vielleicht nur deshalb
verblüffend, weil sie nicht von einem Dramatiker stammt.
Für Shakespeare und Schiller, für Goldoni und Gogol, für
Büchner und Brecht, für sie alle war es selbstverständlich,
gelegentlich auch an weniger Anspruchsvolle zu denken
und deren Bedürfnisse nicht ganz außer acht zu lassen.

Daß dies für Thomas Mann ebenfalls gilt, für ihn, der
wie sein Gustav Aschenbach »den Glauben des breiten
Publikums und die bewundernde, fordernde Teilnahme
der Wählerischen zugleich zu gewinnen« bestrebt war –
daran heute zu erinnern, ist bestimmt nicht überflüssig.
Denn wir leben ja in einer Zeit, in der viele Schriftsteller
und Komponisten gleichsam mit dem Rücken zum Publikum arbeiten und dann erstaunt sind, daß niemand ihre
Bücher lesen will und daß die Konzertsäle leer bleiben. Die

»wechselnde Optik«, also das Gleichgewicht der naiv-po-
pulären und der artistisch-raffinierten Elemente, hat den
Erfolg des »Tonio Kröger« ermöglicht oder jedenfalls zu
ihm beigetragen. Und wieder einmal war es Thomas Mann
selber, der sein Produkt am treffendsten beschrieben hat, als
er nämlich knapp feststellte, es sei eine Mischung »aus Wehmut und Kritik, aus Innigkeit und Skepsis, Storm und
Nietzsche, Stimmung und Intellektualismus«.[74]

Er war sich auch bewußt, welche Rolle dem »Tonio
Kröger« innerhalb seines Gesamtwerks zukomme. In den
»Betrachtungen eines Unpolitischen« erinnert er sich an
einen Göttinger Studenten, der ihm nach einer Lesung mit
bewegter Stimme gesagt haben soll: »›Sie wissen es hoffent-
lich, nicht wahr, Sie wissen es, – nicht die ‚Buddenbrooks‘
sind Ihr Eigentliches, Ihr Eigentliches ist der ‚Tonio Kröger‘!‹ Ich sagte, ich wüßte es.«[75] Ja, nicht die Chronik des
Verfalls einer Familie, sondern die Geschichte des Schriftstellers Tonio Kröger ist die Keimzelle des Lebenswerks
von Thomas Mann. Bei dem Personal seines epischen Uni-
versums haben wir es, wie von Helmut Koopmann gezeigt
wurde, »mit frappierenden Ähnlichkeiten« zu tun, »mit
mehr oder weniger verborgenen Identitäten und nur leichten Abwandlungen der jeweils vorausgehenden Figur«.[76] So
ist Tonio Kröger zwar der nun erwachsene und gleichwohl
immer noch mit pubertären oder doch jugendlichen Neigungen und Schwärmereien behaftete Hanno Buddenbrook, aber nicht ihm, dem Knaben, sondern dem Poeten
mit dem norddeutschen Nachnamen und dem südlichen
Vornamen ähneln jene, die ihm folgen.

Der Dichter Martini in der »Königlichen Hoheit«, der
meint, daß des Künstlers Kraft und Würde auf der Entsagung beruht und daß das Leben sein »verbotener Garten«
sei, Gustav Aschenbach, dessen »ganzes Wesen auf Ruhm
gestellt« ist, Hans Castorp, der einfache, wenn auch an-
sprechende junge Mensch, der sich als »des Lebens treu-

herziges Sorgenkind« erweist, Adrian Leverkühn, der Ton-
setzer, der um seines Werkes willen nicht lieben darf, und
Felix Krull, der als Künstler ein Hochstapler und als Hochstapler ein Künstler ist: sie alle sind Erwählte – wie Tonio
Kröger. Und wie in ihm verbirgt sich in ihnen allen, auch in
dem biblischen Joseph, die makellose Synthese aus deutscher Romantik und europäischer Modernität. Selbst wenn
sich Charlotte Kestner, geborene Buff, in einem Landauer
mit Goethe unterhält, hören wir von Ferne ein Echo des
Gesprächs mit Lisaweta Iwanowna.

Aber »Tonio Kröger« ist die Keimzelle des Werks von
Thomas Mann noch in einem anderen Sinne. Seit wir seine
Tagebücher kennen, ist unzweifelhaft, daß zu den entscheidenden Voraussetzungen seiner Existenz die homoerotische
Veranlagung gehörte. Anders als früher lesen wir jetzt seine
Romane und Erzählungen, zumal wenn Sexuelles ins Blickfeld kommt. Nicht in den noch puerilen Erlebnissen des
kleinen Hanno, vielmehr in der Geschichte Tonio Krögers
finden die gleichgeschlechtlichen Neigungen Thomas
Manns ihren beinahe immer übersehenen und doch unver-
kennbaren Ausdruck.

In der Ingeborg-Holm-Episode gerät Tonio beim Tanzen
der Quadrille, natürlich nicht zufällig, in die Gruppe der
Damen. Er wird vom Ballettmeister Knaak mit den Worten
verscheucht: »En arrière, Fräulein Kröger, zurück, fi
donc!« Dieses Mißgeschick widerfährt dem sechzehnjähri-
gen Tonio. Die sexuellen Erlebnisse des Erwachsenen werden nur angedeutet: Es ist von Wollust und heißer Schuld
die Rede, von einem ausschweifenden und außerordentlichen Leben. Tonios, wie es ausdrücklich heißt, »exzentrischen Abenteuer« – von welcher Art waren sie denn? Die
Frage nach der Richtung seiner Sexualität bleibt nicht unbeantwortet. Im Gespräch mit Lisaweta sagt er: »Ist der
Künstler überhaupt ein Mann? Man frage ›das Weib‹ danach! Mir scheint, wir Künstler teilen alle ein wenig das

Schicksal jener präparierten päpstlichen Sänger... Wir singen ganz rührend schön. Jedoch –«

Wenn Tonio Kröger das »Raffinierte, Exzentrische und Satanische« in Frage stellt und das »Normale« und »Wohlanständige« als »das Reich unserer Sehnsucht« bezeichnet, wenn er von den »Wonnen der Gewöhnlichkeit« träumt – ist nicht damit zugleich das Geschlechtliche gemeint? Wenn er die Blauäugigen beneidet, die den Geist nicht nötig haben und »das Leben in seiner verführerischen Banalität« genießen können – betrifft dieser Neid nicht auch das Sexuelle? Wenn Tonio sagt, »daß er die Möglichkeiten zu tausend Daseinsformen in sich trage, zusammen mit dem heimlichen Bewußtsein, daß es im Grunde lauter Unmöglichkeiten seien« – handelt es sich nicht letztlich um nur zwei von Hans Hansen und Ingeborg Holm symbolisierte Möglichkeiten, die sich beide nicht realisieren lassen, die also eben Unmöglichkeiten sind?

1919 notierte Thomas Mann in seinem Tagebuch, daß auch die »Betrachtungen eines Unpolitischen« Ausdruck seiner »sexuellen Invertiertheit« seien.[77] *Auch* die »Betrachtungen«? Das kann nur heißen, daß der Einfluß der homoerotischen Veranlagung auf seine vorangegangenen epischen Arbeiten sich von selber verstehe. In einem Brief aus dem Jahre 1923 wird er noch deutlicher: »Der Tod in Venedig«, also die Geschichte der Liebe Gustav Aschenbachs zu dem Knaben Tadzio, sei – schreibt Thomas Mann – »eigentlich der ›Tonio Kröger‹ noch einmal auf höherer Lebensstufe erzählt.«[78]

Aber wie immer man diese Erzählung versteht: Tonio Kröger war und ist beides zugleich und auf einmal – für viele Schriftsteller eine Modellgestalt und für unzählige Leser eine Identifikationsfigur und dies in höherem Maße als irgendeine andere Person im Werk Thomas Manns. Am einfachsten sagt es Günter de Bruyn: »Ich hatte nicht die Geschichte von Tonio Kröger gelesen, sondern die meine.«[79] In dieser Jahrhunderterzählung haben sie sich wiedererkannt: die Einsamen, die Verlassenen und die Benachteiligten, die ihren Platz in der Gesellschaft nur mühevoll oder überhaupt nicht finden, die aus dem Rahmen fallen und es schwer mit sich selber haben, die nicht in Eintracht mit Gott und der Welt leben können, die sich im Gegensatz zu den Gewöhnlichen und den Ordentlichen fühlen. Es ist ein Buch für jene, die, ob Bürger oder nicht, auf Irrwege geraten und die etwas mehr leiden als andere, weil sie etwas mehr wissen, und die etwas mehr wissen, weil sie nicht aufhören, das, was sie glauben erkannt zu haben, gleich anzuzweifeln.

So wurde »Tonio Kröger« zum poetischen Kompendium aller, deren Ort in oder zwischen zwei Welten ist und die in keiner daheim sind, die mit ihrer Unzugehörigkeit nicht zurande kommen, die oft müde sind, das Menschliche darzustellen oder dessen Darstellung zu kritisieren, weil sie fürchten, ihnen selber könne das Menschliche entgehen oder versagt bleiben, so wurde Thomas Manns Erzählung zur Bibel der Heimatlosen, die letztlich ein Asyl oder vielleicht doch eine Heimat und nicht die schlechteste gefunden haben: die Literatur.   (1987)

Ein Abschied nicht ohne Wehmut

Der Ruhm, schreibt Heinrich Mann 1905, sei selten mehr als »ein weit verbreiteter Irrtum über unsere Person«.[1] Ein origineller Gedanke ist das nicht. Schriftsteller pflegen über Erfolg und Ruhm häufig skeptisch, wenn nicht gar verächtlich zu sprechen. Es ist dann immer von Fehleinschätzungen die Rede und von groben Mißverständnissen. Doch ergehen sich in solchen Klagen meist diejenigen, die selber – zu Recht oder zu Unrecht – erfolglos sind: In der Regel ist es der Ruhm der anderen, der Rivalen und der Nebenbuhler, dem man nicht trauen dürfe und der angeblich auf wackligen Füßen steht.

Auch Heinrich Mann gehörte damals, 1905, zu den erfolglosen Autoren: Er hatte schon mehrere Romane und Novellenbände publiziert, und sie waren zwar nicht ganz ohne Echo geblieben, ließen sich aber kaum verkaufen. Später, in den Jahren der Weimarer Republik, als er rasch und freilich nicht ohne Grund zu einem der meistgeachteten zeitgenössischen Schriftsteller aufsteigen konnte, wollte er sich über die Umstände, die zu dieser plötzlichen Anerkennung geführt haben, keine Gedanken machen: Er hat den lang ersehnten Ruhm gern akzeptiert, ohne zu fragen, ob er vielleicht auf die von ihm sonst bedauerten Mißverständnisse und Irrtümer zurückzuführen sei.

Seinen Höhepunkt erreichte Heinrich Manns Ansehen, als die Republik ihrem Ende entgegenging. Im Januar 1931 wählte man ihn zum Vorsitzenden der Sektion für Dichtkunst der preußischen Akademie der Künste: Er trug nun – so erinnerte er sich später – den Titel eines »Präsidenten

der Dichter-Akademie«.² Am 27. März 1931 wurde er
sechzig Jahre alt. Man habe – lesen wir in einem Brief
Robert Musils – »Anstrengungen gemacht, um ihn als
praeceptor Germaniae wieder etwas vorzubringen; es zir-
kuliert ein Aufruf, der so kindische Beteuerungen von
Führerschaft und Verdanken enthält, daß ich erklärt habe,
ich könne das bei aller Freundwilligkeit in dieser Form
nicht unterschreiben«.³

Gleichwohl konnte Heinrich Mann eine von 130 Schriftstellern des In- und Auslandes unterzeichnete Grußadresse
überreicht werden. Es fanden zu seinen Ehren mehrere
Veranstaltungen statt. Auf einer Feier der Akademie der
Künste sprach neben Max Liebermann, ihrem Präsidenten,
auch Thomas Mann, der die Glückwünsche der Sektion für
Dichtkunst »in kollegialer Bewunderung und Ehrerbietung« darbrachte. Wer die erst in unseren siebziger und
achtziger Jahren gedruckten Briefe und Tagebücher Thomas Manns kennt, der weiß, das diese »Ansprache an den
Bruder«⁴ – um es vorsichtig auszudrücken – mit den wirklichen Ansichten des Redners nur wenig gemein hat.

Schon vor dem Geburtstag hatte man den Jubilar auf
einem Bankett des Schutzverbandes Deutscher Schriftsteller geehrt. Hier wurde er vor allem von Gottfried Benn
gerühmt: »Ich feiere in ihm die erregendste Dichtung der
Zeit, . . . die entfaltetste deutsche Sprachschöpfung, die
wir seit Aufgang des Jahrhunderts sahen. Ich feiere den
Meister, der uns alle schuf.« Und als Fazit heißt es: »Seien
Sie versichert, wir hüten Ihr Werk, wo immer wir es aufschlagen . . .«⁵ Rund zwei Jahre später, als die Bücher
Heinrich Manns in vielen Städten des Deutschen Reichs
verbrannt wurden, hat freilich niemand gewagt, sein Werk
zu hüten – übrigens auch nicht Benn: Er sprach sich im
Frühjahr 1933 in aller Öffentlichkeit für die neuen Macht-
haber aus, die ihn aber schon 1934 enttäuschten.

Verwunderlich ist überdies die Formulierung, der Laudator und seine Generationsgenossen würden das Werk Heinrich Manns hüten, »wo immer wir es aufschlagen«. Denn die Geburtstagsrede läßt eher vermuten, daß Benn den weitaus größten Teil dieses Werks entweder überhaupt nicht aufgeschlagen oder mißbilligt hat: Er befaßte sich nämlich bloß mit der 1903 erschienenen Trilogie »Die Göttinnen oder die drei Romane der Herzogin von Assy« und erwähnte kurz den Essay über Flaubert und George Sand aus dem Jahr 1905.

Daß diese Romantrilogie 1931 zu den vielen bereits in Vergessenheit geratenen Büchern Heinrich Manns gehörte, daß er, wie seine inzwischen publizierten zehn Romane, seine zahlreichen Novellen, Schauspiele und Essaybände bewiesen, längst in eine ganz andere Richtung ging und daß die Rolle, die er in der Weimarer Republik spielte, nichts mit den »Göttinnen« zu tun hatte, wohl aber mit seinen Aufsätzen und mit seinen sozialkritischen Romanen, zumal mit dem »Untertan« (1918) und mit dem aus dem Jahre 1905 stammenden »Professor Unrat«, der erst um 1930 (dank der Verfilmung mit Marlene Dietrich unter dem Titel »Der blaue Engel«) erfolgreich war – all dies wurde von Benn ignoriert: Er würdigte die »Göttinnen« als »Einbruch der Artistik«, als »absolute Kunst«, genauer, als »Kunst ohne sittliche Kraft«, und bewundernd konstatierte er: »Auf der einen Seite der tiefe Nihilismus der Werte, aber über ihm die Transzendenz der schöpferischen Lust«.[6]

Natürlich war es dem Geburtstagsredner nicht entgangen, daß Heinrich Mann seit mindestens zwanzig Jahren vom »Nihilismus der Werte« nichts mehr wissen wollte, daß er sich in vielen Artikeln einer »Kunst ohne sittliche Kraft« heftig widersetzt hatte, daß er immer wieder die moralische und die gesellschaftliche Funktion der Literatur forderte und sich bemühte, sie auf seine Weise zu verwirklichen. Im Grunde hatte Benn nicht so sehr das Werk des

Jubilars gefeiert als vor allem ein nun schon weit zurückliegendes, doch allem Anschein nach überwältigendes Jugenderlebnis. So war diese Rede auf Heinrich Mann, ungeachtet der verherrlichenden und nicht mehr zu überbietenden Formulierungen – er sei das »umfassendste dichterische Ingenium unter uns« – letztlich eine Rede *gegen* ihn. Immerhin zählte Benn zu den wenigen prominenten Autoren der zwanziger Jahre (er galt schon damals als der neben Brecht wichtigste Repräsentant der neuen deutschen Lyrik), die bereit waren, sich über Heinrich Mann ausführlicher zu äußern.

Noch 1950 beteuerte er nach der Lektüre eines Artikels von Friedrich Sieburg, der sich so respektvoll wie skeptisch zu Heinrich Mann äußerte, er halte seine Festansprache von 1931 aufrecht; freilich mit dem Zusatz: »Übrigens wird, wer die Rede liest, sofort inne werden, daß sie nur die frühen, die italienischen Werke des Autors zugrundelegt, als er sie nach Deutschland verlagerte, verlegte sich die Schönheit nicht mit.«[7] Sein enthusiastisches Bekenntnis trotzig wiederholend, hatte sich also Benn noch einmal von dem ganzen nach 1903 entstandenen Werk Heinrich Manns distanziert.

Auch Robert Musil, der, wie gesagt, nicht einmal den Geburtstagsbrief mitunterschreiben wollte, war weit davon entfernt, Heinrich Manns Werk zu schätzen. In seinem Tagebuch urteilte er lapidar: »der blecherne H. M.«.[8] Hugo von Hofmannsthal konnte nicht begreifen, »daß man diesen Heinrich Mann mit einer Art von Hochachtung behandelt«. Er schrieb 1926 an Willy Haas, den Herausgeber der »Literarischen Welt«: »Nach Jahren nahm ich wieder einmal etwas von ihm in die Hand: eine Erzählung Liane u. Paul. Das ist doch gar nichts als lumpiges Litteratentum, weder Gestaltung, noch Talent, noch Geist, noch Anstand; sujet und Haltung (mehr Allure als Haltung) copiert von Wedekind, einzelnes abgestohlen von Strindberg, das Ganze so flau und schal und gemein und dumm wie nur möglich! Warum toleriert man solche Figuren? Ein junger Historiker sagte mir, er habe aus Neugierde den Roman ›der Kopf‹ von dem gleichen Individuum in die Hand bekommen, es sei von ekelerregender Flachheit und Dummheit – die äußerste Unkenntnis der Welt mit Anmaßung vermischt. Warum liest man nie ein *wahres* Wort über einen solchen Litteraten? Warum sind alle diese Zustände bei uns so verlogen?«[9]

In der Tat war das Verhältnis zu Heinrich Mann in der Zeit der Weimarer Republik zumindest zwiespältig und oft nicht frei von erstaunlicher Unaufrichtigkeit. Seine in diesen Jahren erschienenen Bücher – insgesamt rund zwei Dutzend – wurden in der Regel nicht diskutiert. Gewiß, über manche erschienen damals in den großen Zeitungen Besprechungen, die mitunter zustimmend oder sogar überschwenglich waren. Nur ist es wohl kein Zufall, daß sie fast immer von Rezensenten geschrieben wurden, die man inzwischen nicht einmal dem Namen nach kennt. Schriftsteller von einiger Bedeutung hingegen, die seine politischen Ansichten teilten und ihn als öffentliche Figur akzeptierten und befürworteten, machten um Heinrich Manns nach dem »Untertan« geschriebenen Romane und Essays einen großen Bogen. Hat sich das nach 1945 geändert?

Im Jahre 1969 wandte sich die Zeitschrift »Akzente« an 26 Autoren mit der Bitte um eine Stellungnahme zu Heinrich Mann. Fünfzehn haben Antworten gegeben, die sie nicht gedruckt sehen wollten. Warum? »›Ich müßte Heinrich Mann nochmals lesen‹, ›Ich bin wenig mit seinem Werk vertraut‹, ›Ich habe Henri IV zu lesen begonnen, aber nie beendet‹, diese und ähnliche Antworten wiederholten sich«, berichtet der Herausgeber der »Akzente«, Hans Bender. Fünf Autoren haben auf die Umfrage überhaupt nicht reagiert. Somit konnte die Zeitschrift nur sechs Äußerungen veröffentlichen.

Heinrich Böll begnügt sich damit, in drei Sätzen die
Aktualität der moralischen und gesellschaftskritischen
Tendenz des »Untertan« zu unterstreichen. Ähnlich knapp
ist die Antwort von Horst Bienek, der ohne Begründung
die Titel der Bücher von Heinrich Mann aufzählt, die er
schätzt, und solche, die er nicht schätzt – zu den letzteren
gehören gerade die bekanntesten: »Professor Unrat« und
»Der Untertan«. Noch kürzer ist die Antwort von Peter
Härtling ausgefallen, der bedauert, daß die Essays von
Heinrich Mann nicht mehr gelesen werden. Und: »Seine
großen Romane sind für mich Lehrstücke, vor allem ›Die
kleine Stadt‹.« Der in der DDR lebende Fritz Rudolf Fries
schreibt über Heinrich Mann mit gemischten Gefühlen.
Helga M. Novak erinnert sich an die Qualen, die ihr die
mehrfache Behandlung des »Untertan« in Schulen der
DDR bereitet habe. Ein sechster Autor schließlich, Peter
O. Chotjewitz, erklärt in bester Laune, daß Heinrich
Mann einer jener Schriftsteller sei, die er hochschätze,
ohne je eine Zeile von ihnen gelesen zu haben.[10] Insgesamt
ist das Ergebnis dieser Umfrage ebenso dürftig wie aufschlußreich.

Jean Améry, der in den siebziger Jahren nicht müde
wurde, um Verständnis für Heinrich Mann zu werben,
meinte vorwurfsvoll, die Deutschen hätten ihn weder wie-
dererkannt noch wiederentdeckt: »Man zieht – im besten
Fall! – den Hut und macht sich davon auf leisen Sohlen.«
Und warum? »Dieser Dichter und Pamphletist hat den
Deutschen zu viele und zu einfache Wahrheiten gesagt.«[11]
Sonderbar: Hat denn der Emigrant Thomas Mann den
Deutschen keine bitteren Wahrheiten zu sagen gehabt?
Trotzdem vermochte er, anders als sein älterer Bruder, im
geteilten Deutschland unzählige neue Leser zu finden.
Und Kurt Tucholsky? Ging er etwa mit den Deutschen
sanfter und nachsichtiger um als Heinrich Mann? Dennoch
waren und sind seine Bücher nach 1945 erfolgreicher als je

zu seinen Lebzeiten. Oder hätte es etwa mit Heinrich Manns politischen Irrtümern zu tun, daß sein Werk in der Bundesrepublik, gelinde ausgedrückt, keine Gegenliebe fand? Im Klartext: Wurde und wird er nicht zur Kenntnis genommen oder abgelehnt, weil er im Exil nicht ohne Starrsinn Stalin und die Sowjetunion gepriesen hat? Améry wußte sehr wohl, daß sich damit nichts erklären lasse: »Brecht, der es arg genug getrieben hatte, wurde so langsam vom Roten Mann zum Klassiker. Niemand, außer ein paar verstockten Reaktionären, wollte an Ernst Bloch sich reiben.«[12]

Zu diesen Namen (Thomas Mann, Tucholsky, Brecht und Bloch) könnte man eine stattliche Anzahl weiterer hinzufügen: von Musil bis zu Benjamin, von Horvàth bis zu Polgar. Gegen keinen dieser Emigranten von gestern haben sich Kritik und Publikum in der Bundesrepublik gesperrt. Warum also gegen Heinrich Mann? Jean Améry blieb die Antwort schuldig. Es war ihm unverständlich, daß Heinrich Mann zu Lebzeiten nur mit dem »Untertan« wirklich Erfolg hatte, er fragte, wie oft man noch »bettelnd bei den Deutschen darum ankommen« solle, daß sie »diesen Autor, einen ihrer größten, endlich lesen«[13], und beantragte für ihn – es war 1971 – »ein intellektuelles und politisches Wiedergutmachungsverfahren großen Umfangs«.[14]

Ein derartiges »Wiedergutmachungsverfahren«, ob nun tatsächlich notwendig oder nicht, ist längst im Gange: Zwei westdeutsche Verlage wetteifern in der Bemühung, uns auch noch die unerheblichsten (um nicht zu sagen: gänzlich mißratenen) Bücher Heinrich Manns in möglichst zuverlässigen und zum Teil liebevoll bearbeiteten Editionen zugänglich zu machen. Seine »Gesammelten Werke in Einzelausgaben« erscheinen im Claassen Verlag; von den geplanten zwanzig Bänden liegen bereits siebzehn vor, die restlichen sowie auch noch einige Briefbände werden vorbereitet. Derselbe Verlag hat 1976 eine zehnbändige

Taschenbuch-Kassette mit einer Auswahl seiner Romane und Novellen auf den Markt gebracht. Sei S. Fischer wiederum wird eine »Studienausgabe in Einzelbänden« verlegt; ursprünglich sollte sie nicht weniger als zwanzig Bände umfassen, jetzt hört man schon von 25 Bänden, und dabei wird es wohl nicht bleiben.

Während die Claassen-Edition die Nachworte des Lizenzträgers, des Ost-Berliner Aufbau Verlags, übernimmt (und hierzu vertraglich verpflichtet ist), wird die »Studienausgabe« (von einer Ausnahme abgesehen), mit neuen, hierzulande verfaßten Nachworten versehen und bietet auch noch in jedem Band von dem Herausgeber Peter-Paul Schneider zuverlässig ausgewählte Materialien. Man hat sich also viel Mühe gegeben: Den eigentlichen Text ergänzt ein Anhang von jeweils fünfzig bis siebzig Seiten. Darüber hinaus gibt es die wichtigeren Romane von Heinrich Mann und einige Novellenbände auch als Taschenbücher, vor allem bei Rowohlt und im Deutschen Taschenbuch Verlag. Wie immer man die Sache drehen und wenden will – den westdeutschen Verlagen kann man die Schuld nicht zuschieben. Wohl aber erleichtern uns diese Neuausgaben die Beantwortung jener Frage, die Jean Améry (und nicht nur er) umgangen hat, die man indes unbedingt stellen muß, wenn man die Motive des Widerstands einer angeblich unbelehrbaren literarischen Öffentlichkeit aufhellen will – die Frage nämlich nach der Qualität der Werke Heinrich Manns.

Er schrieb gern, viel und schnell. Er war fleißig, doch gehörten Sorgfalt, Geduld und Ausdauer zu seinen Tugenden nicht. In seinen autobiographischen Aufzeichnungen »Ein Zeitalter wird besichtigt« (1946) sagt er ohne Umschweife, er habe »zu oft improvisiert«: »Ich widerstand dem Abenteuer nicht genug, im Leben oder Schreiben, die eines sind«.[15] So erinnert er sich im Alter an die Entstehung seines ersten bemerkenswerten Buches, des

Romans »Im Schlaraffenland« (1900): »1897 in Rom, Via Argentina 34, überfiel mich das Talent, ich wußte nicht, was ich tat. Ich glaubte einen Bleistiftentwurf zu machen, schrieb aber den beinahe fertigen Roman.«[16] Ähnlich erging es Heinrich Mann mit seinem Roman »Professor Unrat«. In Florenz habe er in einer Theaterpause einen mißverständlichen Zeitungsbericht gelesen, und er verspürte eine sofortige Wirkung: »In meinem Kopf lief der Roman ab, so schnell, daß ich nicht einmal bis in das Theatercafé gelangt wäre.« Diesen Roman habe er dann »schnell und geläufig« hingeschrieben, wahrscheinlich innerhalb von einigen Wochen.[17]

Auch wenn solche Formulierungen – »Ich wußte nicht, was ich tat«, »In meinem Kopf lief der Roman ab...« – nicht wörtlich gemeint sind, treffen sie jedenfalls insoweit zu, als viele seiner Romane, von den meisten Novellen, Schauspielen und Aufsätzen ganz zu schweigen, auf einen erschreckenden Mangel an Selbstkontrolle, an künstlerischer Disziplin schließen lassen. Immer wieder hat man den Eindruck, rasch, geradezu hastig skizzierte Entwürfe zu lesen oder erste Fassungen, die noch bearbeitet werden sollten. Aber dazu hatte Heinrich Mann in den meisten Fällen weder Zeit noch Lust. Was er aufs Papier geworfen hatte, schickte er sogleich seinem Verleger, der es dann druckte oder auch nicht. Während Thomas Manns Werke von 1898 bis zu seinem Tod im Jahre 1955 allesamt ein einziger Verlag (S. Fischer) publiziert hat, erschienen die Bücher seines Bruders allein in der wilhelminischen Zeit bei fünf Verlagen: Albert Langen, Insel, R. Piper, Paul Cassirer und Kurt Wolff – und Nebenarbeiten auch noch in kleineren Firmen. In der Weimarer Republik kamen noch weitere hinzu: Paul Zsolnay, Gustav Kiepenheuer sowie Propyläen und wiederum einige weniger bekannte Häuser. Hinter diesem unaufhörlichen Wechsel verbirgt sich nichts anderes als jener simple Umstand, der es so häufig den Verlagen erschwert, manchen Autoren die Treue zu halten – die Unverkäuflichkeit ihrer Bücher. In einem Brief Heinrich Manns aus dem Jahre 1947 heißt es lapidar: »Erfolg? 2 bis 4000 Auflage bis 1916.«[18]

Auch an der Romantrilogie »Die Göttinnen« waren nur sehr wenige Leser interessiert, was zunächst verwundert: Dieses Werk entsprach durchaus der Mode und ist nicht frei von allerlei Zugeständnissen, die seinen Absatz hätten erleichtern müssen. Den Werbetext schrieb Heinrich Mann selber: Er tat alles Denkbare, um die Trilogie dem Publikum schmackhaft zu machen. Erzählt werde von einer grenzenlos reichen und extravaganten dalmatinischen Herzogin, einer »Schönheit großen Stils«, die – wie wir gleich erfahren – »Gesellschaft und Presse in Spannung erhält durch ungewöhnliche Abenteuer«. Vor allem akzentuiert Heinrich Mann die sexuellen Motive in den »Göttinnen«, wobei er allerdings diese Vokabel vermeidet: Aus der »keuschen Freiheitsschwärmerin und der prachtliebenden Kunstbegeisterten« werde »eine unersättliche Liebhaberin«: »Die brünstige Natur Neapels steigert ihre Erotik bis zum körperlichen Wahnsinn ... Die Herzogin geht, wie in allem, was ihr Leben bewegt hat, auch in der Liebe bis zum Äußersten.« Von Orgien ist die Rede »die starkes antikes Leben in die raffiniertesten modernen Verhältnisse übertragen und von einer kaum zu überbietenden Fleischlichkeit strotzen.« Der Werbetext endet mit der Festellung, man werde »diese drei Bände aus ernstem Grunde lesen, wenn man es nicht schon darum täte, weil sie ungewöhnlich gut unterhalten und in ihrer verdichteten Sinnlichkeit, fast möchte man sagen, berauschen«.[19]

Was kann man mehr verlangen? Vor allem wohl, daß diese nicht zimperliche Ankündigung hält, was sie verspricht – und das tut sie in nicht geringem Maße. In den »Göttinnen« geschieht viel, sehr viel, eine Handlung gibt es allerdings nicht (sie ist auch gar nicht angestrebt), statt dessen eine Folge von Tableaus und in sich geschlossenen Episoden. Sie spielen in schönen Städten und wunderbaren Landschaften: in Rom und Paris, Wien und Venedig, in der Gegend von Neapel und an der Küste des Königreichs Dalmatien. Was manche als Panorama der europäischen Aristokratie um 1900 mißverstanden haben, ist das großzügige Produkt einer immerhin erstaunlichen Einbildungskraft: Ähnlich wie seine hier im Mittelpunkt stehende, von Gier und Genuß getriebene und so grausame wie generöse Phantasie-Herzogin verwirft auch Heinrich Mann die ihn umgebende Wirklichkeit, die er nicht wahrnehmen will, und sucht Zuflucht in einem imposanten Scheinmilieu.

Der Erzähler inszeniert eine große Oper ohne Musik, er schwelgt in Pomp, Prunk und Pracht, hier finden Ekstase und Exhibitionismus, Begierde und Betäubung zu einer melodramatischen Synthese: »Er schluchzte auf. Die Vorstellung all ihrer vergangenen Lüste peitschte seine Sinne; sie trat plötzlich vor ihn hin in der Pracht ihres Lächelns. Er griff nach ihr, er sank in die Knie. Mit einem rauhen Aufschrei sprang er beiseite: er war über einen ihrer Liebhaber gefallen, der sich mit ihr in den Farren wälzte. Nino flüchtete; aber sie waren ihm schon voraus, sie lagen am Wege, große, gewölbte Körper, die seine Geliebte genossen, an ihrer Brust weinten oder auf ihrem Munde jubelten. Und er sah sie, seine Geliebte, alle Zärtlichkeiten ihres Leibes austeilen: die seltensten, die geheimsten, an die er nur mit stolzen Schauern gedacht hatte, – und sie lagen überall am Wege!«

Wer das Grandiose und Hochpathetische liebt, das szenische Arrangement und den monumentalen Dekor, der kommt in dieser Trilogie immer wieder auf seine Kosten: »Seine hohe und lange Halle sah zwischen Säulen hinab aufs Meer. Über die oben offenen Marmorwände fielen schwere, tiefrote Gewebe: vor ihnen prangte das weiße Fleisch. Das bronzefarbene sonnte sich auf Behängen aus

gelber Seide. Die Statuen fehlten in den Sälen; es gab keine
in den Loggien und auf den Gartenwegen. Aber überall
blühte mit den großen Blumen das Fleisch, das glänzende
oder sanfte. Die Herzogin wünschte sich auf allen Trep-
penstufen und bei jedem Brunnen die frischen Gesten junger Glieder.« Schließlich läßt sich nicht verschweigen, daß
Heinrich Mann jenes Publikum, das den schlichten, süßli-
chen und sentimentalen Kitsch bevorzugt – auf dieses Wort
kann man jetzt nicht mehr verzichten –, ebenfalls reichlich
bedient: »Zum Abschied küßte er sie unter den Sternen,
während Leuchtkäfer um sie her schwebten und Menthe
bitter duftete. Sie hob seine Hände, in die ihrigen ver-
schränkt, über ihre Köpfe, als ob sie mit ihm ränge – und
so sanken sie sich an die Brust.«

Es ist kaum zu glauben, daß diese Prosa den Gymnasia-
sten oder Studenten Gottfried Benn und einige seiner
Generationsgenossen zu begeistern, ja zu berauschen vermochte. René Schickele erinnerte sich 1931: »Wir waren
zwanzigjährig, als wir die ›Romane der Herzogin von
Assy‹ verschlangen, Flake und ich rissen sie uns aus der
Hand.«[20] Auch Klabund schwärmte ohne Reue: »Wer, der
je der Herzogin von Assy begegnete, könnte sie vergessen.
Denn sie war ihm Kind, Mutter und Geliebte.«[21] Erich
Mühsam hielt die »Göttinnen« für »das riesigste Unternehmen, an das sich ein deutscher Romanzier noch gewagt
hat«.[22]

Was die Jungen damals so erregt und so stark beeinflußt
hatte, war wohl zunächst einmal die Abwendung vom ver-
haßten Alltag, die Rebellion gegen die bürgerliche Welt,
der sich indirekt ergebende, doch unübersehbare, rabiate
und radikale Protest gegen den ungeschriebenen moralischen Kodex der wilhelminischen Gesellschaft. In Heinrich Manns provozierendem Ästhetizismus haben die noch
beinahe Halbwüchsigen ihr Lebensgefühl wiedererkannt.
Mehr noch: Benn, ein entschiedener Gegner des traditio-

nellen Romans, zumal Theodor Fontanes (man sollte nicht vergessen, daß die Erscheinungsdaten des »Stechlin« und der »Göttinnen« nur drei Jahre trennen), empfand Heinrich Manns zumindest streckenweise suggestive und sprachmächtige Trilogie als etwas gänzlich Neuartiges. Er sah in ihr einen Vorstoß, der weit über die Grenzen der am Anfang des Jahrhunderts dominierenden erzählenden Prosa (etwa vom »Stechlin« bis zu den »Buddenbrooks«, von Paul Heyse bis zu Ricarda Huch und Eduard von Keyserling, Emil Strauss und Hermann Hesse) führe und somit den Bereich der Literatur kühn und kraftvoll ausdehne.

Aber warum gab es für diese drei Romane der Herzogin von Assy doch kein Publikum? Vielleicht deshalb, weil die Leser der Unterhaltungskonfektion und der Hintertreppenliteratur die von ihnen begehrten und ersehnten Motive, die der Klappentext so nachdrücklich ankündet, zwar hier finden konnten, doch von dem Sprachduktus abgestoßen wurden. Die anspruchsvolleren Leser wiederum waren, anders als Benn und manche Frühexpressionisten, nicht bereit, ein Buch zu goutieren, dessen Autor ungeniert und ohne Ironie Elemente verwendet, deren Herkunft aus der Trivialliteratur schwerlich bezweifelt werden kann.

Schon 1905 rückte Heinrich Mann in einem Brief von den »Göttinnen« ab. Die »große, heidnische Sinnlichkeit«, die darin gefeiert werde, sei »doch eigentlich hier gar nicht das Ideal«, vielmehr »nur Ersatz für etwas Höheres, woran man aber nicht glaubt.« Und: »Aus Mangel an Nahrung für meine Zärtlichkeit behauptete ich, nur auf Sinnlichkeit komme es an; und behauptete es um so lauter, je weniger ich es innerlich glaubte.«[23] Das mag schon sein, nur daß die Untugenden dieser Trilogie sein gesamtes episches Werk belasten, von den Dramen ganz zu schweigen. Wohin er auch die Handlung seiner Romane und Novellen verlegte, er zeichnete in einer oft künstlich anmutenden Sprache Welten, in denen alles künstlich ist – die Figuren ebenso wie Milieu und Hintergrund.

Er liebte schrille Töne, grelle Farben und starke Effekte, scharfe Linien und harte, sofort leicht erkennbare Konturen. Was immer er schrieb – seiner Neigung zum Outrierten konnte oder wollte er nicht widerstehen, und stets gab er seiner fatalen Schwäche für die Kolportage nach. Man kann ihm manches nachrühmen, gleichwohl läßt es sich nicht verheimlichen, daß diesem doch ungewöhnlichen Schriftsteller etwas fehlte, woran es schon vor den »Göttinnen«, in seinen frühesten Büchern, zumal in dem satirischen Roman »Im Schlaraffenland«, haperte und was man nur mit einem zwar ungenauen, doch leider nicht ersetzbaren Wort andeuten kann – nämlich Geschmack. Selbst ein so enthusiastischer und treuer Anhänger Heinrich Manns wie Hans J. Fröhlich hat einmal, es war 1976, die Geduld verloren – er konnte nicht umhin, verärgert zu klagen: »Welch katastrophale Entgleisungen gibt es in diesem Œuvre auch immer wieder, ... wieviel Schiefheiten, wieviel Verkrampftes und Peinliches, welchen Kitsch.«[24]

Ob es nun zutrifft, daß es der Mangel an Nahrung für seine Zärtlichkeit war, der Heinrich Mann zu der eher kunstgewerblichen als poetischen Welt der Herzogin von Assy getrieben hat, jedenfalls war er des Renaissancismus (mit diesem damals modernen Stichwort versuchte man die »Göttinnen« zu charakterisieren und einzuordnen) gründlich satt und ist zu ihm nie wieder zurückgekehrt – es sei denn, man schreibt auch die dreißig Jahre später entstandenen »Henri Quatre«-Romane seiner frühen Sehnsucht nach dem in jeder Hinsicht Überdimensionalen zu.

Bei dem in München spielenden Roman »Die Jagd nach Liebe« (1903) kann man allerdings schwerlich von Entgleisungen sprechen: Das Buch, das Heinrich Mann, wie er nicht ohne Zufriedenheit feststellte, »fast in einem Zuge geschrieben« hatte[25], ist von Anfang bis zum Ende eine einzige Entgleisung. Die Neuausgabe hat man mit einem 1958 in der DDR verfaßten Nachwort von Alfred Kantorowicz versehen. Wozu? Die Übernahme des Nachwortes möchte der Herausgeber der Studienausgabe Peter Paul Schneider »als kleine ›Hommage à Alfred Kantorowicz‹ (1899–1979), dem ersten Editor der Werke Heinrich Manns, verstanden wissen, zumal dieser Essay zu ›Die Jagd nach Liebe‹ seine Gültigkeit bis zum heutigen Tag behalten hat«.[26] Das schlägt dem Faß den Boden aus. In dem Nachwort lesen wir, die »Jagd nach Liebe« bringe »Erkenntnisse, Schönheiten und Höhepunkte im Episodischen, die mehr als ein halbes Jahrhundert nach seinem Entstehen Leser unserer Tage neu ergreifen werden. Die Aufnahme des Romans bei Publikum und Presse war eher gereizt als kühl. Man fühlte sich getroffen.«[27] Davon stimmt kein einziges Wort: Der Roman bietet weder Erkenntnisse noch Schönheiten, er kann die Leser unserer Tage sowenig ergreifen, wie er jemanden zur Zeit seiner Erstveröffentlichung ergriffen oder interessiert hat.

Es ist auch nicht wahr, daß die »Jagd nach Liebe« »gereizt« aufgenommen oder, wie es bei Kantorowicz ebenfalls heißt, »gehässig« abgelehnt wurde, vielmehr hat man den Roman – und zu Recht – als eine Geschmacklosigkeit sondergleichen verworfen. Und wenn sich jemand getroffen fühlte, dann höchstens einige in München lebende Zeitgenossen, die unfreiwillig für Heinrich Manns Pseudofiguren Modell gestanden haben. Niemand ist daran gelegen, Alfred Kantorowicz am Zeug zu flicken, aber eben weil er allerlei Verdienste hat, ist es bedauerlich und betrüblich, daß man seinem Ruf mit dem Abdruck einer verfehlten Arbeit geschadet hat.

Was von diesem Buch zu halten ist, hat Thomas Mann in seinem an den Bruder gerichteten Brief vom 5. Dezember 1903 – einem Brief voll Ratlosigkeit, Abscheu und Widerwillen – überzeugend dargelegt.[28] Daß namhafte Literarhistoriker (wie etwa Wolfdietrich Rasch)[29] ihre Gelehrsamkeit an die Analyse eines solchen Werks verschwendet haben, ist schwer begreiflich. Hier braucht man nicht zu analysieren und zu kritisieren, hier genügt es zu zitieren: »Er schob ihr einen Stuhl hin, machte sich voll finsteren Eifers um sie her zu schaffen. Sie sah zu ihm auf; in ihrer Corsage bewegten sich helle, freundliche Fleischmassen. Theodora kam; sie hatte nur um den Magen ein wenig schwarze Gaze gewunden, worauf Spitzen gestickt waren. Ihre Arme raschelten von den Handgelenken bis zu den Ellenbogen in seidenen Falten. Oben war sie frei zu allen gelenkigen Würfen, die den engen Schatten unter den Achseln blitzschnell auf- und zudeckten. Claude bemerkte, über ihren Nacken gebeugt: ›Sie hätten wirklich nicht nötig, sich da hinten zu pudern.‹ ›Weil Sie dumm sind‹, erwiderte Theodora. ›Da muß man sich pudern.‹ Sie hob heftig die Schultern. Ihr Nacken stieß gegen Claudes Lippen, die ihn nicht gesucht hatten. Er schnappte nach Luft. ›Schauen’s, nun muß ich nießen!... Man bekommt ja das Zeug in die Nase.‹«

Mit derartigen Passagen hat Heinrich Mann alle 23 Kapitel des (der künstlichen Aufregung zum Trotz) höchst monotonen Romans gefüllt: Diese Brüste und Schenkel, diese Fleischmassen mit und ohne Korsett werden dem Leser auf nahezu jeder Seite offeriert. Hier noch ein Beispiel: »Er wurde in ein rundes Gemach geführt, das keine festen Wände hatte. Ein Schleier nur schloß es, in Farben spielend, die ein gedämpftes Licht von draußen regelte und abstufte. Hinter Köhmbolds Ruhekissen war er bläulich, fast weiß, und es schienen in seinem Gewebe die Blütenglieder von Feen zu spielen. Allmählich, mit etwas Rot auf der leichten Stickerei, wurden kräftige Frauen daraus, und an Kühmbolds anderer Seite, wo der Kreis sich schloß, strotzten in dunkelvioletter Gaze die Leiber schwarzer, brünstiger Hexen. Die Erfindung war seltsam zum Erschrecken. Köhmbold wußte dies und schwieg. Claude betrachtete beklommen seine Füße, die auf gewirktes Frauenfleisch traten, und zwar auf das der Liebe geöffnete. Er ergriff eine Stuhllehne; es war ein zurückgebogener Frauenhals, um den er die Hand legte. Das Kissen konnte man drücken wie man wollte, es behielt die Form einer Frauenbrust.«

Belanglos und ärgerlich ist auch der Roman »Zwischen den Rassen« (1907), eine banale und ziemlich chaotische Dreiecksgeschichte, wieder einmal vor einer malerischen italienischen Kulisse. »Zwischen den Rassen« muß eine Deutschbrasilianerin namens Lola wählen, womit zwei gegensätzliche Mentalitäten und Lebensauffassungen gemeint sind – die eine verkörpert ihr Ehemann, ein tüchtiger, tatkräftiger und auch brutaler Italiener, die andere ihr Geliebter, der sich als ein schüchterner Träumer, als zarter und trauriger Poet erweist. Schließlich entscheidet sich Lola, wie nicht anders zu erwarten war, für den Geliebten, den Mann der Dichtung. Auch von diesem Roman hat uns die unglückselig begonnene Fischer-Studienausgabe eine neue Edition beschert, sogar mit einem neuen Nachwort – freilich mit einem, das als Beispiel dafür gelten kann, wie man Nachworte zu derartigen Büchern auf keinen Fall schreiben darf.[30] Eine Germanistin kommentiert »Zwischen den Rassen« aus feministischer und marxistischer (genauer: pseudomarxistischer) Sicht. Sie hat die Kühnheit, von »großem dichterischen Einfühlungsvermögen«[31] zu sprechen, ist aber leichtsinnig genug, reichlich zu zitieren, ohne sich offenbar dessen bewußt zu sein, daß die vielen Zitate die sprachliche und intellektuelle Dürftigkeit des Buches sichtbar machen.

Überdies wird in dem Nachwort Heinrich Manns Lola gegen Anna Karenina und Madame Bovary, gegen Effi Briest und Tony Buddenbrook ausgespielt, weil nämlich für sie – anders als für ihre angeblichen Vorgängerinnen – »aus dem Ehekonflikt das Engagement gegen Ungerechtigkeit und Unterdrückung der Armen, gegen Ausbeutung und Erniedrigung« erwachse. Schon der Umstand, daß hier ein Trivialroman in einem Atemzug zu Meisterwerken der Weltliteratur in Beziehung gesetzt wird, zeigt, wohin es führt, wenn eine auf Irrwege geratene Germanistik nicht bereit oder nicht fähig ist, die Frage nach der Qualität zu stellen.

Wer will, mag Heinrich Mann hochjubeln. Dies hat man in Ost-Berlin in den fünfziger und auch noch in den sechziger Jahren getan – so aufdringlich und so hartnäckig, daß eine ganze in der DDR aufgewachsene Generation jetzt nicht einmal seinen Namen hören will. Inzwischen ist man dort vernünftiger geworden und schreibt über ihn in der Regel sachlich, bisweilen auch nicht unkritisch. Daß manche unserer Heinrich-Mann-Spezialisten der DDR-Germanistik folgen, wäre noch kein Unglück, nur übernehmen sie leider nicht die heutigen, sondern die gestrigen, die also dort längst überwundenen Standpunkte. Auf jeden Fall sollte man sich, statt seine vielen schlechten Bücher andächtig zu interpretieren und verantwortungslos zu preisen, auf diejenigen konzentrieren, die noch einigermaßen lesbar und teilweise sogar lesenswert sind.

In seinem schönen Aufsatz über Choderlos de Laclos beanstandete Heinrich Mann, daß in den »Liaisons dangereuses« die moralische Absicht »eher zu deutlich« sei.[32] Er selber freilich, dem das Dezente und Indirekte immer fremd war, verdankte seine wichtigsten Erfolge Romanen, in denen die gesellschaftskritischen, die moralischen und pädagogischen Absichten deutlich und allzu deutlich sind, in denen er von einem Werkzeug reichlich und nachgerade hemmungslos Gebrauch machte, auf das er erst in seinen letzten, sehr dunklen und nur zum Teil noch verständlichen Romanen »Der Atem« (1949) und »Empfang bei der Welt« (1956) verzichtet hat – von dem Holzhammer.

Dies gilt vor allem für den »Untertan«. Den im Sommer 1914 abgeschlossenen Roman hat bereits eine Münchner Zeitschrift in Fortsetzungen veröffentlicht, doch wurde dieser Vorabdruck bei Kriegsbeginn sofort abgebrochen. Die erste Buchausgabe erschien daher in russischer Übersetzung – 1915 in Petrograd. Beides ist nicht verwunderlich. Ein Roman, der die wilhelminische Gesellschaft aufs schärfste kritisiert, deren wichtigste Institutionen (Militär, Justizwesen, Schule und Universität) angreift und nicht davor zurückschreckt, die Person des Kaisers unmißverständlich zu verspotten, war für die deutschen Zensurbehörden, zumal während des Krieges, nicht akzeptabel. Aus denselben Gründen war das Buch, dessen Motto »Dies Volk ist hoffnungslos« lauten sollte und dessen Inhalt keineswegs im Widerspruch dazu steht, bei den Russen höchst willkommen. In Deutschland konnte es erst nach Kriegsende erscheinen: Die längst vorbereitete Ausgabe gab es sofort nach dem Waffenstillstand, also noch 1918. Die höhnische und gnadenlose Abrechnung mit dem Kaiserreich kam unzähligen Lesern wie gerufen.

An keinem seiner Romane hat Heinrich Mann so lange und so gründlich gearbeitet wie am »Untertan«. Es ist sein ehrgeizigstes literarisches Vorhaben – ein den großen französischen Romanen des neunzehnten Jahrhunderts, von Balzac bis Zola, nachempfundener Querschnitt der Gesellschaft, in dem möglichst keine Schicht unberücksichtigt (und das heißt: unkritisiert) bleiben sollte. So sind sie denn auch alle da: Aristokraten und Bürger, Unternehmer und Richter, Beamte und Offiziere, Lehrer und Geistliche, Arbeiter und Arbeiterführer, Politiker und Huren. Zahlreiche mehr oder weniger wichtige, doch in der Regel charakteristische Vorfälle und Ereignisse, Affären und Prozesse aus jener Epoche wurden in den Roman integriert, manch eine Person erweist sich beim näheren Hinsehen als Schlüsselfigur.

Aber im Grunde haben wir es, ungeachtet aller unübersehbaren französischen Einflüsse, mit einem typischen deutschen Bildungsroman zu tun, wenn auch einem *à rebours*. Die vielen Episoden und Genreszenen dienen als Hintergrund für die Lebensgeschichte jenes Diederich Heßling, der beides zugleich und auf einmal ist – ein sich feige duckender Untertan und ein sadistischer Tyrann, so borniert wie großsprecherisch. Seine Kindheit und Schulzeit, die Universitätsjahre mit allerlei Erlebnissen in einer Korporation und mit eher abstoßenden erotischen Abenteuern, der Anfang seines beruflichen Aufstiegs, dem er bald Ansehen und Wohlstand als Unternehmer in einer norddeutschen (an Lübeck erinnernden) Kleinstadt zu verdanken hat – all das füllt die ersten Kapitel, und es ist glanzvoll sichtbar gemacht, mit wahrhaft imponierender Angriffslust und mit kaum verhehlter Schadenfreude.

Doch nach etwa einem Drittel des Romans läßt das Interesse merklich nach, und man fragt sich insgeheim und mit schlechtem Gewissen – es wird ja der »Untertan« von nicht wenigen Kennern zu den Höhepunkten der deutschen Prosa unseres Jahrhunderts gezählt –, ob es denn wirklich nötig sei, die Lektüre fortzusetzen. Man hat nun das Bild der von Heinrich Mann entlarvten und mit unvergleichlicher Wucht angeklagten Gesellschaft vor sich, es ist schon jetzt auf überwältigende Weise einleuchtend – so einleuchtend und so überzeugend, daß es keiner Ergänzung oder Bereicherung mehr bedarf.

Nicht anders verhält es sich mit dem Personal dieses Romans. Gar keine Frage: Die zahlreichen Figuren, mit großer Sicherheit und mit Routine gezeichnet, sind unverwechselbar. Aber ihre Ansichten und Handlungen, und sogar einzelne Äußerungen, lassen sich in den meisten Fällen leicht voraussehen. Der Pastor meint und tut, was man eben von einem Pastor in der wilhelminischen Zeit erwartet, und der Major sagt, was ein Major der kaiserlichen

Armee zu sagen hat. Und so ist es auch mit Diederich Heßling. Schon nach hundert Seiten ist sein Fall gänzlich klar, schon wissen wir, wie er in verschiedenen Situationen agieren und reagieren wird, schon ist er kalkulierbar. Joachim Fest spricht von einer »ins Mythologische gesteigerten Sozialmarionette«, die eher die Vorstellung gefördert habe, »der Untertan sei immer nur der andere«.[33] Oder sollten wir etwa ungerecht sein und gar zu streng ein Werk beurteilen, das doch wie kein anderes jene Mentalität aufzudecken und wirkungsvoll zu zeigen vermochte, die Deutschlands schrecklichste Tragödie ermöglicht hat? Der »Untertan« wurde häufig als ein prophetisches Buch bezeichnet; das mag übertrieben sein, so ganz falsch ist es nicht.

Am treffendsten hat diesen Roman ein kluger Schriftsteller gesehen, der mit Heinrich Mann seit Jahren befreundet war: Arthur Schnitzler. Er schrieb dem Autor, er halte das Buch für »eine ganz außerordentliche Leistung«, nämlich »kühn im Entwurf, unerbittlich in der Durchführung, von wildestem Humor, und mit unvergleichlicher Kunst erzählt«.[34] Hier stimmt jedes Wort; nur ist es bloß die eine Seite der Sache, von der anderen spricht Schnitzler in diesem Brief vom 3. Januar 1919 nicht. Aber wenige Tage vorher, am 27. Dezember 1918, hatte er sich über den »Untertan« in seinem erst 1985 veröffentlichten Tagebuch notiert: »Außerordentlich – doch mehr caricaturistisch im Detail als satirisch im großen. Dazu allzuviel Haß und Einseitigkeit... Gelegentliche Geschmacklosigkeit.«[35] Ja: die häufig unkontrollierte Lust an der Karikatur, der oft unbeherrschte Haß, die extreme Einseitigkeit und die nicht seltenen Geschmacklosigkeiten haben den »Untertan« um seine volle Wirkung gebracht – und viele andere Bücher Heinrich Manns ebenfalls.

Die Fragwürdigkeit des »Untertan« und deren Ursache werden besonders deutlich, wenn man dieses Buch mit einem erheblich früheren und kleineren Werk Heinrich Manns vergleicht, mit einem Roman, den die meisten Literarhistoriker nicht schätzen – mit dem »Professor Unrat«. Man hat dem »Unrat« vor allem die scharfe moralische Kritik der bürgerlichen Welt im Kaiserreich zugute gehalten: Die Schule sei hier »als ein getreuer Spiegel der wilhelminischen Gesellschaft und ihrer tyrannischen Autoritäten dargestellt«.[36] Das Buch wurde also als eine Art Introduktion zum »Untertan« gelesen. Dagegen ist nicht viel einzuwenden: Zwar war dem Autor des »Professor Unrat« an einer derartigen sozialkritischen Tendenz nicht sonderlich gelegen, doch läßt sie sich in dem Roman finden, wenn auch eher am Rande. Heinrich Mann wollte wohl in erster Linie seinen nicht unbegründeten Widerwillen gegen die Schule artikulieren – kein sehr originelles Thema übrigens, da Schulromane und Schülertragödien damals nachgerade Mode waren.

Die Geschichte des Professor Raat, der Unrat genannt wird, spielt sich indes auf einer anderen Ebene ab. Gewiß ist Unrat ein bösartiger und sogar sadistischer Lehrer, der die ihm ausgelieferten Schüler aufs gemeinste schikaniert. Zu Heinrich Manns Roman »Die Armen« (1917) meinte Hermann Hesse, der Autor mache sich die Sache zu leicht, »indem er einfach die eine Partei bis zur Lächerlichkeit degradiert«.[37] Auch den Unrat degradiert Heinrich Mann bis zur Lächerlichkeit, er zeigt einen ekelhaften Menschen, er verachtet und haßt ihn. Doch je tiefer sich dieser Unrat in jene Affäre verstrickt, die schließlich zu seinem Untergang führt, desto mehr erregt er ein Gefühl des Autors, mit dem dieser, als er den Roman begann, vielleicht gar nicht gerechnet hat. Ich spreche vom Mitleid. Im Unterschied zu Diederich Heßling ist Unrat nicht nur widerlich, sondern auch bedauernswert. Er ist ein unglücklicher und einsamer Mann, einer, mit dem niemand zu tun haben will, ein Ausgestoßener. Seine in den ersten Kapiteln des Romans stark

akzentuierte Gier nach Macht hat ihre Wurzeln, wie sich
später herausstellt, in seiner heimlichen Sehnsucht nach
menschlicher Zuwendung und Zärtlichkeit, nach Liebe.

So ist »Professor Unrat« weniger ein Roman gegen die
wilhelminische Gesellschaft als vor allem die Geschichte
eines älteren Mannes, der in die Abhängigkeit von einer
Frau gerät – eine erotische und sexuelle Abhängigkeit. In
dem Augenblick, in dem Unrat zum Opfer der Liebe wird,
hört er auf, lächerlich zu sein. Was immer Heinrich Mann
ursprünglich geplant hatte – im Laufe der Handlung seines
Romans identifiziert er sich mit seinem Helden und dies
sogar in zweifacher Hinsicht: einerseits mit dem Mann, der
im Bann einer Frau ist, die in seiner Sicht die Welt der
Kunst repräsentiert (und sei es auch der schäbigsten), und
andererseits mit dem Bürger, der, aus welchen Gründen
auch immer, gegen sein Milieu und gegen seine gesellschaftliche Klasse rebelliert. Unrat sei – schrieb Heinrich
Mann 1905 in einem Brief an seine Freundin Inés Schmied
– menschlicher als die Herzogin von Assy: »Er hat doch
einige Ähnlichkeit (erschrick nicht!) mit mir: mit Dem, der
Dich liebt.«[38] Der borniert und verknöcherte Gymnasial-
lehrer ist auch eine ungleich interessantere Figur als Diederich Heßling, wenn nicht die interessanteste im Werk von
Heinrich Mann.

Besonderer Sympathie der älteren Heinrich-Mann-Leser
erfreut sich jedoch nicht der (im letzten Teil schwache und
auffallend schludrig geschriebene) »Professor Unrat«, sondern »Die kleine Stadt« (1909). Es ist in der Tat – das hat
im Œuvre dieses Autors Seltenheitswert – ein liebenswür-
diges Buch, verfaßt nicht von einem Ankläger oder Eiferer,
vielmehr von einem gelassenen Beobachter. Eine italienische Kleinstadt, nicht weit von Rom gelegen, wird von
einer Operntruppe aufgesucht; und wo es ohnehin schon
viel Langeweile gab und Klatsch und Intrigen, da zieht das
Gastspiel der Wanderkünstler unzählige Folgen nach sich

und bringt den ganzen Ort durcheinander. Es kommt zu regelrechten Kämpfen zwischen verschiedenen Gruppen der Bevölkerung, zumal zwischen eher progressiven und eher konservativen Kräften.

Der Autor selber hat darauf hingewiesen, daß den Bewohnern dieser Stadt keine der Schwächen, die man menschlich nennt – von der Eitelkeit bis zur Ränkesucht – fehle. Ja, es ist Heinrich Manns menschlichstes Buch, unbeschwert und anmutig, überdies ein kunstvoll komponierter Roman, in dem er auf die von ihm sonst bevorzugten Kolportage-Elemente – die melodramatischen Motive sind gerade hier verzeihlich – weitgehend verzichtet und in dem er sich als souveräner und einfallsreicher Regisseur bewährt: Er weiß die Bevölkerung dieses Ortes auf den verschiedenen Schauplätzen (Markt, Dom, Theater) übersichtlich und wirkungsvoll zu arrangieren.

Der Roman lese sich – schrieb Thomas Mann in einem Brief an seinen Bruder – »wie ein hohes Lied der Demokratie«.[39] Dem Autor war diese griffige Formulierung sehr willkommen, er verwendete sie oft, so in einem Brief an René Schickele, in dem es heißt, die »Kleine Stadt« sei »politisch zu verstehen«[40], so in einem Verlagsprospekt, der mit den Sätzen endet: »Was hier klingt, es ist das hohe Lied der Demokratie. Es ist da, um zu wirken in einem Deutschland, das ihr endlich zustrebt. Dieser Roman, so weitab er zu spielen scheint, ist im höchsten Sinne aktuell.«[41]

So wird er bis heute interpretiert: Am Beispiel der Vorgänge in der kleinen italienischen Stadt soll die Abwendung, sei es vom autoritären Staat, sei es vom Individualismus, gezeigt werden und natürlich die erwünschte Hinwendung zu einer besseren Ordnung, zur Demokratie. Dieser Deutung folgt auch Helmut Koopmann, der die Neuausgabe der »Kleinen Stadt« (bei S. Fischer) mit einem soliden und umfassenden Nachwort versehen hat.[42]

Aber haben wir es tatsächlich mit einem politischen Roman zu tun? Mit Zitaten kann man das leicht beweisen, denn Heinrich Mann läßt seine Figuren immer wieder (und immer im selben Idiom) über Volk und Fortschritt, Menschlichkeit und Demokratie räsonieren. So sagt der Apotheker: »Überall regt sich die Reaktion, und die Regierung, in ihrer Furcht vor der Demokratie, der sie doch entstammt, unterstützt sie.« Der Kapellmeister: »Wir, die wir aus dem Reichtum eines Volkes schöpfen dürfen, wie müssen wir es lieben!« Der Gemeindesekretär: »Man sieht sich plötzlich der Anarchie und dem Bankrott gegenüber und besinnt sich auf die Mäßigung und die Strenge, ohne die kein Gemeinwesen besteht.« Am häufigsten schwadroniert ein Advokat, dem Heinrich Mann das völlig überflüssige Fazit des Ganzen (»Wir sind ein Stück vorwärts gekommen in der Schule der Menschlichkeit«) in den Mund legt und der mit seinen hochherzigen Phrasen allen, den Personen des Romans ebenso wie seinen Lesern, unentwegt auf die Nerven geht.

Kein Zweifel, daß hier die mediterrane Lebensweise, der stark stilisierte italienische Alltag ausgespielt werden soll gegen deutsche Daseinsart. Und die Demokratie? Wenn diese darin besteht, daß alle mitreden wollen und sich einmischen in Sachen, von denen sie oft genug nichts verstehen, dann mag auch der permanente Trubel in der kleinen Stadt als heitere Vision und sanfte Parodie demokratischer Sitten verstanden werden. Daß es aber Heinrich Mann vor allem darauf ankam, den Deutschen Demokratie beizubringen, scheint mir eine der pittoresken Idylle nachgelieferte politische Interpretation. Wie auch immer: Man wird dieses Bilderbogens, dieses Märchens im italienischen Dekor doch nicht ganz froh. Recht hat Siegfried Lenz: »Das kunstvoll veroperte Durcheinander hält uns nicht in seinem Bann, vermutlich, weil das Interesse nicht beliebig teilbar ist ... Wir finden uns genötigt, es auf zu viele aufzuteilen, buchstäblich auf alle Einwohner der kleinen Stadt. Alle: das heißt jedermann, und jedermann ist niemand Bestimmtes.«[43]

Ist das Fehlen einer zentralen Gestalt, mit der die Leser sich hätten identifizieren können, der eigentliche Grund des Mißerfolgs der »Kleinen Stadt«, deren Vorzüge erst nach 1945 wahrgenommen wurden? Blieb der »Professor Unrat« ohne Echo, weil sich das Publikum nicht für ein Buch erwärmen mochte, dessen abstoßender Held im Laufe der Handlung zwar bemitleidenswert, aber nicht im geringsten sympathisch wird? Sicher ist, daß Heinrich Manns Erfolg gleich nach dem Ersten Weltkrieg auch mit diesen beiden Romanen so wenig zu tun hat wie mit den »Göttinnen«. Wie groß sein Triumph war, lassen die euphorischen Töne erkennen, die selbst ein nachdenklich-kühler Autor wie Kurt Tucholsky für angemessen hielt. Seine im Juni 1920 in der »Weltbühne« gedruckte Besprechung von Heinrich Manns Essayband »Macht und Mensch« schließt mit einer Ergebenheitserklärung. Wenn gefragt werde, ob Heinrich Mann der »Führer einer Jugend« sein soll, so – erklärt Tucholsky – »weiß ich, daß ich nicht für die Schlechtesten meiner Altersgenossen und der Jüngeren spreche, wenn ich sage: Wir folgen ihm.«[44]

Zurückzuführen war diese Euphorie auf seine publizistischen Arbeiten und, vor allem, auf den »Untertan«. Tucholskys ohne Einschränkungen hymnische Rezension des Romans (im März 1919) gipfelt in dem Satz: »Weil aber Heinrich Mann der erste deutsche Literat ist, der dem Geist eine entscheidende und mitbestimmende Stellung fern aller Literatur eingeräumt hat, grüßen wir ihn.«[45] Noch deutlicher konnte Tucholsky schwerlich sagen, daß er, den »Untertan« besprechend, nicht ein episches Kunstwerk im Sinne hatte, sondern ein politisches Pamphlet.

Gewiß, fügte er hinzu, sei er sich dessen bewußt, »daß diese wenigen Zeilen seine künstlerische Größe nicht ausgeschöpft haben«. Die Entschuldigung hilft nicht viel, denn in Wirklichkeit lobt er ausschließlich Heinrich Manns Gesinnung und seine gesellschaftskritischen Anschauungen, um die künstlerischen Aspekte hingegen kümmert sich Tucholsky überhaupt nicht. »Die Figuren bei ihm sind« – so Robert Musil über Heinrich Mann – »wie mit der Schere aus bedrucktem Papier geschnitten. Er wird sagen, daß ihn das Natürliche an ihnen nicht reizt. Auch nicht ihr Geist, sondern seine Idee. Dieser Idee gibt er ein von Anfang bis Ende künstliches Leben.«[46] Den jungen Tucholsky hat das nicht gestört. Seine Rezension ist symptomatisch: Sie zeigt, daß Heinrich Manns Erfolg vornehmlich politischer und nicht literarischer Natur war. Bestätigt wird das durch jene Arbeiten, die – neben dem »Untertan« – dazu beigetragen haben: Es sind mehrere während des Krieges (und auch schon vorher) veröffentlichte Artikel, zumal sein immer wieder gerühmter Essay über Zola aus dem Jahre 1915.

»Das gewagteste Unternehmen der Kritik scheint« – August Wilhelm Schlegel zufolge – »der Widerspruch gegen eine durch lange Verjährung befestigte Meinung über Kunst- und Geisteswerke zu sein«.[47] Durch lange Verjährung ist die Meinung befestigt, Heinrich Mann sei einer der bedeutenden deutschen Essayisten. Seine Bewunderer schätzen die Aufsätze über berühmte französische Schriftsteller des achtzehnten und des neunzehnten Jahrhunderts. Sie sind, vor allem die früheren, pointiert und effektvoll geschrieben, mit Verve und Temperament. Ein Langweiler ist dieser Porträtist nie. Aber vielleicht, mit Verlaub, ein Schaumschläger?

So endet der Aufsatz »Voltaire – Goethe« aus dem Jahre 1910: »Denn Freiheit: das ist die Gesamtheit aller Ziele des Geistes, aller menschlichen Ideale. Freiheit ist Bewegung, Loslösung von der Scholle und Erhebung über das Tier: Fortschritt und Menschlichkeit. Frei sein heißt, gerecht und wahr sein; heißt, es bis zu dem Grade sein, daß man Ungleichheit nicht mehr erträgt. Ja, Freiheit ist Gleichheit ... Denn Freiheit ist der Wille zu dem als gut Erkannten, auch wenn das Schlechte das Erhaltende wäre. Freiheit ist die Liebe zum Leben, den Tod mit einbegriffen. Freiheit ist der Mänadentanz der Vernunft. Freiheit ist der absolute Mensch.«[48]

Da haben wir schon die wichtigsten Kennzeichen dieser essayistischen Prosa: majestätisches Pathos, verschwenderische Rhetorik, hämmernder Rhythmus und die hemmungslose Lust an großen Worten. Hier sind schon die Vokabeln versammelt, die er noch in seinen letzten Arbeiten unermüdlich verwenden wird: Freiheit, Geist, Fortschritt, Menschlichkeit, Gleichheit, Liebe, Vernunft. Einige Substantiva ähnlicher Art kommen noch hinzu: Wahrheit, Humanität, Würde, Tat, Macht, Gerechtigkeit.

Auf beinahe jeder Seite seiner publizistischen und essayistischen Schriften werden diese Worte miteinander verkoppelt, jedes kann sich zu jedem gesellen, meist sind sie austauschbar. Dem Hang zu der »großen, geliebten Abstraktion«[49], den er bei Choderlos de Laclos beanstandet, bleibt er selber ein Leben lang treu. In dem oft zitierten programmatischen Aufsatz »Geist und Tat« (1910) heißt es: »Der Geist ist das Leben selbst, er bildet es, auf die Gefahr, es abzukürzen.« Ferner: »Das Mißtrauen gegen den Geist ist Mißtrauen gegen den Menschen selbst, ist Mangel an Selbstvertrauen.« Über den Literaten: »Vom Geist ist ihm die Würde des Menschen auferlegt. Sein ganzes Leben opfert der Wahrheit den Nutzen.«[50]

Ein zentraler Gedanke dieser vor dem Ersten Weltkrieg entstandenen Aufsätze lautet: »Der Geist soll herrschen, dadurch, daß das Volk herrscht.« Aber kann der Geist zum Volk durchdringen und mit der Macht eins sein? Heinrich Mann stellt die rhetorische Frage, ob denn ein ganzes Volk zu denken sei, »das um der qualvollen Ruhelosigkeit des

Geistes willen verzichtet auf die animalische Langlebigkeit der andern Völker! Das die lebenerhaltenden Lügen verschmäht! Das ehrlich bleibt, und führe es zur Auflösung! Ein Volk, ein ganzes Volk, das sein zeitliches Leben abkürzt, aus Liebe zum ewigen!«[51] Ein solches Volk, das also »auf die animalische Langlebigkeit der andern Völker« verzichtet, seien die Franzosen, ihnen sollten die Deutschen nacheifern. Wie man sieht, hatte dieser Verfechter der Menschlichkeit (damals jedenfalls) keine Bedenken, die Bereitschaft zum nationalen Selbstmord zu propagieren.

Auf ästhetische Fragen geht Heinrich Mann in seinen Porträts französischer Schriftsteller, auch in den späteren aus den zwanziger Jahren, nur selten ein und nur obenhin. Nicht das Kunstwerk interessiert ihn, sondern die gesellschaftlichen und zeitgeschichtlichen Fakten, die auf seine Entstehung eingewirkt haben und die sich in ihm widerspiegeln. Es versteht sich, daß er die Literatur sehr ernst nimmt, doch letztlich nur als Beleg für Thesen, als Illustration von Anschauungen. Und da diese Porträts vor allem aktuellen pädagogischen und agitatorischen Aufgaben dienen sollen, werden sie ohne Pardon retuschiert und präpariert und zur Selbstidentifikation benutzt. So übertreibt man nur wenig, wenn man sagt, daß sich hier mehr über Heinrich Mann findet als über Stendhal oder Flaubert, Victor Hugo oder Anatol France.

Trifft das auch auf den Zola-Essay zu? Nicht eine Auseinandersetzung mit Zola ist hier beabsichtigt, ja nicht einmal, von wenigen Abschnitten abgesehen, eine kritische Darstellung seines literarischen Werks und seines politischen Kampfes. Denn Heinrich Mann hat dreierlei im Sinn: Die Selbstpräsentation, die Anklage des wilhelminischen Deutschland und seines Krieges sowie schließlich ein Plädoyer für die Demokratie. Daher bezieht sich oft, was über Zola gesagt wird, auch oder sogar vor allem auf den Autor des Essays. In solchen Abschnitten wird in der

Regel der Name des Porträtierten vermieden: »Er weiß,
sein Werk wird menschlicher dadurch, daß es auch politisch wird. Literatur und Politik, die beide zum Gegenstand den Menschen haben, sind nicht zu trennen in einer
Zeit von psychologischer Denkweise und in einem freien
Volk.« Und: »Er ist gewillt, Vernunft und Menschlichkeit
auf den Thron der Welt zu setzen, und ist so beschaffen,
daß sie ihm schon jetzt als die wahren Mächte erscheinen...«[52]

Auf ähnliche Weise werden die Äußerungen über das
Frankreich Napoleons III. auf das Deutschland Wilhelms
II. übertragbar gemacht – durch die Verwendung einer
Bezeichnung, die sich auf beide Staaten beziehen kann: das
Kaiserreich. Hier ein Beispiel: »Niemand im Grunde
glaubt an das Kaiserreich, für das man doch siegen soll.
Man glaubt zuerst noch an seine Macht, wenn sie nicht
Recht ist, das tiefste Recht, wurzelnd in dem Bewußtsein
erfüllter Pflicht, erkämpfter Ideale, erhöhten Menschen-
tumes. Ein Reich, das einzig auf Gewalt bestanden hat und
nicht auf Freiheit, Gerechtigkeit und Wahrheit, ein Reich,
in dem nur befohlen und gehorcht, verdient und ausgebeu-
tet, des Menschen aber nie geachtet ward, kann nicht siegen, und zöge es aus mit übermenschlicher Macht. (...)
Ihr seid besiegt, schon vor der Niederlage.« Zusammen
mit der Niederlage prophezeit Heinrich Mann auch deren
Konsequenzen: »Die Lügen der Monarchien werden beendet durch Revolutionen, wie keine Republik sie gekannt
hat.« Ein Geschenk der Niederlage werde die Demokratie
sein: »Der Volksstaat ist das Leben und die Gesundheit.«
Wie dieser künftige Volksstaat denn beschaffen sein soll,
wird freilich nicht einmal angedeutet.

Indes: Mitten im Krieg, zur Zeit einer gefährlichen
patriotischen Begeisterung und einer fatalen chauvinisti-
schen Propaganda, war der Zola-Essay, der von intelligen-
ten Lesern trotz aller Camouflage schwerlich mißverstan-

den werden konnte, eine außergewöhnliche Tat und ist, von heute her gesehen, ein zeitgeschichtliches und ein literarhistorisches Dokument höchsten Ranges. Eine vergleichbare Arbeit ist Heinrich Mann nie wieder gelungen. In den ihm nach dem Ersten Weltkrieg verbliebenen rund drei Jahrzehnten hat er Hunderte von Aufsätzen verfaßt: politische Leitartikel, kleine Betrachtungen, offene Briefe, Reden, auch Porträts, meist von Schriftstellern und Theaterleuten. Groß ist die Zahl der Themen, klein die der Gedanken. Was er zu politischen Angelegenheiten schrieb, ist meist so redlich wie oberflächlich, oft so treffend wie banal. Sehr richtig meinte Golo Mann, Heinrich Mann habe im Laufe der Jahre allerlei behauptet, »ohne ökonomisch, soziologisch, politisch zu fragen«.[53]

Daß er über keine »auch nur halbwegs ausreichende politologische und soziologische Bildung« verfügte, räumt sogar sein Bewunderer Jean Améry ein. Dies aber habe sich in seinen politischen Darlegungen nicht etwa als ein Mangel niedergeschlagen, vielmehr als »ein uneinholbarer Vorsprung«, denn seine politischen Erkenntnisse seien »durchaus intuitiv« gewesen. Ein Vorsprung? Wie denn das? »Er redete die Sprache des Denkenden und des Fühlenden, nicht die des Gelehrten.« Wirklich die des Denkenden? An einer anderen Stelle findet sich bei Améry die Bemerkung, Heinrich Mann sei »nicht der schärfste politische Denker seiner Zeit« gewesen, doch habe er sich »an ein paar einfache Grundbegriffe« gehalten.[54]

Aber sieht man genauer hin, dann zeigt es sich, daß die »einfachen Grundbegriffe« beinahe immer Gemeinplätze und Phrasen sind. Im Dezember 1918 sagt Heinrich Mann in einer Ansprache über »Sinn und Idee der Revolution«: »Einen Radikalismus gibt es, der alle wirtschaftlichen Umwälzungen hinter sich läßt. Es ist der Radikalismus des Geistes. Wer den Menschen gerecht will, darf sich nicht fürchten. Der unbedingt Gerechtigkeitsliebende wagt sehr viel.«[55] In seiner Gedenkrede auf den ermordeten bayerischen Ministerpräsidenten Kurt Eisner heißt es: »Geist ist Wahrheit. Seine Erfolge waren das Werk seiner Wahrheitsliebe. Denn sie macht schöpferisch, und dem schöpferischen Menschen vertrauen die Mitmenschen.«[56] Hier ist, fürchte ich, jedes Wort falsch. Es gibt, wie sehr man es bedauern mag, Geist ohne Wahrheit und Wahrheit ohne Geist, keineswegs reicht Wahrheitsliebe aus, um den Menschen schöpferisch zu machen, und es wäre zwar schön, doch trifft es nicht zu, daß es genüge, ein schöpferischer Mensch zu sein, um das Vertrauen der Mitmenschen zu genießen.

Im Laufe der zwanziger und, erst recht, der dreißiger Jahre läßt die Selbstkontrolle Heinrich Manns deutlich nach: Der Stil büßt die Prägnanz des Zola-Essays ein, das Pathos wird immer simpler und die Vorliebe für hochherzig-feierliche Wendungen immer unerträglicher. In seinem 1928 geschriebenen Bericht für die Preußische Akademie der Künste kann man lesen: »Das Allgemeine, Ewige ist das Reich des Geistes, denn er will Wahrheit, Gerechtigkeit und den Menschen schlechthin.«[57]

Später hat man manchen Mahnungen und Warnungen Heinrich Manns Hellsicht bescheinigt und ihn gelegentlich sogar zu einer Art Kassandra der Weimarer Republik stilisiert. Doch ganz abgesehen davon, daß derartige Äußerungen nahezu immer mit fundamentalen Irrtümern und peinlichen Platitüden gemischt sind, konnte man damals ähnliche Mahnungen und Warnungen, kaum schlechter und bisweilen besser gesagt, auch bei anderen liberalen Autoren finden, nicht zuletzt in jeder Nummer der »Weltbühne«.

So überrascht es nicht, daß die essayistische Prosa von Heinrich Mann kein nennenswertes Echo hatte – vielleicht mit Ausnahme des »Zola«. Benjamin, Bloch, Adorno und Lukàcs, Musil, Brecht und Broch – sie alle verspürten offenbar niemals Lust, sich mit diesen seinen Arbeiten näher zu beschäftigen oder an ihre (nicht eben originellen) Gedanken anzuknüpfen. Es ist kein Zufall, daß in die von Oskar Loerke und Peter Suhrkamp 1940 herausgegebene und von Suhrkamp 1953 ergänzte, repräsentative Anthologie »Deutscher Geist« natürlich Essays von Freud, Ricarda Huch, Hofmannsthal, Thomas Mann, Karl Kraus, Rudolf Borchardt, Rudolf Alexander Schröder, Benjamin und Brecht aufgenommen wurden und daß von Heinrich Mann hier nichts zu finden ist.

Gleichwohl scheint seine Autorität im Berlin der Weimarer Republik groß gewesen zu sein. Geliebt wurde er nicht und doch von einem beträchtlichen Teil der intellektuellen Welt geachtet; und es ist nicht ausgeschlossen, daß es gerade die Schwächen des politischen Autors Heinrich Mann waren, die dies ermöglicht haben. Da er kein Programm hatte, da seine publizistischen Aktivitäten sich in der meist pauschalen Ablehnung der ohnehin allgemein ungeliebten Republik erschöpften und seine Vorstellungen hinsichtlich der Zukunft stets äußerst vage blieben und kaum über die Wiederverwendung der Vokabeln »Fortschritt«, »Gerechtigkeit« und »Demokratie« hinausgingen, fiel es sehr unterschiedlichen Schriftstellern – von Döblin, Feuchtwanger und Tucholsky bis zu Hesse, Benn und Zuckmayer – leicht, ihn anzuerkennen. Ludwig Marcuse berichtet: »In den Tagen der Einheitsfront machte man ihn zum Hindenburg des Exils; er wurde eine Art Dachorganisation für alle, die sich unter einem gemeinsamen Dach streiten wollten.«[58] Offenbar hat Heinrich Mann, die Respektsperson der literarischen Welt, schon in den letzten Jahren der Weimarer Republik eine ähnliche Rolle gespielt.

Allerdings mußten sich jene, die ihn brauchten und ehrten, wohl oder übel auch mit seinen neuen Romanen abfinden – und das war nicht einfach. Für den »Kopf« (1925) gilt, was Schnitzler über den vorangegangenen Roman »Die Armen« in seinem Tagebuch vermerkt hat: Der

Autor sei »von Tendenz wie benebelt«.[59] Tucholsky
äußerte sich über den »Kopf« in einem Brief an Heinrich
Mann. Er habe Schwierigkeiten, dieses Buch zu verstehen,
es bereite ihm Kummer: »Das ist kein Urteil – sondern eine
Inkompetenzerklärung.«[60] Hans J. Fröhlich meinte, beide
Bücher, »Die Armen« und »Der Kopf«, seien »heute
unlesbar«[61]; aber sie waren es von Anfang an.

Um die vier zwischen 1927 und 1932 veröffentlichten
Romane Heinrich Manns, von denen unlängst zwei in die
»Gesammelten Werke« beim Claassen-Verlag aufgenommen wurden – »Mutter Marie« (1927) und »Die große
Sache« (1930) – ist es kaum besser bestellt. Diese beiden
Bücher sollen zusammen mit einem dritten (»Eugénie oder
Die Bürgerzeit«, 1928) eine Art Trilogie bilden. Ihre Motti
– so der Autor in einem Brief aus dem Jahre 1928 – könnten lauten: »Lernt verantworten, lernt ertragen, lernt euch
freuen! Alle drei zusammen könnten ›Die gute Lehre‹ heißen. Ich fürchte nur, daß alles dies für einen Roman-
schriftsteller zu anspruchsvoll klingt.«[62] Zu anspruchsvoll?
Nicht eher zu naiv, zu simpel, zu oberlehrerhaft?

Die drei Romane sind in hohem Maße moralisch und
didaktisch, alle drei laufen einem optimistischen Fazit entgegen und jeweils steht hinter dem Happy-End ein gütiger,
weiser und strenger Mann, der durchaus kein Monarch ist,
aber doch schon jene Autorität ausstrahlt, die einem späteren Heinrich-Mann-Helden im Übermaß eingeräumt wird
– dem König Henri Quatre. Die in der westdeutschen
Neuausgabe abgedruckte »Nachbemerkung« aus der Feder
der in Ost-Berlin das Heinrich-Mann-Archiv verwalten-
den Wissenschaftlerin Sigrid Anger ist gut belegt und daher
nützlich. Anders als die bei uns Heinrich Mann rühmen-
den Germanisten läßt sie nicht selten durchblicken, daß sie
sich der Fragwürdigkeit der von ihr kommentierten Werke
sehr wohl bewußt ist.

Einige Verwirrung richtete die in der Tat überraschende

Tendenz der »Mutter Marie« an: Der Roman, der seinen Höhepunkt in einer langen Beichtszene erreicht, konnte, ja mußte als ein Plädoyer für den Katholizismus begriffen werden. Die bisherigen Anhänger Heinrich Manns fragten ironisch, ob er denn vielleicht auf dem Wege nach Rom sei. Jene Rezensenten hingegen, die von seinen politischen Anschauungen nichts wissen wollten und denen seine gesellschaftskritischen Attacken immer schon ein Ärgernis waren, zeigten sich diesmal sehr zufrieden. Auch der Roman »Die große Sache«, der seit über einem halben Jahrhundert nicht mehr neu aufgelegt wurde (was man verstehen kann), hätte Verwirrung hervorrufen können – wenn man ihn zu lesen bereit gewesen wäre. Ähnlich wie Bruder Thomas nahm sich auch Heinrich Mann der Kommentierung seiner Werke gern selber an, nur machte er es ungleich plumper. So beteuerte er in einem ausführlichen Begleitartikel, die »Große Sache« sei »ganz unpolitisch«, und appellierte an das Publikum in einem auffallend betulichen Tonfall: »Vielleicht könntet ihr einander helfen und einander nicht ganz so fern sein.«[63]

Dem wieder einmal schnell, wenn nicht hastig aufs Papier geworfenen Roman kann man freilich Betulichkeit am wenigsten anlasten. Wir haben es eher mit einem theatralisch oder, richtiger, filmisch aufgebauten Produkt zu tun: Szenen und Motive, die lediglich auf primitive Spannung berechnet sind, werden hier von anderen Kolportage-Elementen billigster Machart abgelöst. Thomas Mann war entschlossen, den Bruder in der Öffentlichkeit freundlich zu behandeln. Er gab sich in einem Artikel in der »Literarischen Welt« denkbar viel Mühe, das Buch zu loben, glaubte jedoch, seine Mißbilligung wenigstens andeuten zu müssen: Dieser Roman sei »in einem Grade reizgeladen und reizüberladen, daß die Lust, die er bereitet, jeden Augenblick im Begriffe ist, zur Pein zu werden«.[64]

Reizgeladen und reizüberladen ist auch das noch in Berlin begonnene und im Exil erschienene Romanwerk »Die Jugend des Königs Henri Quatre« (1935) und »Die Vollendung des Königs Henri Quatre« (1938). Nachdem seine im Laufe der vorangegangenen zwanzig Jahre verfaßten sieben Romane allesamt in Deutschland spielten, hatte sich Heinrich Mann jetzt der geliebten romanischen Welt zugewandt, und nicht abwegig ist die Behauptung, im gewissen Sinne habe er an den Renaissancismus seiner »Göttinnen« angeknüpft.

Aber sie kommen hier beide zu Wort: einerseits der passionierte Artist, der melodramatische Sänger und der mediterrane Theatraliker, der Goldoni und Puccini bewundert, und andererseits der Moralist und Prediger, der Gesellschaftskritiker und Volkserzieher. Entstanden ist daraus ein höchst sonderbares, ein in jeder Hinsicht exorbitantes Werk: ein Kolossalgemälde mit unzähligen Kulissen und Kostümen, eine große Oper mit Pauken und Posaunen, ein Ritterroman mit Glanz und Gloria, mit Tod und Teufel. Ohne das belehrende Nachwort wäre allerdings manchen Lesern entgangen, daß Heinrich Mann, der Republikaner und Verfechter der Aufklärung, mit diesem prächtigen und inbrünstigen Preislied auf einen Monarchen nicht nur einen historischen Roman angestrebt hat, sondern auch eine Auseinandersetzung mit der unmittelbaren Gegenwart, eine rückwärts gewandte, also in die Vergangenheit projizierte Utopie, kurz: ein didaktisches Gleichnis.

Doch ob Ritterroman und große Oper oder Gleichnis und Utopie – selbst die gutwilligsten Leser ermüden nach einiger Zeit und verlieren, zumal im erheblich schwächeren zweiten der beiden Romane, die Übersicht. Bertolt Brecht bemerkte in seinem »Arbeitsjournal« etwas verärgert: »HEINRICH MANN zeigt ein solches gewirr von verschiedenen menschenschicksalen in seinem HEINRICH IV., daß sich kein mensch mehr auskennt . . .«[65] Worauf ist dieser Sachverhalt zurückzuführen? Über das bekannteste, kurz vor dem Ersten Weltkrieg entstandene Schauspiel Heinrich Manns, »Madame Legros«, schrieb Alfred Polgar: »Die Figuren sind in dauernder Abhängigkeit von ihrem Schöpfer, ihr Herz kommt nicht los vom Kapellmeister, der ihm den Takt bestimmt, nie weicht der Schatten der unsichtbaren Hand, die sie hinstellte und bewegt. Daß die Menschen des Dramas rundrum leben, wird nicht glaubhaft.«[66] Das trifft auch auf nahezu alle Gestalten zu, die in dem historischen Bilderbogen über Henri Quatre auftreten. Wir wissen, was sie denken, beabsichtigen und tun, wir erfahren auch genau, was der Autor von ihnen hält, aber wir sollen es hinnehmen, daß sie nur seine Ideen personifizieren, also ohne Eigenleben sind.

Die Titelfigur ebenfalls? Ja, auch sie. Heinrich Mann hat sie reichlich mit positiven Eigenschaften versorgt. Und je schrecklicher es in Deutschland zuging, desto edler und vernünftiger wurde der konsequent zum Gegenbild avancierte französische König – dem skrupellosen Verführer der Nation hält der Roman den wahren Volksführer entgegen, den weisen und gerechten Landesvater: Henri Quatre verkörpert die Synthese von Macht und Moral, von Größe und Güte. Wie das alles gemeint war, darüber braucht man sich nicht den Kopf zu zerbrechen, da es uns deutlich genug mitgeteilt wird: »Der Befreier Henri Quatre handelte revolutionär, seither wäre er Bolschewik genannt worden.«[67] Der französische Germanist André Banuls erläutert, Heinrich Mann habe eine überragende Persönlichkeit zeigen wollen, die er »zweifellos in seiner Phantasie mit Bismarck (wegen der Mäßigung) und vor allem mit Stalin verschmelzen ließ . . .«[68] – was übrigens (nach Stalins Tod, versteht sich) von Georg Lukàcs gerügt wurde: Im »Henri Quatre« kämen die »historisch treibenden Kräfte zu kurz«, weil sie »allzu sehr nur in bezug auf die biographisch im Mittelpunkt stehende Persönlichkeit dargestellt« seien.[69]

Es ist nicht ausgeschlossen, daß die Jahre in der französischen Emigration die glücklichsten in Heinrich Manns Leben waren. Er brachte für den politischen Kampf, an dem er nun immer intensiver teilnahm, viele Vorzüge mit: Was er auch in der Vergangenheit geschrieben hatte, er war stets ein mutiger und kompromißloser Gegner des Nationalsozialismus, er hatte Autorität, er wurde von den Linken in Frankreich geschätzt, und er war nicht parteigebunden. Kein Wunder also, daß alle Organisationen und Institutionen des Exils sich mit seinem Namen schmücken und alle Zeitungen und Zeitschriften seine Beiträge drucken wollten.

Er veröffentlichte in dieser Zeit rund dreihundert Artikel, Reden und Aufrufe. Sie lassen, von wenigen Ausnahmen abgesehen, keinerlei Ehrgeiz erkennen – weder in stilistischer noch in gedanklicher Hinsicht. Doch darauf kam es damals offenbar nicht an. Für Ludwig Marcuse bestand Heinrich Manns Hauptverdienst in dieser Zeit darin, »daß er der Welt demonstrierte: Hier ist einer, der nicht nachgibt.«[70] Einst schrieb er über Choderlos de Laclos: »Geblendet vom Starren in die weite Morgenröte, verliert sein Blick die Tatsachen.«[71] Und über Victor Hugo: »Sein Optimismus hängt möglichenfalls damit zusammen, daß er nicht zu genau hinsieht.«[72] Das eben charakterisiert Heinrich Manns Aufsätze und Pamphlete: Nach wie vor huldigt er den großen Abstraktionen und ignoriert die Tatsachen, er beurteilt die Lage meist oberflächlich und optimistisch. Seine Vorliebe für pompöse Vokabeln und deren permanente Verkopplung erreicht jetzt ihren fragwürdigen Höhepunkt. Geschadet hat ihm dies nicht: Man akzeptierte und schätzte ihn, ohne ihm seine pathetischen Ergüsse zu verübeln.

Aber hat er selber die ständig wiederkehrenden Phrasen ernst gemeint? Vielleicht sollte man diese sich meist in hohler Rhetorik erschöpfenden Kurzplädoyers nicht für bare Münze nehmen. Jedenfalls ist der Unterschied zwischen seinen öffentlichen und seinen privaten Äußerungen bemerkenswert. 1935 schrieb er an Ludwig Marcuse: »Alles, was die Vernunft betrifft, bleibt fragwürdig, die Besten besitzen sie nur halb, und es geht mit ihr bald vorbei. Dies zur Berichtigung, wenn Sie geglaubt haben sollten, ich wäre von blinder Zuversicht.«[73]

Fast alle diese Beiträge zeigen, daß Heinrich Mann – ähnlich wie viele andere Emigranten – das »Dritte Reich« unterschätzt und verkannt hat. Ein Aufsatz aus seinem Band »Der Mut« (1939) beginnt: »Die lange erwartete Rede des deutschen Führers ist erwartet worden, ohne daß man etwas von ihr erwartet hätte, außer in England. Aber man wartet gern, es ist auf der Welt die beliebteste Beschäftigung. Wer weiß, vielleicht erfolgt dennoch eine Überraschung. Der Redner könnte zum Beispiel seine Rede halten, während er kopfüber am Trapez hängt. Oder er spricht arisch.« Später läßt er Hitler während der Vorbereitung seiner Rede meditieren: »Ich mache einfach mein Führergesicht, es ist bösartig, hat aber auch wieder etwas Ulkiges, das entwaffnet. Ich mache ganz, ganz böse Augen, die unartigen Kinder sollen sich vor Schreck verunreinigen. ... Ich rühme mich einer Anordnung meiner Haare, wie nur verkrachte Malermeister es fertigbringen, lockere Strähnen in der Stirn, und auf dem Gipfel des Hauptes eine Fülle. Es muß etwas daran sein. Menschen der Macht, die nichts weiter sind, haben Kahlköpfe. Ich bin ein Genie. Und dazu spielen alle Militärkapellen.«[74] Heinrich Manns Lebensleistung verbietet es, derartige Prosastücke, die er im Exil häufig verfaßt hat, auch nur mit einem einzigen Wort zu kommentieren.

Von dem zitierten Artikel »Die Rede« führt ein gerader Weg zu dem in Los Angeles geschriebenen Roman »Lidice« (1943). Da der Claassen-Verlag sich nicht entblödet hat, unlängst auch dieses Buch zu drucken[75], kann man es nicht ignorieren – obwohl Heinrich Mann es verdient hat, daß man die Sache mit dem Mantel der Barmherzigkeit zudeckt. Das Thema wurde von einer Nachricht ausgelöst, die damals um die Welt ging: Am 10. Juni 1942 gaben die deutschen Behörden bekannt, daß als Vergeltungsakt gegen das Prager Attentat auf Reinhard Heydrich, den Chef des Reichssicherheitshauptamts und Stellvertretenden Reichsprotektor von Böhmen und Mähren, die Bevölkerung der Bergarbeitersiedlung Lidice hingerichtet wurde.

Aber der Roman hat mit den historischen Ereignissen beinahe nichts gemein. Über die wirklichen Vorfälle und Zustände im Reichsprotektorat Böhmen und Mähren war der alte und vereinsamte Heinrich Mann nicht informiert, mehr noch: Er wollte gar nicht informiert sein. Nicht ohne Trotz stellte er selber fest: »Die materielle Wirklichkeit ist von Anfang an beiseite gelassen . . .«[76] Sein Roman ist ein Werk der Phantasie, schon das zentrale Motiv hat der Autor erfunden: Hier wird Heydrich nicht von tschechischen Widerstandskämpfern umgebracht, sondern von den SS-Leuten aus seiner nächsten Umgebung. Das Buch – berichtete Heinrich Mann in einem Brief – »schrieb sich sozusagen ohne mein Dazutun«.[77] So sieht es denn auch aus. In einem anderen Brief teilte er mit: »Der Schnelligkeit wegen schreibe ich nur die Dialoge hin . . .«[78] – womit auch erklärt ist, warum alle seine dramatischen Werke wertlos sind: Heinrich Mann hat die Form des Dramas nie verstanden oder jedenfalls nicht ernst genommen, was übrigens wahrscheinlich dasselbe bedeutet.

Als das trotz seines Umfangs (über dreihundert Seiten) innerhalb von knapp drei Monaten entstandene Manuskript bei dem von deutschen Kommunisten in Mexiko gegründeten Verlag »El libro libre« ankam, fand es Ludwig Renn, der dem literarischen Beirat dieses Verlages angehörte, so schlecht, »daß man es gar nicht diskutieren könnte, wenn man es nicht ungesehen angenommen hätte«.[79] Unter den (vornehmlich entsetzten) Urteilen über diesen Roman stammt das knappste von Thomas Mann. Er notierte in seinem Tagebuch am 13. Mai 1944: »Abends gelesen in H's ›Lidice‹. Gelitten.«[80]

Noch in seinem Buch »Ein Zeitalter wird besichtigt« glaubte Heinrich Mann, Heydrich sei von der Gestapo ermordet worden, und er versuchte, die angeblich humoristische (in Wirklichkeit: alberne und geschmacklose) Behandlung des grausigen Stoffes zu rechtfertigen: »Ich war nicht geneigt, der deutschen Tyrannis über Europa entgegenzukommen und sie ernst zu nehmen. Sie ist furchtbar. Sie könnte tödlich sein. Ernst – ist sie nicht.« Daß die Nationalsozialisten vor 1933 von vielen Deutschen gründlich unterschätzt wurden, mag man zwar bedauern, doch verstehen. Wer aber derartiges noch 1945 – und sei es am Pazifischen Ozean – schreiben konnte, bedarf wohl der besonderen Nachsicht. Nachsicht ist bei der Lektüre nahezu des ganzen Buches notwendig. Benn urteilte 1947: »Äußerst zwiespältige Eindrücke! Sehr oberflächlich, sehr billig, daneben zauberhafte Sachen . . . Alles in allem aber weiß man meistens überhaupt nicht mehr, was er eigentlich meint u. will, so herum redet u. faselt er über Alles in einem Stil, so manieriert, daß einem übel wird.«[81]

Zauberhafte Sachen? Jawohl, in diesem Alterswerk findet man schöne Kapitel (etwa über Puccini oder Arthur Schnitzler), unvermittelt tauchen Sätze auf wie »Jeder Deutsche von Rang hat unter den Deutschen gelitten«[82] und: »Es gibt kein Genie außerhalb der Geschäftsstunden . . . In unserer Macht steht übrigens nicht das Genie: nur die Vollendung, gesetzt, wir wären stark und zuverlässig. Wenn ich richtig sehe, wird meinem Bruder, noch mehr als seine Gaben, angerechnet, daß er, was er machte, fertigmachte.«[83] Aber leider muß man auch lesen: »Das Lebensgefühl der deutschen Romantiker ist das niedrigste, das eine Literatur haben kann. . . . Diese Dichter schreiben

wie die letzten Menschen.«[84] Fassungslos nimmt man zur
Kenntnis, daß Heinrich Mann zufolge die Moskauer Prozesse von einer »in aller Welt einzigen Intellektualität«
zeugten und bewiesen hätten, daß die Sowjetunion »über
revolutionäre Methoden zu demokratischen« gelangt sei.
Man habe in der Sowjetunion »alle Verfolgungen von Rassen, Religionen, Gedanken« abgeschafft.[85]

In diesem Buch seien – meint Golo Mann – »kindlich
verblendete Texte«, man solle, empfiehlt er, »das ganze
Zeug überschlagen«. Für viele Ansichten und Urteile
Heinrich Manns hat er eine prägnante Erklärung: »Exil,
Alter, Einsamkeit – Blindheit.«[86] Das trifft mit Sicherheit
zu. Nur ist das Ärgerliche und Entsetzliche, das uns im
»Zeitalter« verstört, schon vorgezeichnet in seinen Aufsätzen aus den Jahren, da er weder im Exil noch alt und
einsam war.

»My ending ist despair – Verzweiflung ist mein Lebens-
abend« – Thomas Mann hat diese Worte Prosperos mehrfach zitiert. Sie gelten jedoch in noch höherem Maße für
seinen, wie es nun schien, gänzlich vergessenen Bruder: Es
fiel Heinrich Mann 1945 schwer zu begreifen, daß ihn alle in
Ruhe ließen, daß ihn niemand mehr brauchte. Als er aber
1946 nach Ost-Berlin gerufen wurde, reagierte er mißtrauisch: »Mag sein« – schrieb er an Alfred Kantorowicz –,
»man will mich nur umherzeigen und verkünden, daß wieder einer zurückgekehrt ist.«[87] Man lockte ihn mit einem
Ehrendoktor-Titel und mit dem DDR-Nationalpreis
I. Klasse, schließlich auch noch mit der Berufung zum
ersten Präsidenten der neu zu gründenden Akademie der
Künste.

Der beträchtliche Erfolg des »Untertan« östlich der Elbe
beeindruckte ihn kaum. In dieser Hinsicht hatte er seine
Erfahrungen: »Dergleichen« – stellte er im Juli 1947 fest –
»bleibt nicht lange so, wird auch diesmal, nach dem zweiten Krieg, zeitlich begrenzt sein.«[88] Und als ein Leser

meinte, der »Untertan« sei kein Roman, sondern ein Leitartikel, beklagte sich Heinrich Mann, er sei zwar nicht
unentdeckt, aber »falsch entdeckt«. Denn: »Als Verfasser
eines romanhaften Leitartikels möchte ich nicht fort-
leben.«[89] Vielleicht dachte er damals an jenes Wort von
1905, demzufolge der Ruhm selten mehr sei »als ein weit
verbreiteter Irrtum über unsere Person«.

Manfred Bieler, der in der DDR aufgewachsen ist, hat
1984 in einer heftigen Auseinandersetzung mit Heinrich
Mann selbstkritisch und schuldbewußt eingestanden: »Ich
habe ihn geliebt.«[90] Bei mir sieht das etwas anders aus:
Geliebt habe ich ihn nie. Aber als mich im März 1950 die
Nachricht erreichte, daß er kurz vor der geplanten
Umsiedlung nach Ost-Berlin gestorben war, da fühlte ich
mich, zu meiner eigenen Überraschung, tief betroffen. In
meiner Schulzeit, als seine Bücher in Deutschland verboten
waren und es sich empfahl, deren Lektüre geheimzuhalten,
haben mich zwei – »Professor Unrat« und »Der Untertan«
– nicht gerade ergriffen, doch amüsiert und nachhaltig
beeindruckt. Diese Wut steckte an, dieser Zorn ließ nicht
kalt: Wer solche Bücher geschrieben hat, der muß, dachte
ich, ein ganzer Kerl sein.

Heute, nach einem halben Jahrhundert, ist das Feuer
erloschen: Unter der Asche freilich glüht es noch hier und
da. So lese ich jetzt beide Romane nur als wichtige und
ehrenwerte Dokumente im Archiv der deutschen Literaturgeschichte unseres Jahrhunderts. Es wird wohl Zeit,
sich von Heinrich Mann zu verabschieden – mit Respekt,
versteht sich, und auch mit Dank. Für manche von uns
Älteren ist es noch ein Abschied von unserer Jugend – ein
Abschied nicht ohne Wehmut.   (1987)

Der König und der Gegenkönig

In einem Brief vom 19. März 1950 berichtet Thomas Mann: »Die Trauerfeier war würdig. Ein Geistlicher der Unitarian Church und Lion Feuchtwanger sprachen, und ein Quartett spielte einen schönen langsamen Satz von Debussy. Dann folgte ich dem Sarg über den warmen Rasen des Friedhofs von Santa Monica.« Auf der Schleife des Kranzes, mit dem er das frische Grab Heinrich Manns geschmückt hatte, war zu lesen: »Meinem großen Bruder in Liebe.«

Gewiß mutet diese Aufschrift eher konventionell an – und doch sollte man sie ernst nehmen, also auch anzweifeln dürfen. Mit anderen Worten: Hat er ihn, den Älteren, für einen bedeutenden Schriftsteller gehalten? Und hat er ihn gar geliebt? Es sind Fragen, die ins Zentrum einer lebenslangen Beziehung zielen, einer wechselvollen und dramatischen Geschichte, die ebenso mit den intimen Komplexen ihrer Helden verknüpft ist wie mit den deutschen Katastrophen unseres Jahrhunderts.

Dokumentiert wird sie, zunächst einmal, durch die ausgiebige Korrespondenz der Brüder. Die in der Bundesrepublik 1968 erschienene Ausgabe vereinte 180 Briefe von Thomas und Heinrich Mann, in der neuen Edition ist deren Zahl auf 230 gewachsen.[1] Gleichwohl haben wir es nach wie vor mit einem Fragment zu tun. So sind aus der Zeit von 1900 bis 1914 einzig die Briefe Thomas Manns erhalten, und auch später gibt es Zeitabschnitte von jeweils mehreren Jahren, in denen nur einer der beiden Korrespondenzpartner zu Worte kommt. Neben den jetzt zusätzlich aufgenommenen Briefen wurden in der Zwischenzeit noch weitere Quellen zugänglich gemacht, vor allem Briefe Thomas Manns an andere Adressaten (zumal an Ida Boy-Ed) sowie dessen Tagebücher.

Man kann nicht klagen: An Zeugnissen, die uns über den längst in die Literaturgeschichte erhobenen Bruderzwist im Hause Mann unterrichten, ist kein Mangel. Dennoch wäre es vermessen, wollten wir glauben, wir wüßten nun über die gegenseitigen Beziehungen von Thomas und Heinrich Mann wirklich Bescheid. Vieles läßt sich mit Zitaten belegen – und dann, wenn man will, auch widerlegen. Nie darf man vergessen, daß beide Kontrahenten nicht nur leicht reizbare, sondern auch in hohem Maße neurotisch veranlagte Menschen waren. Manch eine ihrer Äußerungen wurde im Affekt geschrieben, andere wiederum sind, was sich nachweisen läßt, unaufrichtig, wobei die Gründe dieser Unaufrichtigkeit von barer Taktik bis zur Rücksichtnahme auf die Empfindlichkeit des Korrespondenzpartners reichen. Der Verdacht drängt sich auf, daß hier oft eher der Psychoanalytiker als der Literaturkritiker zuständig ist.

Am Anfang scheint alles klar und einfach. Heinrich hatte das Abitur nicht geschafft und seine Berufsausbildung (erst in einer Buchhandlung und dann im S. Fischer Verlag) ebenfalls rasch abgebrochen. Indes verfaßte er literarische Arbeiten, die gedruckt wurden: zwischen 1894 und 1900 zwei Romane und zwei Novellenbände sowie zahlreiche Skizzen, Rezensionen und andere Artikel in Zeitungen und Zeitschriften. Überdies gab er anderthalb Jahre lang eine Monatsschrift heraus.

Thomas war in einer auffallend ähnlichen Situation: Er mußte das Lübecker Gymnasium vorzeitig verlassen, auch er dachte nicht daran, einen Beruf zu erlernen, auch er wollte sich literarisch betätigen. Gewiß, die Bücher Heinrichs blieben beinahe ohne Echo, und seine Zeitschrift existierte nur kurz und hatte keinen guten Ruf. Aber er war geworden, was der vier Jahre jüngere Bruder erst werden wollte: ein Schriftsteller und überdies einer, dessen Namen man, allen Mißerfolgen zum Trotz, zumindest in den Intellektuellenkreisen schon kannte. 1895 schrieb Thomas an seinen Freund Otto Grautoff: »Nein, mein Junge, Heinrich Mann ist ein Künstler, ein Dichter, dem wir zwei beide denn doch noch nicht bis an die Knie reichen.« Da wir den literarischen Geschmack auch des jungen Thomas kennen, haben wir Anlaß, an der Aufrichtigkeit schon dieser Äußerung zu zweifeln.

Und doch: Damals, nur damals war er stolz auf den älteren Bruder, auf den bereits Arrivierten, in dessen Schatten er sich sah. Ihn galt es einzuholen, ihn womöglich zu übertreffen. Dies aber wollte zunächst nicht gelingen. Thomas Manns erstes Buch, der 1898 erschienene Novellenband »Der kleine Herr Friedemann«, fand zwar freundliche Rezensenten, aber, obwohl in einer billigen Reihe auf den Markt gebracht, innerhalb von zwei Jahren nicht einmal fünfhundert Käufer.

Zu diesem Zeitpunkt hatte er den Roman, der den brüderlichen Rivalen auf den zweiten Platz verweisen sollte, bereits abgeschlossen und seinem Verlag angeboten. Dort war man von dem, wie man meinte, allzu umfangreichen Manuskript der »Buddenbrooks« keineswegs entzückt, die Entscheidung wurde mehrfach hinausgezögert. In den frühesten erhaltenen Briefen an Heinrich kommt Thomas auf diese Frage immer wieder zu sprechen – und sogleich zeigt sich die für ihn sein ganzes Leben hindurch charakteristische Verbindung von höchstem Selbstvertrauen und qualvollem Selbstzweifel: »Des litterarischen Erfolges bin ich sicher; der buchhändlerische wird gleich Null sein und der pekuniäre für mich ebenfalls, obgleich Mama mir neulich strenge Weisung gegeben hat, 1000 Mark zu verlangen.« Rund zwei Monate später, im Dezember 1900, klagt er abermals: »Wüßte ich nur erst, was mit ›Buddenbrooks‹ werden wird! Ich weiß so sicher, daß Kapitel darin sind, wie sie heute nicht Jeder schreiben kann, und doch muß ich fürchten, damit sitzenzubleiben.«

Die Fakten sind bekannt: Die »Buddenbrooks«, 1901 in zwei Bänden veröffentlicht, waren in jeder Hinsicht ein Fehlschlag. Erst mit der einbändigen Ausgabe von 1903 begann der Erfolg des Buches. Es war ein Siegeszug, wie ihn die Geschichte der deutschen Literatur noch nicht gekannt hat – es sei denn im achtzehnten Jahrhundert, als ein ebenfalls noch sehr junger Autor mit seinem Romandebüt die Welt erobert hatte: mit der Geschichte von den Leiden des jungen Werthers. In seinem »Lebensabriß« erinnerte sich Thomas Mann: »Alsbald, während die preisenden Pressestimmen, selbst in ausländischen Blättern, sich mehrten, begannen die Auflagen einander zu jagen. Es war der Ruhm. Ich wurde in einen Erfolgstrubel gerissen... Meine Post schwoll an, Geld strömte herzu, mein Bild lief durch die illustrierten Blätter, hundert Federn versuchten sich an dem Erzeugnis meiner scheuen Einsamkeit, die Welt umarmte mich unter Lobeserhebungen und Glückwünschen...«[2]

Damit war der Konkurrenzkampf zwischen den beiden Brüdern bereits entschieden – und zwar ein für allemal. Gerade vor dem Hintergrund des stetig wachsenden Ruhms der »Buddenbrooks« wird deutlich, daß Heinrich Mann trotz unentwegter Bemühungen bis zum Ersten Weltkrieg ein erfolgloser Schriftsteller war. In den Jahren von 1903 bis 1913 publizierte er die Romantrilogie »Die Göttinnen« (1903), die Romane »Die Jagd nach Liebe« (1903), »Professor Unrat« (1905), »Zwischen den Rassen« (1907) und »Die kleine Stadt« (1909) sowie acht Novellenbände, vier Bühnenwerke und schließlich einen Band mit Essays. Während von den »Buddenbrooks« allein im Jahre 1903 über 10 000 Exemplare verkauft wurden (1911 waren es schon insgesamt 60 000), ließen sich von keinem der Bücher Heinrich Manns in der Zeit bis 1914 auch nur 5000 Exemplare absetzen.

So war denn seine finanzielle Situation ebenfalls ungleich schlechter als die des allseits umworbenen Autors der »Buddenbrooks«, ja, er war offensichtlich auf dessen Unterstützung angewiesen. In der neuen Ausgabe der Korrespondenz finden sich einige Briefe aus den Jahren von 1910 bis 1914, in denen Thomas Mann den Bruder ersucht, die Darlehen, die er ihm gewährt habe, doch endlich zurückzuzahlen. Am Rivalitätskomplex, den manche Interpreten für das wichtigste Element des Bruderzwists halten, konnte somit damals nur Heinrich Mann leiden.

Gleichwohl sind in Thomas Manns Verhältnis zu ihm außergewöhnlich aggressive Züge unverkennbar. Wie man diese nicht mit seinem Ehrgeiz und seiner Eitelkeit, mit der angeblichen Nebenbuhlerschaft erklären kann, so lassen sie sich auch nicht – und dies hat man oft versucht – aus einer politischen Gegnerschaft ableiten. Denn Dokumente, die erst in den letzten Jahren bekanntgeworden sind, zeigen, daß die entschiedene Abwendung Thomas Manns von seinem Bruder zu einem Zeitpunkt erfolgte, da dessen politische Anschauungen noch gar nicht ausgeprägt waren und daher schwerlich eine Kontroverse auslösen konnten.

Vor allem ein 1981 in einem Berliner Antiquariat aufgetauchter und jetzt in der Buchausgabe zehn Seiten umfassender Brief Thomas Manns vom 5. Dezember 1903 läßt die ganze Angelegenheit in neuem Licht erscheinen. Es ist eine leidenschaftliche und erstaunliche Abrechnung mit dem Bruder – erstaunlich, weil dieser sie keineswegs provoziert hatte, es sei denn durch die Existenz seines schriftstellerischen Werks, zumal seines neuen Romans »Die Jagd nach Liebe«. Dieses Buch hat Thomas nicht gefallen: Tagelang sei er »mit der Pein umhergegangen, die es mir

erweckt hat«. Und er behandelt es sogleich als Symptom
der literarischen Entwicklung des Bruders, mit der er,
gelinde ausgedrückt, nicht einverstanden sei. Nach einigen
ebenso überschwenglichen wie flüchtigen Komplimenten
kommt er zur Sache: Früher sei Heinrich »eine vornehme
Liebhabernatur« gewesen, »voller Discretion und Cultur«.
Und nun? »Nun diese verrenkten Scherze, diese wüsten,
grellen, hektischen, krampfigen Lästerungen der Wahrheit
und Menschlichkeit, diese unwürdigen Grimassen und
Purzelbäume, diese verzweifelten Attacken auf des Lesers
Interesse!... Alle diese sinnlosen und unanständigen
Lügengeschichten – ich lese sie und kenne Dich nicht
mehr... Alles ist verzerrt, schreiend, übertrieben, ›Blase-
balg‹ ›buffo‹, romantisch also im üblen Sinne.« Er rügt die
»dick aufgetragene Colportage-Psychologie«, ihn entsetzt
diese »Fratzenwelt der krassen Effecte«, die doch bloß von
»Schwäche und Armuth« zeuge. Der Stil sei »wahllos,
schillernd, international... Ich vermisse jede Strenge, jede
Geschlossenheit, jede sprachliche Haltung... Alles, was
wirken kann, ist herangezogen, ohne Rücksicht auf Ange-
messenheit«. Mit diesem innerhalb von sechs Monaten
geschriebenen Roman sei unter Heinrichs Händen »nur ein
neues Genre von Unterhaltungs- oder Zeitvertreib-Lek-
türe« entstanden.

Was Thomas Mann gegen die Prosa seines Bruders zu
sagen hat – er sagt es mehrfach: Er, der zu dieser Zeit
schon gewohnt ist, auch in seiner Korrespondenz die
Worte mit Bedacht zu wählen, redet sich hier offensichtlich in Zorn und Rage. Geht es ihm nur darum, eine miß-
glückte literarische Arbeit zu beurteilen und einen naheste-
henden Menschen zu warnen?

Eingeleitet wird dieser Brief vom 5. Dezember 1903 mit
einem nicht eben knappen Bericht, der einem anderen
Thema gewidmet ist: Thomas Mann informiert den Bruder
über seine beruflichen Bemühungen. Für die »Neue Rund-

schau« habe er, »gehetzt und ohne jede Stimmung«, ein
bestelltes Manuskript verfaßt, das ihm »vollständig ausge-
rutscht sei« und das er »mit Hohn und Schande als untauglich zurückzubekommen« erwarte. Doch erhielt er von
Samuel Fischer einen Dankesbrief: »Er habe die Arbeit mit
großem Genuß gelesen«, ihr Autor habe sich »nun auch als
ein Meister der Skizze bewährt«. Aber so sei das bei ihm
immer: »Ich gebe den Dreck in tiefster Verzweiflung weg,
und dann kommen die Briefe, das Geld, die Lobsprüche,
die ›Verehrung‹.« Von den »Buddenbrooks« werde zur
Zeit – teilt Thomas Mann beiläufig mit – das 11.–13. Tausend gedruckt. Bei einer Vorlesung in Königsberg – »in
einem sehr großen und sehr vollen Saal« – sei er zwar in
unguter Verfassung gewesen, »aber der Beifall war freundlich und die Zeitungsberichte sehr respektvoll«. In Berlin
sei er von Fischer zu einem Diner gebeten worden, bei dem
er Gerhart Hauptmann und Otto Brahm getroffen habe.
Letzterer habe ihn gebeten, ein Stück für das Deutsche
Theater zu schreiben. Dann kommt er noch einmal auf den
Erfolg der »Buddenbrooks« zu sprechen, den er als »Miß-
verständnis« bagatellisiert.

Kurz und gut: Es ist ein getarnter Triumphbericht.
Mehr noch: Nachdem er seinem Abscheu gegen Heinrichs
neues Buch schon zum Teil Luft gemacht hat, erwähnt
Thomas zum dritten Mal in diesem Brief die hohen Auflagen seines Romans und fügt scheinheilig hinzu: »Auch
weiß ich wohl: nicht der Erfolg von ›Buddenbrooks‹ hat es
Dir angetan – es wäre dumm und lächerlich, das anzuneh-
men –, sondern, früher schon, das Buch als Leistung, als
Quantität.« Das aber ist der bare Hohn. Warum sollte
denn dem besiegten Rivalen gerade die Quantität impo-
niert haben? Und gewiß ist ihm auch die Qualität des
Buches nicht entgangen. Aber er selber hatte anderes im
Sinn, sein künstlerischer Ehrgeiz ging – die Romantrilogie
»Die Göttinnen« ließ es nur allzu deutlich erkennen – in

eine ganz andere Richtung, die Prosa, die ihm vorschwebte, hatte mit der Epik der »Buddenbrooks« nichts gemein. Was ihm indes zu schaffen machte, woran er augenscheinlich litt, das war eben doch der alle Erwartungen übertreffende Erfolg des jüngeren Bruders, sein plötzlicher Ruhm und, nicht zuletzt, seine verhältnismäßig hohen Einkünfte.

So ist dieser Brief ungleich mehr als die kritische Auseinandersetzung mit einem Roman, mehr als die strenge Zurechtweisung eines auf Abwege geratenen Autors. Es läßt sich nicht übersehen, daß Thomas Mann den Adressaten, den ohnehin Unterlegenen, noch kränken, ja demütigen wollte. Allerdings scheint er die wütenden Tiraden gegen den Bruder bald bedauert zu haben, schon am 23. Dezember 1903 versucht er, sie mit so hochherzigen wie fragwürdigen Beteuerungen abzumildern, wenn nicht zurückzunehmen: »Uns beiden ist am wohlsten, wenn wir Freunde sind – mir gewiß. Es sind meine übelsten Stunden, wenn ich Dir feindlich gesinnt bin.« Und am 8. Januar 1904 spricht er (auch dieser Brief wurde erst unlängst gefunden) von seinem »Entschluß, Dir, den ich an menschlicher Vornehmheit, an seelischer Reinheit und Klarheit mir so weit überlegen weiß, über alle Irrungen und Wirrungen hinweg die Hand zu reichen«. Er bittet beinahe devot um Nachsicht: »Du weißt doch, daß mit mir nicht zu disputiren ist; es geht schriftlich so wenig wie mündlich.« Warum eigentlich nicht? Weil sein psychischer Zustand beklagenswert sei: »Ich bin nicht imstande, eine Gedankenreihe zu isoliren... die Complicirtheit der Welt überwältigt mich...«

Da Heinrich auf die Strafpredigt verständlicherweise scharf reagiert hat (seine Antwort ist nicht erhalten), dreht Thomas den Spieß sofort um, jetzt fühlt *er* sich gekränkt: »Wenn Du wüßtest, was ich um Deinet- und unseres Verhältnisses willen schon für Gedankenqual ausgestanden, wenn Du wüßtest, welche Zucht und Kasteiung für mich... ein Brief wie mein vier Bogen langer über Dein Buch bedeutet, so würdest Du weniger streng mit mir reden. Das erste Gefühl, das Dein letzter Brief mir erweckte, war eine naive Entrüstung...« Schließlich will er den aufgebrachten Bruder mit einer kaum zu überbietenden Schmeichelei besänftigen: »Du weißt nicht, wie hoch ich Dich halte, weißt nicht, daß, wenn ich auf Dich schimpfe, ich es doch immer nur unter der stillschweigenden Voraussetzung thue, daß neben Dir so leicht nichts Anderes in Betracht kommt!«

Tatsache ist, daß Thomas Mann es von nun an vorzieht, seine wirklichen Ansichten über die literarischen Arbeiten seines Bruders für sich zu behalten: Nie wieder hat er sich über ein Buch Heinrich Manns so ausführlich und, vor allem, so freimütig wie in jenem Brief vom 5. Dezember 1903 geäußert. Beinahe ein halbes Jahrhundert speist er ihn, von wenigen Ausnahmen abgesehen, mit belanglosen Redewendungen ab und meist mit überschwenglichen Komplimenten. Freilich macht es ihm Spaß, dem Adressaten hier und da einen ironischen Seitenhieb zu versetzen. Er gibt sich nicht einmal die Mühe, seine Ironie zu tarnen. Heinrich Manns 1906 erschienener Band »Stürmische Morgen«, der vier seiner Novellen vereint, hat ihn offenbar nicht weniger verärgert oder empört als »Jagd nach Liebe«, aber dem Autor schreibt er: »Ein glanzvolles Buch wieder, das alle Deine Vorzüge zeigt, Dein hinreißendes Tempo, Deinen berühmten ›Schmiß‹, die entzückende Prägnanz Deines Wortes, Deine ganze erstaunliche Virtuosität, der man sich hingibt, weil sie zweifellos direkt aus der Leidenschaft kommt. Die vier guten Dinge werden Deinen Ruhm mehren.«

Als der Bruder 1907 schon mit dem nächsten Buch, dem Roman »Zwischen den Rassen«, zur Stelle ist, dem beinahe sofort zwei Novellen folgen, ruft Thomas entsetzt aus:

»Großer Gott, Du hast wieder etwas fertig . . .«, doch faßt er sich rasch und versichert ihm, er habe es »reißend schnell gelesen oder besser gesagt: hingerissen schnell und oft in tiefer Bewegung«, von seiner »unwiderstehlichen Rührung« ist die Rede und von seiner »großen Ergriffenheit«. Er überhäuft den Adressaten mit Superlativen – in einem einzigen Absatz seines Briefes sind es nicht weniger als zehn. So sei ihm Heinrichs neues Produkt von allen seinen Werken das »liebste«, »nächste«, »gerechteste«, »erfahrenste«, »mildeste«, »freieste«, »menschlichste«, »weichste«, »souveränste« und »künstlerischste«.

Was immer Heinrich Mann publiziert, Thomas Mann findet es herrlich – sogar die Bühnenwerke des Bruders, die beinahe alle gänzlich wertlos sind: »Dein Stück habe ich gleich nach Empfang in einem Zuge und mit großem Genuß gelesen. Ist es wahr, daß das Münchener Hoftheater es schon angenommen hat? Es könnte nichts besseres thun.« Gemeint war das (längst vergessene) Drama »Die große Liebe« (1912). Aber wir wissen, was Thomas Mann vom Talent Heinrichs wirklich gehalten hat. Im August 1904, also nur wenige Monate nach jener Erklärung, der zufolge neben Heinrich »so leicht nichts Anderes in Betracht« komme, bemüht er sich, eine Kritikerin, Ida Boy-Ed, von der Verwerflichkeit der gesamten literarischen Produktion seines Bruders zu überzeugen und sie gegen ihn, den zur Zeit ohnehin erfolglosen Autor, aufzuhetzen: »Haben Sie geglaubt, daß ich ein Verhältnis zu seinen Sachen habe? Wegen seines letzten Buches haben wir uns beinahe überworfen. Dennoch ist die Empfindung, die seine künstlerische Persönlichkeit mir erweckt, von Geringschätzung am weitesten entfernt. Sie ist eher Haß. Seine Bücher sind schlecht, aber sie sind es in so außerordentlicher Weise, daß sie zu leidenschaftlichem Widerstand herausfordern . . . Was mich empört, ist die aesthetisierende Grabeskälte, die mir aus seinen Büchern entgegenweht.«

An diesem »leidenschaftlichen Widerstand« hat auch der nächste Roman Heinrich Manns, der Jahrzehnte später berühmt gewordene »Professor Unrat« (1905), nichts zu ändern vermocht. Wieder richtet sich der Haß Thomas Manns in erster Linie nicht gegen das Werk, sondern gegen die Person des Autors: »Anti-Heinrich« lautet der Titel einer Notiz zu dem neuen Buch des Bruders. Hier heißt es: »Ich halte es für unmoralisch, aus Furcht vor den Leiden des Müßigganges ein schlechtes Buch nach dem andern zu schreiben... Das alles ist das amüsanteste und leichtfertigste Zeug, das seit Langem in Deutschland geschrieben wurde... Unmöglichkeiten, daß man seinen Augen nicht traut!«[3]

Immer fragwürdiger scheint im Lichte dieser Dokumente die beliebte These der germanistischen Forschung, Ausgangspunkt und Fundament des Bruderzwists sei jener Zola-Essay von Heinrich Mann, der häufiger genannt und gelobt als gelesen wird. Gewiß, wer ihr anhängt, kann sich auf Thomas Mann selber berufen, der, allen Interpreten mißtrauend, die Deutung seines Lebens und seines Werks schon früh in die eigenen Hände genommen hat. Aber auf ihn, dem doch stets daran gelegen war, seine Existenz für die Öffentlichkeit zu stilisieren, ist in dieser Sache am allerwenigsten Verlaß. Hans Wysling, dem alle verpflichtet sind, die sich mit der Beziehung zwischen Thomas und Heinrich Mann befassen – wir verdanken ihm die sorgfältige und mit einem vorzüglichen Einführungsessay versehene Edition ihres Briefwechsels –, meint, daß Heinrich im psychischen Haushalt von Thomas nach dem frühen Tod des Vaters an dessen Stelle getreten sei. Der »Haßneid« auf den älteren Bruder habe sich immer wieder zu »ödipalen Mordgelüsten« gesteigert. Diese Hypothese leuchtet nicht ganz ein, aber der Begriff »Haßneid« trifft den Sachverhalt genau. Nur ist zu fragen, wodurch der Haß von Thomas ausgelöst wurde und was seinen Neid verursacht hat.

Dabei kann uns wiederum der große Brief vom 5. Dezember 1903 behilflich sein.

Zu den zahlreichen hier gegen Heinrich erhobenen Vorwürfen gehören auch übertriebener Ehrgeiz und bare Skrupellosigkeit, Effekthascherei und Applausbedürfnis: »Du hast mir zuviel von Wirkung und Erfolg geredet in letzter Zeit.« Dies indes sind Vorhaltungen, die damals auch Thomas Mann gemacht wurden. Er gelte – klagt er in jener Zeit in einem Brief an Ida Boy-Ed – als »kalter Künstler«, man glaube, seine Ironie sei aus einer »vereisten Psyche« hervorgegangen: »Und wenn Einer zu pointiren und mit seinen Mitteln zu wirtschaften versteht, so stimmen alle guten Leute und schlechten Musikanten das Gewinsel vom herzlosen Charlatan an. Ich habe mich immer gewundert, daß man Richard Wagner nicht längst für einen innerlich verödeten Faiseur erklärt hat, weil er den Liebestod an den Aktschluß setzt.« Überdies habe Heinrich in seinen Büchern wiederholt Motive und Formulierungen verwendet, die er, Thomas, für sein geistiges Eigentum halte. So habe er ihm während des gemeinsamen Aufenthalts in Riva von einem geplanten Roman »Die Geliebten« erzählt und später »den psychologischen Inhalt dieser Gespräche« in den »Göttinnen« wiedergefunden. Ferner: Im »Tonio Kröger« sei von den »Gewöhnlichen« (im Gegensatz zu den Künstlern) die Rede – und nun habe Heinrich in seiner »Jagd nach Liebe« ebendiesen Ausdruck in ähnlichem Sinne benützt.

Das sind zwar aufschlußreiche, doch nicht gerade stichhaltige Beschwerden. Zu dem Roman »Die Geliebten« existieren Notizen und Entwürfe, der angeblich Geschädigte hat ihn indes nie geschrieben.[4] Der Begriff »die Gewöhnlichen« ist, wie immer gebraucht, so überwältigend originell wieder nicht. Aber spricht aus seinen Klagen tatsächlich jener »kleinliche Geiz«, dessen sich Thomas in diesem Zusammenhang selber bezichtigt? Ist es wirklich die dem

Bruder vorgeworfene Entwendung seiner Einfälle, an der
er leidet? Die übernommenen Motive habe Heinrich, heißt
es in dem Brief, »in oberflächlicher und grottesker Weise
verwerthet« – und das scheinen mir Schlüsselworte zu sein.
Thomas, der seine Arbeitsweise mit Vokabeln wie »Verbis-
senheit«, »Starrsinn«, »Zucht« oder »Selbstknechtung des
Willens« charakterisiert (so in einem Aufsatz aus dem
Jahre 1906)[5], beobachtet mit Entsetzen Heinrichs wachsende Oberflächlichkeit, dessen stilistische Sorglosigkeit,
wenn nicht Schludrigkeit, dessen »Schnellfertigkeit«: »Die
quantitative Leistung Deines letzten Jahres stellt einen
Record da, der meines Wissens noch von keinem ernshaf-
ten Schriftsteller erreicht ist« – schreibt Thomas in jenem
Brief vom 5. Dezember 1903.

Wenn Heinrich viele Jahre später – am 30. Dezember
1917 – meint, Thomas habe schon damals (also um 1903)
»die Abwehr des Anderen« gebraucht, so ist das bestimmt
nicht falsch, trifft aber den Sachverhalt nur halb. Thomas
selber bezeichnet (im Brief an Ida Boy-Ed) die Ursache
dieser gespannten Beziehung genauer und richtiger: »So
große Nähe und so heftige innere Abstoßung ist qualvoll.
Alles zugleich Verwandtschaft und Affront . . .« Wie er in
den Büchern des Bruders (nicht nur in den »Göttinnen«
und der »Jagd nach Liebe«) die eigenen Gedanken und
Motive in verzerrter und entstellter Fassung wiederfindet,
so erkennt er auch in dessen Porträt sein verzerrtes und
entstelltes Ebenbild. Heinrichs rasche und fahrlässige Produktion macht ihm bewußt, was ihn, der sich auf seine
pedantisch-langsame Arbeitsweise viel zugute hält, bedroht hat, was also aus ihm geworden wäre, wenn er nicht
soviel Energie und Ausdauer gehabt hätte. Thomas Buddenbrook sagt zu seinem Bruder Christian: »Ich bin
geworden wie ich bin, weil ich nicht werden wollte wie du.
Wenn ich dich innerlich gemieden habe, so geschah es, weil
ich mich vor dir hüten muß, weil dein Sein und Wesen eine

Gefahr für mich ist.« In diesem Sinne ist der Brief vom 5. Dezember 1903 weniger Anklage und Angriff als der Monolog eines Menschen, der die in ihm verborgenen Möglichkeiten fürchtet. Was als Haß zum Vorschein kommt, erweist sich somit als Selbsthaß und, mehr noch, als Lebensangst. Kein Zweifel, es war »die Abwehr des Anderen«, aber insofern vor allem, als er es in sich selber spürte. Als dominierendes Element bleibt, um eine Formulierung Heinrichs aufzugreifen, Thomas Manns »wütende Leidenschaft für das eigene Ich«.

Indes war vorher vom »Haßneid« die Rede. Welchen Grund hatte Thomas, den damals doch keineswegs vom Glück begünstigten Bruder zu beneiden? Ein besonders heftiger Abschnitt des besagten Briefes befaßt sich mit der Darstellung des Sexuellen in der »Jagd nach Liebe«. Die »vollständige sittliche Nonchalance«, mit der Heinrichs Figuren, »haben sich nur ihre Hände berührt, miteinander umfallen und l'amore machen«, könne »keinen besseren Menschen ansprechen«: »Diese schlaffe Brunst in Permanenz, dieser fortwährende Fleischgeruch ermüden, widern an.« Es sei unbegreiflich, wie Heinrich jeden Vormittag wieder davon anfangen mochte, »nachdem doch gestern bereits ein normaler, ein tribadischer und ein Päderasten-Aktus stattgefunden hatte«. Gegen die »Jagd nach Liebe« spielt Thomas das Werk eines anderen Zeitgenossen aus, einen, der zwar »wohl der frechste Sexualist der modernen deutschen Literatur« sei, bei dem man aber »das Unheimliche, das Tiefe, das ewig Zweifelhafte des Geschlechtlichen« spüre und also das »Leiden am Geschlechtlichen«. Frank Wedekind ist gemeint und zugleich ein Schriftsteller, der, weit davon entfernt, ein »frecher Sexualist« zu sein, an seiner Sexualität leidet, diese jedoch in erzählender Prosa bloß auf vorsichtig verschlüsselte Weise formuliert hatte. Gemeint ist kein anderer als Thomas Mann selber, der Autor der Erzählung »Tonio Kröger«, deren homoero-

tische Tendenz eigentlich einem aufmerksamen Leser nicht
verborgen bleiben konnte.

Übrigens hat er in der Korrespondenz mit dem Bruder
seine Veranlagung keineswegs verheimlicht. So schrieb er
ihm 1901, Wagners »Tristan und Isolde« zitierend, er lebe
mit der fixen Idee vom »Wunderreich der Nacht« im Herzen; dies betraf seine Freundschaft mit dem Maler Paul
Ehrenberg, die er freilich noch zu bagatellisieren versuchte: »Ich komme nie aus der Pubertät heraus.« Und
1905, nach der Geburt Erikas: »Vielleicht bringt mich die
Tochter innerlich in ein näheres Verhältnis zum ›anderen‹
Geschlecht, von dem ich eigentlich, obgleich nun Ehemann, noch immer nichts weiß.« Angedeutet ist damit das
Element, das die beiden Brüder miteinander verbunden
und voneinander getrennt hat: Gemeinsam ist beiden die
Intensität der erotischen Erlebnisse. Nur sind Heinrichs
Neigungen auf das weibliche, die Neigungen von Thomas
auf das männliche Geschlecht gerichtet. Dieser Gemeinsamkeit war sich Thomas immer bewußt, er konstatierte
sie noch in einer Tagebuch-Eintragung vom 11. März
1950, also unmittelbar nach Heinrichs Tod: »K. berichtet
von dem Fund einer Menge obszöner Zeichnungen in des
Verstorbenen Schreibtisch. Die Nurse wußte davon, daß er
jeden Tag gezeichnet, dicke, nackte Weiber. Das Sexuelle
in seiner Problematik bei uns Geschwistern, Lula, Carla,
Heinrich und mir.«

Die unterschiedlichen sexuellen Veranlagungen haben
zu jener Gegensätzlichkeit zwischen den Brüdern beigetragen, die man häufig vor allem auf zeitgeschichtliche
Umstände zurückführen wollte. Heinrich war damals, also
vor dem Ersten Weltkrieg, der Erfolglose, der Besiegte.
Doch anders als seinem Bruder bereiteten ihm seine
sexuellen Neigungen offensichtlich keine Leiden, er
brauchte sie nicht zu verbergen. Die Frage nach seiner
Identität beunruhigte ihn nicht, er konnte mit sich selber in

Frieden leben. Die vielen Freundinnen Heinrichs kamen beinahe alle aus einem etwas anrüchigen Randbezirk der bürgerlichen Sphäre: Es waren Frauen, denen, ob nun zu Recht oder zu Unrecht, ein fragwürdiger Lebenswandel nachgesagt wurde. Aber ob sie für seine Umwelt oder gar für seine Familie akzeptabel waren, kümmerte ihn wenig. Jedenfalls bekannte er sich zu ihnen in aller Öffentlichkeit. Es konnte Thomas nicht entgehen, daß sein Bruder von gesellschaftlichen Konventionen oder Vorurteilen ganz und gar unabhängig war. Gewiß, er mißbilligte Heinrichs Prosastil, er verabscheute dessen Romane und Dramen – und doch hat er ihn, der lebte, wie er leben wollte, auch beneidet.

Schillernde, zwiespältige und widerspruchsvolle Persönlichkeiten waren sie freilich beide: hier Thomas, der Bürger und Patrizier, der indes im Fontane-Essay von 1910 mit unverkennbarer Sympathie vom »unsicheren Kantonisten« sprach und der die »verantwortungsvolle Ungebundenheit« befürwortete, der sich seiner Sehnsucht nach den »Zigeunern im grünen Wagen« nicht schämte und der sogar einen ganzen Roman über einen Hochstapler verfaßte – und dort Heinrich, der unverbesserliche Bohemien und leichtsinnige Artist, der sich aber immer wieder, in seinen Essays und Briefen, in seinem ganzen Habitus um Ernst, Würde und Feierlichkeit bemühte und der in den Mittelpunkt seines epischen Hauptwerks eben nicht einen charmanten Strolch stellte, sondern einen gütigen und weisen Monarchen.

Zwiespältig und widerspruchsvoll ist auch das Verhältnis beider zur Politik. Da Heinrich den Weg vom Ästhetizismus zum Gesellschaftlichen in den Jahren des Kaiserreichs scheinbar mühelos bewältigt hatte, während Thomas ihn erst viel später und gleichsam auf einer anderen Ebene gegangen war, wurde auch dies mit der Rivalität der Brüder in Zusammenhang gebracht: Heinrichs Hinwen-

dung zur Politik und zur Sozialkritik sei als Versuch zu
verstehen, sich von Thomas abzuwenden und abzusetzen.
Aber das scheint zumindest übertrieben: Jener folgte
einem nicht nur in Deutschland zu beobachtenden Zug der
Zeit, dem sich dieser nicht ohne Trotz verweigerte. Schon
1904 beobachtete Thomas einigermaßen verwundert die
Option des Bruders für den Liberalismus und gestand mit
beinahe zynischer Aufrichtigkeit: »Für politische Freiheit
habe ich gar kein Interesse. Die gewaltige russische Literatur ist doch unter einem ungeheuren Druck entstanden?
Was mindestens bewiese, daß der Kampf für die ›Freiheit‹
besser ist als die Freiheit selbst.«[6]

Doch läßt sein Selbstbewußtsein mit den Jahren nach,
der Roman »Königliche Hoheit« (1909) wird kühl aufgenommen, wenn nicht abgelehnt, bekannte Schriftsteller
(von Rilke und Ricarda Huch bis zu Stefan Zweig) äußern
sich über den, wie sie meinen, allzu Berühmten skeptisch
oder widerwillig, die jungen Expressionisten gar empfinden Thomas Manns Werk schon als überlebt. Seine Ratlosigkeit wächst – und wieder einmal hat er Grund, jenen,
der immer noch in seinem Schatten steht, zu beneiden.
Dem Bruder, der ihm letztlich, wenn ihn eine Krise quält,
doch näher steht als seine anderen, meist subalternen Korrespondenzpartner, klagt er 1913: »Ich bin oft recht
gemütskrank und zerquält... Dazu die Unfähigkeit, mich
geistig und politisch eigentlich zu orientieren, wie Du es
gekonnt hast... Du bist seelisch besser dran, und das ist
eben doch das Entscheidende.« Aber die Ursache dieser
Krise hat nichts mit Politik und Gesellschaft zu tun, vielmehr ist es der Zweifel Thomas Manns am eigenen Werk:
»Ich bin ausgedient, glaube ich, und hätte wahrscheinlich
nie Schriftsteller werden dürfen. ›Buddenbrooks‹ waren
ein Bürgerbuch und sind nicht mehr fürs 20. Jahrhundert.
›Tonio Kröger‹ war bloß larmoyant, ›Königliche Hoheit‹
eitel, der ›Tod in Venedig‹ halb gebildet und falsch.« Dies

ist denn auch der Hintergrund der »Betrachtungen eines Unpolitischen« (1918).

In seinem Buch »Ein Zeitalter wird besichtigt« (1945) meinte Heinrich Mann: »Wer Donquichotterien auswich, mußte darum nicht unpolitisch sein. Mein Bruder hat sich so genannt, als er zum ersten Mal mit Nachdruck politisch vortrat.«[7] Dieses späte Urteil ist zwar effektvoll, verfehlt jedoch den Kern der Frage. Gewiß, die zeitgeschichtlichen Voraussetzungen der »Betrachtungen« waren keineswegs unpolitisch. Der nationale Jubel von 1914, zu dem die meisten deutschen Schriftsteller, einschließlich Gerhart Hauptmann und Rainer Maria Rilke, kräftig beitragen, ergreift auch Thomas Mann. Am 7. August 1914, also unter dem unmittelbaren Eindruck des Kriegsausbruchs, wendet er sich an den Bruder. »Muß man nicht dankbar sein für das vollkommen Unerwartete, so große Dinge erleben zu dürfen?« Er gesteht seine »tiefste Sympathie für dieses verhaßte, schicksals- und rätselvolle Deutschland, das, wenn es ›Civilisation‹ bisher nicht unbedingt für das höchste Gut hielt, sich jedenfalls anschickt, den verworfensten Polizeistaat der Welt zu zerschlagen«. Und im Brief vom 18. September spricht er von diesem »großen, grundanständigen, ja feierlichen Volkskrieg«. Etwa gleichzeitig schreibt er einen Aufsatz, in dem er den Krieg als »Reinigung« und »Befreiung« besingt: »Wie die Herzen der Dichter sogleich in Flammen standen, als jetzt Krieg wurde!« Was die Dichter begeisterte, sei »der nie erhörte, der gewaltige und schwärmerische Zusammenschluß der Nation in der Bereitschaft zu tiefster Prüfung«.[8]

Der Verlauf des Krieges hat den Enthusiasmus dessen, der sich immer soviel auf seine Skepsis, seine Ironie und seinen Kritizismus zugute hielt, allmählich gedämpft, ohne daß er die Positionen von 1914 ganz verworfen hätte. Die »Betrachtungen eines Unpolitischen« sind schon frei von Kriegsrausch und simplem Patriotismus. Thomas Mann selber rechtfertigte das Buch später als ein »ehrenvolles Rückzugsgefecht«, das »das alte Deutschland, das Deutschland des bürgerlich-romantischen Ästhetizismus«, geliefert habe, ihm sei es darum gegangen, »ein protestantisch-romantisches, un- und antipolitisches Deutschtum« zu verteidigen.[9] Der Riesenessay ist antithetisch entworfen und dies mit so großer Konsequenz, daß sich der Gedanke an (freilich raffinierte) Schwarzweißmalerei nicht immer von der Hand weisen läßt. Auf der einen Seite finden sich die Begriffe, gegen die Thomas Mann meditierend und argumentierend zu Felde zieht: Zivilisation und Politik, der Literat und der Bourgeois. Ihnen werden entgegengehalten: Kultur und Musik, der Künstler und der Bürger. Die Achse der »Betrachtungen« bildet die entschiedene Absage an die Demokratie, der freilich, das weiß er, die Zukunft gehören werde.

Ein konservatives Buch? Ohne Zweifel, so wollte es Thomas Mann selber verstanden wissen. Auch das oft mißbrauchte Schlagwort »reaktionär« läßt sich hier schwerlich vermeiden. Es ist ein Werk voll falscher Ideen – und herrlicher Gedanken, vom Glanz der Formulierungen ganz zu schweigen. Thomas Mann beschreitet hier manch einen Irrweg und gerät in manch eine Sackgasse. Aber es sind, wohin sie auch führen mögen, wunderbare oder zumindest wunderbar erleuchtete Wege und Gassen. Wenn viele Kapitel oder Abschnitte des Buches aufgewogen werden, dann durch den Stil – was sich keineswegs nur auf die Sprache bezieht.

Geplant war zunächst nicht mehr als ein Aufsatz, doch dann hat der Autor für seine Überlegungen 600 Seiten gebraucht: Schon dieser Umfang läßt erkennen, daß hier weniger ein Resümee geboten wird als das Protokoll einer Suche. Darauf verweist auch eine verblüffende Eintragung im Tagebuch Thomas Manns von 1919: »Es unterliegt für mich keinem Zweifel, daß ›auch‹ die ›Betrachtungen‹ ein

Ausdruck meiner sexuellen Invertiertheit sind.« Auch die »Betrachtungen«? Das kann nur heißen, daß der Einfluß der homoerotischen Veranlagung auf seine epischen Arbeiten sich von selber verstehe. In ihnen, etwa im »Tonio Kröger«, im »Tod in Venedig«, auch im »Zauberberg«, läßt er sich leicht ausmachen, nicht aber in dem essayistischen Buch. Hans Mayer glaubt, die deutsch-unpolitische Welt der »Betrachtungen« interpretieren zu können als »Liebeserklärung des Verfassers an einen bestimmten blaublonden deutschen Männertyp... Es ist der Typ des romantischen deutschen Jünglings bei Eichendorff und der liebenswürdigen Spitzbuben aus der neueren Zeit«.[10] Vieles spricht für die Richtigkeit seiner Vermutung. Jedenfalls handelt es sich bei diesem Buch in viel höherem Maße um einen Versuch der Selbsterforschung und Selbstverteidigung Thomas Manns als um eine Auseinandersetzung mit der Umwelt, mit Fragen der Zeit.

Den langwierigen und offensichtlich mühseligen Prozeß veränderte die im Herbst 1915 erschienene Arbeit eines anderen Autors – der Zola-Essay von Heinrich Mann. In dem grandiosen, überaus geschickt getarnten Pamphlet gegen das wilhelminische Deutschland schreibt Heinrich Mann über Zola und Napoleon III., über das französische Kaiserreich und den Krieg von 1870 – aber er meint sich selbst und Wilhelm II., das deutsche Kaiserreich und den Krieg von 1914. Man hat diesem Schlüssel-Essay mit dem Kernsatz »Ihr seid besiegt, schon vor der Niederlage« prophetische Abschnitte nachgerühmt – und das ist nicht übertrieben. Im Berlin der Weimarer Republik galt Heinrich Mann – stellte Golo Mann einmal fest – »als politisches Orakel, was er nicht war, oder doch nur einmal, und da mit großartigem Klarblick, 1914; einmal genügt«.[11]

Thomas Mann reagierte auf den Zola-Essay höchst erregt, wenn nicht hysterisch: »Ich bekenne, daß meine Empörung über die abscheuliche Intrige nachträglich noch

immer zunimmt« – heißt es in einem Brief vom 14. März
1916. Schon vorher hatte er sich bei Ernst Bertram beklagt,
daß es in Heinrichs Essay »fast mehr noch gegen mich, als
gegen Deutschland geht«.[12] Dies aber trifft nicht im ent-
ferntesten zu. Gewiß, die Arbeit enthält einige Spitzen
gegen den Bruder, die Passagen gegen die Kriegsverherrli-
cher unter den Schriftstellern zielen auch auf ihn. Aber er
spielt im Zola-Essay letztlich nur eine Nebenrolle, die freilich in seiner Einbildung immer größere Ausmaße annahm.
Als sich Heinrich Ende 1917 um eine Versöhnung
bemühte, lehnte Thomas strikt ab, warf ihm »wahrhaft
französische Bösartigkeiten«, »Verleumdungen« und
»Ehrabschneidereien« vor und sprach von einem »glanzvollen Machwerk, dessen zweiter Satz bereits ein
unmenschlicher Exzeß war«. Dieser zweite Satz, den
Heinrich später zusammen mit einigen anderen von Thomas als besonders kränkend empfundenen Stellen aus seiner Arbeit entfernt hat, lautet: »Sache derer, die früh ver-
trocknen sollen, ist es, schon zu Anfang ihrer zwanzig
Jahre bewußt und weltgerecht hinzutreten.«

Es ist schon richtig, daß der Zola-Essay eine neue Phase
in den Beziehungen der Brüder ausgelöst hat. Nur sollte
man die Gründe weniger in diesem Pamphlet suchen als in
der Situation, in der sich damals Thomas Mann befunden
hat: Das grüblerische Selbstgespräch kam nicht recht vom
Fleck. Hier heißt es von einem Buch, es sei »geworden,
nicht gemacht, gewachsen, nicht geformt«. Das bezieht
sich zwar auf die »Buddenbrooks«, aber es gilt in viel
höherem Maße für die »Betrachtungen« selber. Für eine
der kämpferischen Thesen des ausufernden Essays – »Die
deutsche Humanität widerstrebt der Politisierung von
Grund auf, es fehlt tatsächlich dem deutschen Bildungsbegriff das politische Element« – gab es kein überzeugendes
Beispiel, genauer: keine Zielscheibe. Auf einmal war der
Widersacher da, gegen den sich der Autor der »Betrach-

tungen« behaupten und bewähren könnte. Heinrichs aggressiver Aufsatz veränderte nicht die generelle Stoßrichtung der »Betrachtungen«, machte jedoch die Polemik leidenschaftlicher und auch aktueller.

Der Zola-Essay war kein »Anti-Thomas«, aber die »Betrachtungen« wurden streckenweise, vor allem in dem großen Kapitel »Gegen Recht und Wahrheit«, zu einem »Anti-Heinrich«. Und wenn Thomas von einer Versöhnung nichts wissen wollte, so war hier auch Pragmatisches im Spiele: Sie hätte ebenso die Arbeit an den »Betrachtungen« stören können wie jene feierliche Stilisierung des Bruderzwists, an der ihm nunmehr gelegen war. Im November 1916 belehrte er Ernst Bertram: »Wahr, allzu wahr ist, was Sie über das Verhängnis Deutschlands sagen. Es ist nicht Größenwahn, sondern nur Bedürfnis und Gewohnheit intimer Anschauung, wenn ich das Verhängnis längst in meinem Bruder und mir symbolisiert und personifiziert sehe.« Die Kritiker erhalten jetzt kontinuierlich entsprechende Hinweise: Das Bruderproblem sei – so 1917 im Brief an Ida Boy-Ed – »das eigentliche, jedenfalls das schwerste Problem meines Lebens«. Von der »repräsentativen Gegensätzlichkeit« ist in einem Brief von 1919 die Rede; damit wurde der Literaturgeschichte eine Formulierung empfohlen, auf die sie oft zurückgreifen sollte. In einem anderen Brief (1921) geht Thomas Mann noch weiter: »Man soll einen Zwist wie den unseren in Ehren halten, ihm den todernsten Akzent nicht nehmen wollen. Vielleicht sind wir, getrennt, mehr einer des anderen Bruder, als wir es an gemeinsamer Festtafel wären.«

Inzwischen hatte die Weltgeschichte den Streit der Brüder eindeutig entschieden – und es ist sehr charakteristisch für Thomas Mann, daß er sich zunächst gegen diesen historischen Tatbestand sperrte oder ihn überhaupt nicht wahrzunehmen vermochte. In einer Tagebuch-Eintragung vom 18. November 1918 glaubte er, Heinrich »politische

Ahnungslosigkeit« nachsagen zu können, und meinte, für den Bruder sei nun »in Deutschland politisch eigentlich kein Raum«. Der Wunsch war der Vater des Gedankens, aber das Gegenteil traf zu. Wenn hier politische Ahnungslosigkeit zum Vorschein kam, dann jene des Tagebuch-Schreibers, der nicht sehen wollte, daß dies die Stunde dessen war, der seit Jahren gegen das Kaiserreich und gegen den Krieg polemisiert hatte. Rasch erschien Heinrichs noch vor dem Krieg geschriebener Roman »Der Untertan« und hatte enormen Erfolg: Die vernichtende Satire auf die wilhelminische Welt war unmittelbar nach der Kapitulation das richtige Buch im richtigen Augenblick, während die »Betrachtungen eines Unpolitischen« verständlicherweise auf keinen Zuspruch trafen und eher als anachronistisch empfunden wurden. Mit diesem ersten und späten Triumph des Schriftstellers Heinrich Mann konnte sich der Bruder nicht abfinden: Seine Tagebuch-Notizen zeugen nun abermals von Haßneid und immer wieder von der Unfähigkeit, die veränderte politische Lage zu erkennen.

Nach einer öffentlichen Rede Heinrichs beschuldigt ihn Thomas in seinem Tagebuch der »entsetzlichen und empörenden Zusammenhanglosigkeit mit aller deutschen Bildung... Frech, dumm, spielerisch und unleidlich. Aber das wird als ›Symbol‹ und ›führende Persönlichkeit‹ ausgerufen«. Selbstmitleid und Mißgunst gehen jetzt Hand in Hand: Er, Thomas, führe eine einsame und trübe Existenz, Heinrichs Leben dagegen sei jetzt »sehr sonnig«. Von dessen literarischem Werk will Thomas nichts gelten lassen: Heinrich, notiert er im April 1919, sei kein Dramatiker, »aber er ist auch kein Erzähler, sondern der Typus des europäischen Literaten...« Und im März 1920 tröstete sich Thomas: »Heinrichs Stellung, so glänzend sie im Augenblick scheint, ist im Grunde schon durch die Ereignisse und Erlebnisse unterminiert.« Seine westliche Orientierung sei »veraltet und welk. Wahrhaftig, es lohnt nicht, sich durch Eifersuchtsgram die Verdauung stören zu lassen.« Wieder hatte er sich gründlich geirrt: Heinrichs Position im öffentlichen Leben der Weimarer Republik blieb, alles in allem, unangefochten. Nichts konnte seine moralische und politische Autorität erschüttern – nicht einmal die Bücher, Romane und Essays, die er nun, wie eh und je, in rascher Folge publizierte und die meist seine Anhänger in Verlegenheit brachten.

Sogar Hermann Kesten, der im Laufe der Jahre und Jahrzehnte nicht müde wurde, Heinrich Mann zu rühmen, konnte nicht umhin, seinen politischen Schriften »überraschende Naivität« und »groteske Unkenntnis« der Tatsachen vorzuwerfen.[13] Von der Gefahr, die der Republik und somit auch ihm persönlich drohte, machte sich Heinrich, ähnlich wie die meisten Intellektuellen in jener Zeit, keine Vorstellungen. »Deiner Meinung bin ich« – teilte er Ende Mai 1932 Thomas mit – »daß die offene Barbarei sich in diesem Lande nicht wird durchsetzen können«. Die Vorgänge im Sommer und Herbst 1932 haben ihn nicht eines anderen belehrt: Ende November 1932 informiert er den Bruder über seinen Plan, wenigstens »eine kleine Anzahl Denkender« für einen »deutsch-französischen Bundesstaat« zu interessieren. Noch am 29. Januar 1933 berichtet er Thomas ausführlich über interne Querelen in der Sektion für Dichtkunst der Preußischen Akademie der Künste. Und sogar nach der Ernennung Hitlers zum Reichskanzler beschäftigt er sich (in einem Brief vom 9. Februar 1933) ausschließlich mit Fragen der Akademie, über die neue politische Situation verliert er kein einziges Wort.

Inzwischen hatten die Brüder Frieden geschlossen. Als Heinrich 1922 schwer erkrankt war, konnte sich Thomas Mann der ihm schon mehrfach angebotenen Versöhnung nicht mehr entziehen. Doch scheint es, daß er ihr halb widerwillig zustimmte. »Ein modus vivendi menschlichanständiger Art wird alles sein, worauf es hinauslaufen kann« – schrieb er damals an Bertram –, »eigentliche Freundschaft ist kaum denkbar.« In der Tat, vieles stand ihrer Freundschaft im Wege, auch nach 1924, als Thomas mit dem »Zauberberg« triumphierte und den Bruder abermals in den Schatten stellte, auch nach 1929, als man Thomas mit dem Nobelpreis auszeichnete. Nichtsdestoweniger versuchten viele Schriftsteller und Kritiker, deren heftige Abneigung gegen Thomas Mann von dessen Leistungen und Erfolgen noch angespornt wurde, wieder Heinrich zu krönen. Aber den man krönte, war nur ein Gegenkönig.

Von allen anderen Umständen abgesehen, war es das im Laufe der zwanziger Jahre deutlich, wenn nicht überdeutlich werdende pädagogische Engagement Heinrichs, das Thomas nicht nur ablehnte, sondern schlechterdings verachtete. Schon 1917 fand er, wie einem Brief an Ida Boy-Ed zu entnehmen ist, das »Intellektuell-Doktrinäre« bei Heinrich ebenso unerträglich wie dessen »jakobinische Prinzipienreiterei« und »verbohrte Unduldsamkeit«. In einer kleinen Ansprache Thomas Manns von 1925 fällt der schöne Satz auf: »Ein Dichter, ein Schriftsteller ist ein Mensch, der von den Gegenständen, der wilden Problematik der Zeit viel zu sehr bis in seine Wurzeln erschüttert ist, als daß er den Bannerschwinger machen könnte.«[14] Damit hatte er, ob er es nun beabsichtigte oder nicht, die Rolle bezeichnet, die Heinrich zugefallen war und die dieser gern auf sich nahm: Er wurde gleichsam als Bannerschwinger benötigt – ebenso in der Weimarer Republik wie in den ersten Jahren nach 1933.

Sobald sich Thomas endgültig vom »Dritten Reich« abgewandt hatte, akzeptierte er den Bruder gern als Verbündeten. Wenn aber auch jetzt von Freundschaft keine Rede sein konnte, so lag es nicht an Heinrich. Seine Briefe sind in der Regel wärmer, natürlicher und herzlicher, man

möchte sagen: menschlicher als die des Berühmteren, der
immer etwas steif und förmlich bleibt und gerade da, wo er
sich bemüht, liebenswürdiger zu sein, gönnerhaft wirkt.
An politischen Voraussagen fehlt es in dieser Korrespondenz nicht. Beide Briefschreiber prophezeien wiederholt
Deutschlands baldigen Zusammenbruch. 1935 meint
Heinrich: »Die öffentliche Lage ist inzwischen viel
gespannter geworden; man bereitet sich auf den Sturz des
Dritten Reiches vor.« Im Frühjahr 1939 tröstet sich Thomas, »daß die Deutschen ihr Regime im Grunde hassen«,
er spricht von der »tiefen, mißtrauischen und angsterfüll-
ten Abneigung des deutschen Volkes gegen seine Nazi-
Regierung«. Heinrich glaubt 1939, daß »die deutsche
Erhebung« gegen Hitler dem Krieg zuvorkommen werde:
»Die Deutschen bereiten sich innerlich vor.« Zum Jahres-
wechsel 1939 müsse Hitler am Boden liegen. Im Juli 1940
sieht er den Sieg der Alliierten in greifbarer Nähe, schon
nächstes Jahr werde er in Berlin sein (»nicht ausgeliefert,
sondern hinberufen«). Im Mai 1942 hofft Thomas, daß der
Krieg im Herbst zu Ende sein werde, und fügt hinzu: »Ich
glaube an keinen Sieg, ohne daß in unseren Ländern Revolutionen kommen, die die reaktionären, vor dem Siege
mehr bangenden als ihn wollenden Führer hinwegfe-
gen...«

Noch klarer werden Heinrich Manns politische Anschauungen in seinem Buch »Ein Zeitalter wird besichtigt«
(1945), einem Sammelwerk nahezu, in das er auch viele
erheblich früher geschriebene Arbeiten aufgenommen hat.
Hier preist er (zur Verblüffung der Leser seines »Untertan«) Bismarck als den »einzigen Staatsmann, den die
Deutschen gehabt haben«. Daß die Sowjetunion (genauer:
der Staat Stalins) ein Land sei, in dem die Gerechtigkeit
gesiegt habe und herrsche, in dem alle Ideale der Menschheit verwirklicht worden seien – daran zweifelt er keinen
Augenblick. Ja, er bringt es fertig, drei Männer auf einmal

zu rühmen: Stalin, Roosevelt und Churchill. Der »Kamerad« Stalin sei, beteuert er allen Ernstes, kein Diktator, er feiert ihn als Intellektuellen und als den »größten Realisten unter den öffentlichen Männern«. Eine Rede Roosevelts sei »schlechthin der feierlichste Akt. Alle Herzen knien, alle Gedanken beten mit, zu dem besten im Menschen, Gott genannt«. Churchills Rede erinnert ihn an die ersten Noten der Beethovenschen »Mondscheinsonate«, aber »dieser Sprecher will keine verzauberte Nacht beschwören«.[15]

Die politischen Ansichten des Bruders, der ihn einmal wöchentlich zu besuchen pflegt, notiert Thomas Mann in seinem Tagebuch mit wachsendem Befremden, so im Februar 1948: »Heinrich zum Abendessen. Seine Abwendung von der Demokratie und Bejahung der Diktatur.« Und im Januar 1949: »Zum Abendessen Heinrich, politisches Gespräch, bedrückend.« Heinrichs Urteile über die politischen Ansichten von Thomas in jenen Jahren sind nicht überliefert. Wohl aber wissen wir, was von den Äußerungen beider Brüder ein zuverlässiger Zeuge hält: Golo Mann. Er erinnert sich: »Wenn ich H. M. und T. M. zusammen politisieren hörte, hatte ich manchmal das Gefühl: Was reden doch die zwei unwissenden Magier da? Unwissend, weil wirklichkeitsfern. Magier, weil sich andere Wirklichkeiten erträumend oder Lieblingsträume mit Wirklichkeit gleichsetzend, noch mehr, weil mit stark intuitivem Blick begabt . . .«[16]

Was immer gegen die politischen Verlautbarungen von Heinrich und Thomas Mann zu sagen ist – den entscheidenden Unterschied sollte man nicht übersehen. Die politischen Schriften Heinrichs zeugen von gänzlichem, gelegentlich rührendem Dilettantismus und missionarischem Eifer, diejenigen von Thomas sind bis zum Ende seines Lebens Betrachtungen eines Unpolitischen geblieben. Wo er in seinen Reden und Aufsätzen auf Politisches eingeht, wird sofort erkennbar, wie wenig ihn im Grunde derartige Fragen interessieren. Er hat anderes im Sinn: Er will stets aufs neue seine geistige Welt vor dem Anspruch der Gegenwart schützen. Sind die politischen Schriften des Älteren offensiv, so die des Jüngeren defensiv.

Aber war der Bruderzwist im amerikanischen Exil ganz und gar beigelegt? Sicher ist: Der müde und einsame, der schnell alternde Heinrich, den in den Vereinigten Staaten niemand kannte, dachte nicht daran, einen Streit anzuzetteln. Und er hätte es sich auch nicht leisten können, da er jetzt von dem Bruder in materieller Hinsicht abhängig war. Am 4. April 1942 schrieb er ihm: »Inzwischen schulden wir die Miete und öffnen die Tür nur, wenn kein Gläubiger dahintersteht.« Thomas freilich vermochte seinen Eifersuchtsgram nie restlos zu überwinden. Als 1944 das »Autor-League Bulletin« seine Leser belehrte, daß 1933 in Berlin zwar die Bücher von Heinrich, doch nicht jene seines Bruders öffentlich verbrannt wurden – was zutrifft –, zitiert dieser die knappe Information mit Verärgerung und rubriziert sie als »kommunistische Eselei«. Ebenfalls 1944 notiert Thomas Mann: »Zu denken, aufs neue, über die Verherrlichung des Bruders durch das nur hier siedelnde aktivistische Literatentum auf meine Kosten. Auferstehung alter Qual.« (1985)

Seine treue Tochter

Erika Mann war eine außergewöhnliche Frau, und man weiß nicht recht, was man mehr bewundern soll – die erstaunliche Vielseitigkeit ihrer Begabung oder die unvergleichbare Intensität ihrer schon früh in die Öffentlichkeit drängenden Persönlichkeit.

Ihre ersten Erfolge hatte sie als Schauspielerin: Man konnte sie auf Deutschlands vornehmsten Bühnen sehen, in einer hochbesetzten Münchner »Don-Carlos«-Inszenierung (mit Albert Bassermann als Philipp II.) durfte sie die Königin spielen. Die flotten und phantasievollen Kinderbücher, in denen sie bisweilen dem Großmeister dieses Genres, Erich Kästner also, heiter nacheiferte, hatten viele Leser. Sie war offensichtlich eine geradezu begnadete Kabarettistin: Das von ihr zusammen mit einigen Freunden gegründete Kabarett »Die Pfeffermühle«, in dem sie neben Therese Giehse als Hauptakteurin wirkte und das sie ständig mit allerlei Texten versorgte, erregte in den letzten Wochen der Weimarer Republik in München viel Aufsehen und fand wenig später im Exil, in mehreren europäischen Ländern, lebhafte Zustimmung.

Sie verfaßte rasche Reportagen und kühne Korrespondentenberichte, sie war eine politische Publizistin, der man Unabhängigkeit und Entschiedenheit auch dann bescheinigen mußte, wenn man ihre Ansichten nicht teilen konnte. Was sie als Schriftstellerin zu leisten vermochte, das lassen – neben der schönen Chronik »Das letzte Jahr« (1956) – viele ihrer glänzend formulierten Briefe erkennen: Sie wurden jetzt endlich zugänglich gemacht.[1] Muß man noch hinzufügen, daß sie auch Film-Drehbücher schrieb und sich in ihren späten Jahren mit größter Hingabe, wenn auch mit unterschiedlichem Erfolg, als Editorin betätigte? Sicher ist: Ob Literatur oder Journalismus, Theater oder Film – sie war überall zu Hause.

Gehörte sie also zu den Glücklichen, den Erwählten? Sie war die Tochter Thomas Manns. Dies aber bedeutet wenn nicht Glück und Unglück, so doch auf jeden Fall Gnade und Bürde in einem. Golo Mann hat darauf hingewiesen, daß seinem älteren Bruder Klaus ein Widerspruch im schwierigen Verhältnis zum Vater entgangen war – daß er nämlich »sich in seinem Schatten fühlte und darunter litt« und daß er gleichzeitig »von dem stärkeren Licht so viel auf sich lenkte, wie er haben konnte«.[2] Auch Erika Mann hat vom Weltruhm des Vaters gern profitiert und nie gezögert, von jenem stärkeren Licht so viel wie nur möglich auf sich zu lenken. Doch hatte sie sich schon sehr bald emanzipiert, ihre Selbständigkeit war nie ernsthaft gefährdet. Nicht an Geist oder Talent übertraf sie den von ihr geliebten Autor des »Mephisto«, wohl aber an Kraft und Energie: Sie war eine ungleich stabilere und robustere Natur als der von Anfang an in höchstem Maße gefährdete Bruder Klaus.

Unterschiedliches, ja Gegensätzliches scheint in ihrer Person zu einer widerstandsfähigen Einheit gefunden zu haben: Bayerisches mit Preußischem, die Vorliebe für das Ungebundene und die Schwäche für die Boheme mit Strenge und Kompromißlosigkeit, die Sehnsucht nach Abenteuern mit Härte und Selbstdisziplin. Lieben konnte sie, aber beliebt war sie nicht. Und sie konnte hassen wie nur wenige; so darf es auch nicht verwundern, daß sie sich oft genug die Antipathie, wenn nicht gar den Haß mancher Zeitgenossen zugezogen hat. Sie war charmant und schroff, graziös und gebieterisch zugleich.

An Mut hat es Erika Mann nicht gefehlt. Nachdem sie

Mitte März 1933 Deutschland nicht ohne Eile verlassen
hatte, wagte sie es im April, als es schon hieß, man habe sie
ins Konzentrationslager Dachau gebracht, in aller Heim-
lichkeit nach München zu fahren, um das (noch unfertige)
Manuskript des »Joseph«-Romans und andere wichtige
Papiere ihres Vaters zu retten. Wo in späteren Jahren
gekämpft wurde und wo es gefährlich war, da tauchte sie
als Berichterstatterin auf: im Spanischen Bürgerkrieg, 1940
in dem den Bombenangriffen ausgesetzten und von der
Invasion bedrohten London, 1943 am Persischen Golf,
1944 in Frankreich, Belgien und Holland. Als sie gegen
Ende des Krieges in amerikanischer Uniform nach
Deutschland kam, soll sie, damals noch nicht vierzig Jahre
alt, schön wie eine Kriegsgöttin gewesen sein und herrisch
wie eine Amazonenkönigin.

Doch mit Amazonen – Kleist hat es uns ja hinreichend
deutlich gezeigt – ist nicht gut Kirschen essen. Von Gnade
und Barmherzigkeit wollte Erika Mann nichts wissen,
Sündern zu vergeben, war sie nicht imstande. Ob man ihr
Toleranz nachrühmen kann, ist zumindest zweifelhaft:
Was immer geschah und wem immer sie begegnete, sie
blieb so unduldsam wie unversöhnlich. Mit zunehmendem
Alter wurde sie keineswegs nachsichtiger, ein schweres
Leiden hat ihr streitbares Temperament nicht gemildert,
sondern eher noch gesteigert. Daß sie über Zeitgenossen
leichtfertig oder ungerecht zu urteilen und sich dabei den
Grenzen der Fairneß bedenklich zu nähern vermochte,
läßt sich nicht verschweigen.

Wilhelm Emanuel Süskind, der in der Münchner Zeit
zum engsten Freundeskreis von Erika und Klaus Mann
gehörte, redigierte im Dritten Reich zunächst die Zeitschrift »Literatur« und während des Krieges die Literatur-
beilage der einzigen deutschen Zeitung, die es im General-
gouvernement Polen gab – der »Krakauer Zeitung«, die
unter der Schirmherrschaft des später in Nürnberg hinge-

richteten Generalgouverneurs Hans Frank erschien. Daß man in der Familie Mann von Süskind mit Groll und Bitterkeit sprach, kann mich, da ich in jenen Jahren diese »Krakauer Zeitung« regelmäßig zu lesen das wenig beneidenswerte Vergnügen hatte, nicht wundern. In einem Brief, den Klaus Mann Ende 1946 an Süskind geschrieben hat, ist zwar von Entfremdung zwischen den beiden die Rede, gleichwohl fällt es auf, daß dessen Ton und Inhalt eher wehmütig und beinahe freundschaftlich sind. Erika Mann hingegen beharrte in der für sie so charakteristischen Unerbittlichkeit: Noch ein Jahrzehnt später, als ihr Süskind zum fünfzigsten Geburtstag gratulierte, antwortete sie knapp: »Ich bin niemandes Richter; doch steht es fest in mir, daß unsere Wege sich auf Nimmerwiedersehen getrennt haben.«

Auch Exilgefährten waren vor ihrem mitunter maßlosen Zorn nicht sicher – so Adorno, an den sie 1963 zwei wahrlich böse Briefe richtete und über den sie 1966 meinte: »Meiner genauen Erfahrung nach ist er nicht nur pathologisch eitel, und nicht nur paart sich seine Eitelkeit logischerweise mit einem hohen Grad von Verfolgungswahnsinn – er ist überdies ein Bluffer; ganz bewußt streut er den Leuten Sand in die Augen, ganz bewußt und absichtlich schreibt er häufig so unverständlich und nur zu häufig verbirgt blanke Unwissenheit sich hinter seiner hochkonzentrierten, allumfassenden Versiertheit.« Mag ja sein, daß hier nicht alles abwegig ist, aber zumindest die »blanke Unwissenheit« will mir nicht recht einleuchten. Vielleicht gehören auch diese Sätze über Adorno zu jenen, die mehr über die Briefschreiberin aussagen als über ihr Thema.

Man kann sich – von heute her gesehen – des Eindrucks nicht erwehren, daß Erika Mann im Laufe der Jahre gleichsam ihre Rolle gewechselt hat: aus der Amazone wurde eine Erinnye. Das gilt unter anderem für die vielen Äußerungen über Gustaf Gründgens, den sie im Alter von zwanzig Jahren geheiratet und von dem sie sich 1929, nach kurzer und wohl, wenn man so sagen darf, oberflächlicher Ehe, wieder getrennt hat. Zu unserer Überraschung erfahren wir jetzt, daß zu ihrem Wunsch, sich von ihm scheiden zu lassen, moralpolitische Umstände »nicht unerheblich« beigetragen haben: Gründgens habe sich in den späten zwanziger Jahren »hundertprozentig als Kommunist« gegeben, was Erika Mann, wie sie 1968 behauptete, »kaum gestört« hätte, wenn es nicht so »unaufrichtig« und »versnobt« gewesen wäre. Und wenn sie ihren einstigen Ehemann kurz nach dessen Tod mit höchst gehässigen Worten bedenkt und sagt, sie habe, ohne sich dessen so recht gewahr zu werden, »mit dem linken Finger der linken Hand immer sein Kontobuch geschrieben«, dann können wir sicher sein, daß sie in dieses Buch nur die Sünden und Fehltritte des großen Schauspielers einzutragen pflegte, ohne zu berücksichtigen, was zu seinen Gunsten sprach – und das war so wenig nicht.

Aber zugleich sind viele Briefe Erika Manns imponierende Zeugnisse ihrer (schon und gerade in ihren jungen Jahren) klaren Urteilskraft und ihrer beherzten Entschlossenheit. Anders als für den Autor der »Betrachtungen eines Unpolitischen«, der, wenn es ihm die deutsche Geschichte nur erlaubt hätte, am liebsten bis zum Ende seiner Tage ein Unpolitischer geblieben wäre, war für sie das politische Welterlebnis eine Selbstverständlichkeit. So hat sie denn auf die wichtigen Entscheidungen ihres Vaters einen unmittelbaren Einfluß ausgeübt – und es war alles in allem ein kluger, ein segensreicher Einfluß.

Ihr, Erika Mann, haben wir es zu verdanken, daß Thomas Mann im März 1933 vom Urlaub in der Schweiz nicht nach Deutschland zurückgekehrt ist. Schon im Juni 1933 fordert sie den Vater auf, sich in aller Öffentlichkeit vom Dritten Reich zu distanzieren. Er möge sich von dem in Berlin verbliebenen S. Fischer Verlag trennen und seine

Bücher dem Amsterdamer Querido Verlag anvertrauen: denn er habe »zwischen Hohenzollerngruft und Hitlers Sprachgewalt nichts aber rein gar nichts mehr zu suchen«. Im August desselben Jahres schreibt sie: »Ich habe Dich nie zu etwas ›überreden‹ wollen, – auch in politicis nicht...« Sie sei nicht dreist und wolle sich keineswegs einmischen – und gerade das tut sie: Sie mischt sich ein, sie will den Vater überreden, das Tischtuch zu zerschneiden. Als im Frühjahr 1935 Thomas Manns Essayband »Leiden und Größe der Meister« bei S. Fischer in Berlin erscheint, dankt sie dem Autor für ein ihr gewidmetes Exemplar und teilt ihm mit, daß sie sich sehr freue, »des gehaßten Firmenschilds ungeachtet«. Sie ist in dieser Zeit das einzige Familienmitglied, das die politische Haltung des Vaters eindeutig und scharf zu kritisieren wagt

Im Januar 1936 kommt es zum offenen und folgenreichen Konflikt zwischen Tochter und Vater. Die Pariser Exilzeitschrift »Das Neue Tage-Buch« hatte den immer noch im Dritten Reich geduldeten S. Fischer Verlag attakkiert, genauer: dessen Chef und Mitinhaber Gottfried Bermann (später: Bermann Fischer), den der Herausgeber dieser Zeitschrift, Leopold Schwarzschild, einen »Schutzjuden« des Propagandaministers Joseph Goebbels nannte. Thomas Mann reagierte hierauf in der »Neuen Zürcher Zeitung« mit einem (auch von Annette Kolb und Hermann Hesse unterzeichneten) »Protest«, demzufolge Schwarzschilds Angriffe »durchaus ungerechtfertigt« seien.

Unmittelbar nach der Veröffentlichung dieses »Protests« schreibt Erika Mann an den Vater einen längeren Brief, den sie mit einer unverhohlenen Drohung eröffnet: »Immerhin möchte ich Dir erklären, warum Deine Handlungsweise mir dermaßen traurig und schrecklich vorkommt, daß es mir schwierig scheint, Dir in näherer Zukunft überhaupt unter die Augen zu treten.« Bermann sei die erste Persönlichkeit seit Ausbruch des Dritten Reiches, zu deren Gun-

sten Thomas Mann sich öffentlich geäußert habe: »Für niemanden sonst hast Du es bisher getan. Dein Appell für
Ossietzky durfte nicht veröffentlicht werden, – Du
schwiegst, als Hamsun denselben Ossietzky öffentlich
anpöbelte . . .«

Der erste offizielle Protest Thomas Manns seit Hitlers
Machtübernahme sei somit gegen einen Emigranten (Leopold Schwarzschild) gerichtet und gegen eine Exilzeitschrift (»Das Neue Tage-Buch«). Damit sei er der »gesamten Emigration in den Rücken« gefallen. Der Vater werde
ihr, schreibt sie weiter, diesen Brief wahrscheinlich verübeln: »Ich bin darauf gefaßt und weiß, was ich tue.« Was
mit einer Drohung begann, endet mit einer Erpressung.
Die Dreißigjährige erpreßt den weltberühmten Vater mit
Hilfe der gefährlichsten Waffe, über die sie verfügt: »Falls
es ein Opfer für Dich bedeutet, daß ich Dir, mählich, aber
sicher, abhanden komme, –: leg es zu dem übrigen.« Gewiß, eine Kriegserklärung ist das noch nicht, wohl aber ein
Ultimatum.

Erikas Mutter sieht, was sich hier anbahnt, und greift
sofort ein. Auch sie, Katia Mann, sei gegen diesen »Protest« gewesen, doch habe sie ihn nicht (»wie so manches
andere«) verhindern können: »Daß aber Deine mir selbst-
verständliche Mißbilligung so weit gehen würde, quasi mit
ihm zu brechen, hätte ich wirklich nicht erwartet.« Erikas
Brief sei indes, glaubt die Mutter sich trösten zu können,
»natürlich kein Abschiedsbrief für immer«. Aber die Tochter denkt nicht daran, nachzugeben: Sie könne, was sie
dem Vater zu sagen hatte, »nicht als uneinsichtig bereuen«.
In seiner Haltung sei viel Hochmut: Zwar möchte er nicht,
daß man ihn »mit jenen in Deutschland« identifiziere,
doch zu den Emigranten möchte er auch nicht gehören.

Am selben Tag, also bevor er den Inhalt dieses Briefes an
Katia Mann kennen konnte, schreibt Thomas Mann an
Erika – sehr ausführlich, denn was er ihr mitzuteilen hat,

sei, wie er in seinem Tagebuch vermerkt, auch für die Nachwelt bestimmt. Er wirft ihr »blinden Haß« vor und »vorsätzliche Ungerechtigkeit«. Die »dunklen Drohungen«, sie werde ihm ihre Liebe entziehen, nehme er getrost hin, denn zum »Sich-überwerfen gehören gewissermaßen Zwei, und mir scheint, mein Gefühl für Dich läßt dergleichen garnicht zu«. Mehr noch: Im Zorn der Tochter, die er eben noch der »vorsätzlichen Ungerechtigkeit« beschuldigt hatte, erkennt er »sozusagen die Objektivierung meiner eigenen Skrupel und Zweifel«.

Damit deutet sich schon an, wer in diesem Kampf kapitulieren, wer siegen wird. Aber Erika Mann ist ihrer Sache noch nicht ganz sicher. Sie erklärt dem Vater, er wolle offensichtlich die Spaltung der Emigration heraufbeschwören – »in eine echte ganze und in eine unechte, halbe (der Du angehören willst)«. Und: »Wir können es uns nicht leisten, auf Dich zu verzichten und Du darfst es Dir nicht leisten, uns zu verraten.« Dieser Brief ist vom 26. Januar 1936, am selben Tag publizierte die »Neue Zürcher Zeitung« einen scharfen Angriff ihres Feuilletonchefs Eduard Korrodi auf die Exilliteratur, von der er freilich den Autor der »Buddenbrooks« ausgenommen wissen wollte.

Thomas Mann, nun auch noch von Klaus Mann und dessen Freund, dem Verleger Fritz Landshoff, telegraphisch bedrängt, antwortet Korrodi in einem Offenen Brief, der in der »Neuen Zürcher Zeitung« am 3. Februar 1936 zu lesen war. Schon vorher hatte Thomas Mann in seinem Tagebuch notiert: »Ich bin mir der Tragweite des heute getanen Schrittes bewußt. Ich habe nach 3 Jahren des Zögerns mein Gewissen und meine feste Überzeugung sprechen lassen.« In der Tat bedeutet dieser »Offene Brief« seinen endgültigen Bruch mit dem Dritten Reich. Erika Mann telegraphierte: »Dank, Glückwunsch, Segenswunsch – Kind E.« Auch in den nächsten Jahren war sie allemal die treibende Kraft: ebenso bei der Übersiedlung der Eltern in die Vereinigten Staaten (1938) wie bei deren Rückkehr nach Europa (1952).

Doch hat sie dem Vater ab 1947 noch in einem anderen Sinne zur Seite gestanden: Sie wurde seine Helferin und widmete sich dieser Aufgabe, die mit dem wachsenden Ruhm des alternden Vaters immer höhere Ansprüche stellte, mit Leidenschaft, wenn nicht mit Besessenheit. Über ihren Anteil an der Endfassung des »Doktor Faustus« hat er uns selber informiert (in dem denkwürdigen Bericht über die »Entstehung des Doktor Faustus«), aber erst die Korrespondenz Erika Manns läßt erkennen, welche Rolle sie spielte, als Thomas Mann mit dem Manuskript der »Bekenntnisse des Hochstaplers Felix Krull« beschäftigt war. Sie hatte dabei nicht geringe Schwierigkeiten zu überwinden, da der Vater zu jener Zeit von Depressionen geplagt war. Anfang 1954 schrieb er ihr, er sehe »das Ganze mit trüben Augen an, freudlos und mehr als gleichgültig. Es quält mich, daß die Leute sich so darauf spitzen. Ist ja doch dummes Zeug...« Der Tochter gelang es immer wieder, mit taktvollen und gescheiten Briefen den müden und lustlosen Autor zur Weiterarbeit zu ermuntern und zu zahlreichen Korrekturen, Kürzungen und Ergänzungen zu bewegen. Es scheint, daß Thomas Mann einen besseren Lektor nie gehabt hat.

Allerdings hat man Erika Mann auch für gewisse politische Verlautbarungen ihres Vaters verantwortlich gemacht: Wem derartige Äußerungen mißfielen, der glaubte, aus ihnen die Stimme der militanten Tochter heraushören zu können. Hierüber ist in den Briefen nicht viel zu finden: Wie es wirklich war, wird vielleicht den noch nicht veröffentlichten Tagebüchern Thomas Manns aus den letzten Jahren seines Lebens zu entnehmen sein.

1964 meinte Erika Mann: »Der Ehrenplatz, für mein Gefühl, ist zwischen allen Stühlen, ein sehr unbequemer Ehrenplatz, auf dem ich schon seit langer Zeit sitze.« Es sei immer ihre Funktion gewesen – heißt es 1965 –, »gegen den Strom zu schwimmen«. In der Tat dokumentieren diese Briefe, zumal die im zweiten Band vereinten, jene fortwährende Lust am Nonkonformismus, die freilich zuweilen auf Abwege führen kann. Die Korrespondenz zeigt, daß Erika Manns passionierte Teilnahme am Zeitgeschehen gegen Ende ihres Lebens zwar durch eine schwere Krankheit beeinträchtigt war, doch nie ganz verstummte.

Je älter sie wurde, desto stärker war auch ihr Bedürfnis, sich zu möglichst allen aktuellen Fragen zu äußern. Mehr noch: Offensichtlich hat sie es für ihre dringlichste Aufgabe gehalten, immer wieder Einspruch zu erheben. Sie protestierte ebenso gegen Atomversuche und die Errichtung von Abschußrampen für Atomwaffen auf europäischem Boden wie gegen das »Lebend-Abhäuten von Robben« in Kanada. Da sie die Teilung Berlins kritisierte (für die sie den Westen verantwortlich machte) und da sie vieles, was sich in der Bundesrepublik abspielte, arg mißbilligte, wurde sie (absurderweise) verdächtigt, eine stalinistische Agentin zu sein. Die Alternative: Sowjetunion oder Vereinigte Staaten lehnte sie entschieden ab. Sie kündigte ihre Mitgliedschaft im PEN-Zentrum Deutschsprachiger Autoren im Ausland, weil auf Formosa ein neues PEN-Zentrum errichtet wurde: »So amerikanisch dürfte ein europäisches Zentrum nicht sein, daß es den jammervollen Puppenstaat von Formosa als repräsentativ für das gewaltige China anerkennte.« Sie beklagte die Biafra-Tragödie, sie kommentierte den Israel-Konflikt, sie schrieb gegen den Krieg in Vietnam.

Hinzu kommen Proteste ganz anderer Art. In den Jahren nach dem Tod ihres Vaters (1955) gab Erika Mann eine dreibändige Auswahl seiner Briefe heraus und betreute verschiedene Ausgaben der Bücher ihres Bruders Klaus. Wenn ihr die Kritiken zu diesen Editionen mißfielen, wenn ihr Äußerungen über Thomas Mann oder über den Bruder und deren Werke falsch oder ungerecht schienen, reagierte sie prompt und rabiat und war nicht immer gewillt, die üblichen Umgangsformen zu beachten. Eine Rezension der »Neuen Zürcher Zeitung« habe sie, wie dort unlängst zu lesen war, »durch ein wahrhaft landsknechtsmäßiges Schreiben quittiert«.

Diese hektische und oft rüde Betriebsamkeit hat gewiß mit den körperlichen Leiden zu tun, denen Erika Mann viele Jahre lang ausgesetzt war. Aber es ist zumindest nicht unwahrscheinlich, daß die Ursachen dieser Aktivität auch anderswo zu suchen sind. Wenn der Eindruck nicht trügt, war es dieser hochbegabten und überaus temperamentvollen Frau nicht gegeben, in Frieden mit sich selber zu leben: Die man einst aus Deutschland vertrieben hatte, ist eine Getriebene geblieben. Überdies wurden ihr vermutlich tiefe persönliche Enttäuschungen nicht erspart. Briefe, die uns dazu Auskunft erteilen würden, sind in dieser Ausgabe leider nicht zu finden. So hieße es, die Zuständigkeit des Literaturkritikers überschreiten, wollten wir uns hierüber Gedanken machen. Der Rest ist hohe Anerkennung, ist Dank.

Leider kann die Edition dieser Korrespondenz, um es vorsichtig auszudrücken, nicht als einwandfrei gelten. Von den rund 5000 erhaltenen Briefen Erika Manns wurden bedauerlicherweise nur 209 ausgewählt.

Auch um die Anmerkungen ist es nicht zum besten bestellt. Zwar werden wir informiert, wer Sigmund Freud war, aber zu dem Namen »Bodo Uhse« gibt es die sich häufig wiederholende Anmerkung »Nicht ermittelt«. Wenn eine Herausgeberin nicht weiß, daß Bodo Uhse in den fünfziger Jahren zu den bekanntesten Schriftstellern der DDR gehörte und die Ost-Berliner Zeitschrift »Aufbau« herausgab, und nicht auf die Idee gekommen ist, diesen Namen in einem Lexikon zu suchen, dann hat sie eine Aufgabe auf sich genommen, der sie nicht gewachsen war.

Und so hat man auch zu den Kürzungen in vielen Briefen
kein rechtes Vertrauen. Schade. Thomas Manns treue und
geliebte Tochter hat es verdient, daß man sich mit ihrem
Nachlaß mehr Mühe gibt.   (1986)

»Mephisto«, der Roman einer Karriere

Der Erfolg des im Exil entstandenen und erstmalig im Jahre 1936 erschienenen Romans »Mephisto« von Klaus Mann scheint mir weder unverständlich noch bedauerlich zu sein. Denn was immer gegen das allerdings in mancher Hinsicht fragwürdige Buch gesagt werden muß – ein eigentümliches und lesenswertes künstlerisches Dokument ist es bestimmt.[1]

In allem, was Klaus Mann geschrieben hat, fällt auf, wie stark von früher Jugend an sein Bedürfnis war, Bekenntnisse und Geständnisse abzulegen, wie sehr er sich immer wieder zur Selbstbeobachtung, Selbstanalyse und Selbstdarstellung gedrängt fühlte. Schon der Fünfundzwanzigjährige hielt es für richtig, eine Autobiographie zu veröffentlichen, der während des Krieges eine zweite folgte, von der wiederum zwei weit voneinander abweichende Fassungen vorhanden sind. Wenn er sich in Aufsätzen mit den Krisen der Intellektuellen befaßte, untersuchte er meist seine persönlichen Krisen – ohne sich viel darum zu kümmern, ob die Schwierigkeiten, in die der Sohn eines Thomas Mann geriet, tatsächlich auch als exemplarisch gelten konnten.

Fast alle seine Romane und Novellen enthalten deutliche und in der Regel nur flüchtig getarnte Beiträge zu seinen Autoporträts. Wen immer er in den Mittelpunkt seiner Bücher stellte – Alexander den Großen oder König Ludwig II. von Bayern, Peter Tschaikowski oder einen jungen emigrierten Poeten, der Selbstmord begeht –, er hatte offenbar nie Hemmungen, seine eigenen Sorgen und Kom-

plexe ganz ohne Umschweife in die Figuren seiner Helden
zu projizieren. Daher sind es stets in außergewöhnlichem
Maße persönliche, private, intime Bücher. Sie enthüllen
des Autors Leidenschaft für menschliche und allzumensch-
liche Schwächen, für das Abgründige und Pathologische,
für die Randbezirke der Existenz. Todessehnsucht und
Homoerotik sind die beiden dominierenden Motive.

Daß sich die Literatur, die einen gewissen Anspruch
erhebt, dem Exhibitionismus nähern darf, ja nähern muß,
ist wohl ebenso sicher wie der Umstand, daß immer dann,
wenn das Talent des Schriftstellers versagt und er anstatt
der literarischen Leistung nur die nackte Mitteilung über
heikle Phänomene bietet, der fatale Eindruck einer Schamlosigkeit entsteht, die sich nicht rechtfertigen läßt: Denn
sie zeugt nicht etwa vom Mut zur Erkenntnis und zur
Vergegenwärtigung, sondern vom Mangel an Takt und Geschmack.

Klaus Mann hat den Vorwurf des Exhibitionismus
offenbar nie gefürchtet. Er war in vielen Büchern um den
Ausdruck für seine Qualen bemüht. Gefunden hat er ihn
nie. In keinem einzigen seiner Werke vermochte er die
Diskrepanz zwischen seinen literarischen Möglichkeiten
und seinen Absichten zu beseitigen. Und niemals war diese
Kluft tiefer als in dem Roman »Mephisto«.

Es handelt sich um die 1925 einsetzende und bis 1936
reichende Geschichte eines talentvollen deutschen Schau-
spielers und Regisseurs, der schließlich als Günstling
Görings Intendant der Staatlichen Schauspiele in Berlin
wird. In seinem in der endgültigen Fassung erst postum
veröffentlichten Lebensbericht »Der Wendepunkt« –
Klaus Mann hat 1949 Selbstmord begangen – bezeichnet er
»Mephisto« als den »Roman einer Karriere im Dritten
Reich«.[2] Doch läßt sich nicht übersehen, daß weit über die
Hälfte des Buches vor 1933 spielt.

Jener große Mime – erklärt Klaus Mann weiter – wird

»zum Exponenten, zum Symbol« des Regimes. Indes will der Roman als Beleg für diese These überhaupt nicht taugen. Es ist mitnichten erst der nationalsozialistische Staat, der dem Helden des »Mephisto« zum Erfolg verhilft, denn schon am Ende der Weimarer Republik war er, hören wir, einer der berühmtesten Schauspieler Deutschlands. Wie kann – muß man ferner fragen – Symbol des »Dritten Reiches« ein Künstler sein, dessen Mentalität offensichtlich von allem frei ist, was man sich unter Blut und Boden vorstellen mag, wohl aber auf höchst sympathische Weise an den zersetzenden Geist der Asphaltliteraten erinnert? Ein Künstler überdies – ich spreche immer nur von Klaus Manns Romanhelden Hendrik Höfgen –, der zwar an Görings Tisch sitzt, dessen Verhalten jedoch oft geradezu Respekt abnötigt? Und vor allem: Warum um Himmels willen sollte ein nach Ruhm lechzender Schauspieler, der Karriere machen möchte, eine ausgerechnet für das »Dritte Reich« typische Erscheinung sein?

So verstrickt sich der Autor des »Mephisto« in auffallend viele Widersprüche, die freilich alle auf eine einzige Entscheidung zurückzuführen sind: auf die Wahl des für ein Kampfbuch gegen das nationalsozialistische Deutschland völlig ungeeigneten Protagonisten. Aber haben wir es wirklich mit einem solchen Buch zu tun? Ja und nein.

Als der neunzehnjährige Klaus Mann Gustaf Gründgens im Jahre 1925 in Hamburg kennenlernte, war dieser nicht mehr und nicht weniger als eine Lokalberühmtheit. Natürlich gehörte der Umgang mit der Prominenz längst zum täglichen Brot des Sohns von Thomas Mann. Doch in dem aufstrebenden und übrigens nur sieben Jahre älteren Provinzschauspieler glaubte der sensible und neugierige junge Mann etwas zu sehen, was er bisher kaum gekannt haben kann: die Verkörperung nicht nur des Unkonventionellen und Exzentrischen, sondern auch des Dubiosen und Anrüchigen.

Eben erst der Schule entwachsen, verspürte er – sein Buch »Kind dieser Zeit« gibt hierüber Auskunft – Müdigkeit und zugleich temperamentvolle Vitalität. Er war blasiert und wurde dennoch von fieberhafter Unrast gequält. Ähnliches muß er in der Persönlichkeit von Gründgens gefunden oder geahnt haben – nur war dem Schauspieler bereits gelungen, wovon der angehende Schriftsteller vorerst höchstens träumen konnte: seine Empfindungen und Reaktionen in der Kunst zu realisieren und fruchtbar zu machen. Die bei Gründgens so augenscheinliche Verbindung des Morbiden mit dem Komödiantischen, die Einheit von Anmut und Geist scheinen es Klaus Mann damals angetan zu haben.

Noch im »Wendepunkt«, in dem er über denjenigen, der bei den Nazis Intendant geworden war, erbost und tendenziös, ja gehässig berichtet, vermerkt er, daß dieser in den Hamburger Jahren »bei all seinem Geglitzer« doch »nicht ohne rührende, ja nicht ohne tragische Züge« gewesen sei.[3] Geglitzer und andererseits rührende und tragische Züge – auch dies waren wohl Berührungspunkte zwischen den beiden jungen Männern, die gewiß Gelegenheit hatten, sich ihrer Affinität bewußt zu werden.

Wie immer man die Gefühle Klaus Manns für Gründgens bezeichnen will – Bewunderung, Verehrung, Freundschaft oder Liebe –, sie zeichneten sich offenbar durch jene außerordentliche Intensität aus, die häufig für die Emotionen von Zwanzigjährigen charakteristisch ist. Und nicht nur ihn muß Gründgens tief beeindruckt und auch fasziniert haben, sondern ebenfalls die Frau, deren »Weggenosse« (so Thomas Mann) Klaus war: die Schwester Erika, die Gründgens bald geheiratet hat.

Daß Klaus Mann sein Gründgens-Erlebnis vielleicht verdrängen, doch nicht überwinden konnte, zeigte sich, recht überraschend, etwa ein Jahrzehnt später. Denn »Mephisto« ist, dem Anschein zum Trotz, weniger ein politisches Pamphlet als zunächst und vor allem ein Buch über Gründgens. Kein Zweifel, daß Klaus Mann im Exil – seine Tätigkeit als Publizist und als Herausgeber von Zeitschriften beweist es – entschlossen war, den antifaschistischen Kampf konsequent zu führen. Auch den Gründgens-Stoff gedachte er hierfür auszuwerten – und eben daran ist der Roman gescheitert: an der künstlichen, fast gewaltsamen Verquickung des privaten Erlebnisses von gestern mit den politischen Aktivitäten von heute.

Selbstverständlich mußte die Gründgens-Karriere im »Dritten Reich« den Emigranten enttäuschen und verbittern, gewiß wollte er sich rächen. Was indes seinen Plan im Endergebnis durchkreuzt hat, war nichts anderes als sein artistisches Naturell, das sich nie ganz unterdrücken ließ, war vor allem sein passioniertes Interesse für die menschliche Psyche: Der vermeintliche Haß entpuppte sich während der Arbeit als eine elementare Haßliebe.

Gründgens sollte in der Gestalt des Höfgen als ein Mann erscheinen, dem es zwar an Witz und Brillanz nicht mangelt, der jedoch skrupellos, opportunistisch und gemein ist. In der Tat teilt uns Klaus Mann dies oft mit. Aber was immer er seinem Höfgen vorzuwerfen hat – von der krankhaften Eitelkeit bis zur totalen Charakterlosigkeit –, er vergegenwärtigt stets einen leidenden Menschen, er zeigt, im deutlichen Gegensatz zu der Konzeption des Romans, eine schillernde Persönlichkeit, die Charme mit Intelligenz zu verbinden weiß und Extravaganz mit harter, zielbewußter künstlerischer Arbeit. Dieser Höfgen ist ein urwüchsiger Komödiant und doch ein souveräner Taktiker, ein Getriebener und doch ein kühl Planender.

Vor keinem Mittel schreckt der Autor des »Mephisto« zurück, um den Protagonisten, für den sein ehemaliger Freund und Schwager Modell stehen muß, zu kompromittieren und zu verspotten: Auch die Impotenz in der Ehe wird ihm hier – nicht ohne billige Genugtuung – angekrei-

det. Aber dann vergißt Klaus Mann wieder seine ursprüng-
liche militante Absicht und erzählt mit Bewunderung von
einem Menschen, der eine magnetische Kraft ausübt und
offenbar jeden bezaubern kann und in dessen irisierendem
Wesen ebensoviel Koketterie wie Scharfsinn, ebensoviel
Grazie wie Dekadenz zu finden sind.

In den Teilen des Romans, die das Kulturleben in der
Weimarer Republik betreffen, kommen auch die stärkeren
Seiten des Erzählers Klaus Mann zum Vorschein: sein
Blick für Nuancen und Details, seine Kunst der knappen
Milieuschilderung, seine Fähigkeit, mit wenigen Impres-
sionen und Streiflichtern Lokalkolorit und Zeitatmosphäre
anzudeuten. Beachtlich ist ferner seine psychologische
Sensibilität: Die Karikaturen einiger leicht erkennbarer
Schlüsselfiguren – etwa Carl Sternheims, Max Reinhardts
und Elisabeth Bergners – sind mit Verve und Humor
gezeichnet. Sobald jedoch Klaus Mann die Grenzen des
Selbstbeobachteten überschreitet, gerät er rasch in die
Gefilde des flachen Journalismus oder sogar der puren
Hintertreppenliteratur. Sympathisch mutet es an, daß er
im »Mephisto« – im Unterschied zu seinen anderen Romanen der dreißiger Jahre – auf homoerotische Motive aus
verständlichen Gründen ganz verzichtet: Er haßte Gründgens, aber denunzieren wollte er ihn nicht. Damit aber
Höfgen ein Sexualleben hat, das ihn allerlei Komplikatio-
nen und Erpressungen aussetzt und in den Augen der
Nazis kompromittieren kann, wird seine masochistische
Liebesbeziehung zu einer Halbnegerin geschildert. Was
sich Klaus Mann für diese eigentlich simplen Szenen einfal-
len ließ, ist nicht einmal diskutabel.

Leider gilt das auch für viele im »Dritten Reich« spie-
lende Episoden. Sie beweisen lediglich, wie schwer es für
den Autor dieses Romans war, sich das Deutschland von
1935 oder 1936 vorzustellen. Das Wunschdenken ver-
deckte die Realität. Einerseits überschätzte er den Wider-

stand gegen das »Dritte Reich«, andererseits verkannte er auf schon groteske Art das geistige Klima und die damaligen Gepflogenheiten – etwa wenn er, um nur ein Beispiel anzuführen, einen Dichter, mit dem unzweifelhaft Gottfried Benn gemeint ist, lauthals fordern läßt: »Wo bleiben die öffentlichen Folterungen? Die Verbrennung der humanitären Schwätzer und der rationalistischen Flachköpfe?... Warum... diese falsche Scham, die das schöne Fest der Marterungen hinter den Mauern der Konzentrationslager versteckt?«

Gerade in diesem Teil des Romans wird – und das zu beobachten ist nicht ohne Reiz – das von Klaus Mann angestrebte Charakterbild seiner Zentralgestalt in der Regel von den erzählten Vorgängen widerlegt und ad absurdum geführt. Während er uns unentwegt versichert, Höfgen sei ein moralisch verkommener Mensch und ein infamer Karrierist, geht aus der Handlung hervor, daß er zwar den ihm von Göring angebotenen Posten annimmt, aber dennoch seine Kunst nicht verrät. Er lehnt es strikt ab, nationalsozialistische Stücke aufzuführen, und scheut sich nicht, unerwünschte und verfolgte Schauspieler zu engagieren. Als einer von ihnen, ein im Untergrund kämpfender Kommunist, verhaftet wird, erwirkt Höfgen seine Freilassung, und auch später versucht er noch einmal, ihn zu retten.

Wie man sieht, war es ein leichtsinniges Unterfangen Klaus Manns, das Idol seiner Jugend in eine pamphletistische Figur umzumodeln: Kein Romancier kann es sich leisten, mit seinen Erlebnissen und Erinnerungen zu schalten und zu walten, wie es ihm gerade paßt. Thomas Mann, der übrigens im Nachruf verschiedene Werke seines Sohnes erwähnt, doch den heiklen »Mephisto« verschweigt, meinte, Klaus Mann habe »zu leicht und zu rasch« gearbeitet, »was die mancherlei Flecken und Nachlässigkeiten in seinen Büchern erklärt.«[4]

Aber was der Vater als Nachlässigkeit ausgeben wollte, war wohl zu einem nicht geringen Teil eine Frage des Geschmacks und der Sprache oder, anders ausgedrückt, eines beim Sohn des größten deutschen Stilisten immerhin bemerkenswerten Mangels an Stilgefühl. Ein Klischee jagt im »Mephisto« das andere. Wenn jemand lächelt, dann »tückisch«, wenn Augen zusammengekniffen werden, dann »mißtrauisch«; ein Kinn muß natürlich »herrschsüchtig vorgeschoben« sein, und der Mund einer Frau ist eben »sinnlich«. Besonders arg sind die adjektivsüchtigen Beschreibungen. Wenn Goebbels erscheint, heißt es: »Es war, als sei eine böse, gefährliche, einsame und grausame Gottheit herniedergestiegen in den ordinären Trubel genußsüchtiger, feiger und erbärmlicher Sterblicher.«

Trotz allem ist der »Mephisto« ein niemals langweiliges, ein heute noch anregendes und lebendiges Buch. Doch will es mir scheinen, als lebte es in einem höheren Maße von der Faszination, die Jahrzehnte hindurch von der Persönlichkeit des Gustaf Gründgens ausging, als von der erzählenden Kunst seines einstigen Freundes Klaus Mann. Wer weiß, ob dies nicht noch ein Triumph des großen Schauspielers ist. Der hintergründigste Triumph.   (1966)

Schwermut und Schminke

I

»Es geht mir leidlich: ich versuche, zu schreiben…« – so heißt es in einem Brief Klaus Manns vom 20. Mai 1949. Am nächsten Tag hat er sich mit Hilfe einer Überdosis Schlaftabletten das Leben genommen. Es war an der französischen Riviera, in Cannes. Sein Selbstmord wurde in der Regel politisch gedeutet und auf zeitgeschichtliche

Umstände zurückgeführt. Wer immer über dieses Thema schrieb, berief sich auf einen kleinen Aufsatz Thomas Manns aus dem Jahre 1950. Klaus Manns »spielerisch-übermütige und begabte Kindheit« sei – lesen wir hier – »eigentlich erst im Exil« beendet gewesen: »Dieses machte ihn zum Mann; die Erfahrung des Bösen rief seinen Ernst auf...« Sein »leidendes Verlangen nach persönlicher Aus-löschung« wird nicht verschwiegen, doch habe es sich – nach dem Zweiten Weltkrieg – »mit der allgemeinen Ver-zweiflung der Intelligenz in dieser Zeit und an ihr« gemischt. Thomas Manns Fazit lautet: »Er starb gewiß auf eigene Hand und nicht um als Opfer der Zeit zu posieren. Aber er war es in hohem Grade.«[5]

Ähnlich begriff den Fall Klaus Mann – denn von einem solchen muß die Rede sein – Friedrich Sieburg: Den Ver-fasser der Autobiographie »Der Wendepunkt« nannte er 1952 einen »Beichtenden«, der »qualvoll an der Kette zerrt, die ihn an Deutschland bindet«. Er sah in ihm einen Deutschen, der »mit seinem Lande nicht fertig wird«: »Sein Leiden an Deutschland ist zu Ende.«[6] Und noch 1975 meinte Hans Mayer, »jenes Ende in Cannes« sei »ein politischer Todesfall. Klaus Mann starb im und am Kalten Krieg.«[7] Um die These vom politischen Hintergrund seines Selbstmords zu erhärten, verweist man, wie es auch schon Thomas Mann getan hatte, auf die letzte Arbeit Klaus Manns, auf seine postum veröffentlichte Studie »Die Heim-suchung des europäischen Geistes«. Immer wieder zitiert man die Kernsätze dieser Arbeit: »Der Kampf zwischen den beiden anti-geistigen Riesenmächten – dem amerikani-schen Geld und dem russischen Fanatismus – läßt keinen Raum mehr für intellektuelle Unabhängigkeit und Integri-tät.« Klaus Mann forderte »eine neue Bewegung«, nämlich »die Rebellion der Hoffnungslosen«: »Eine Selbstmord-welle, der die hervorragendsten, gefeiertsten Geister zum Opfer fielen, würde die Völker aufschrecken aus ihrer

Lethargie, so daß sie den tödlichen Ernst der Heimsuchung begriffen, die der Mensch über sich gebracht hat durch seine Dummheit und Selbstsucht.«[8]

Der ursächliche Zusammenhang zwischen den politischen Anschauungen Klaus Manns und seinem Selbstmord scheint somit überzeugend belegt. Aber die zweibändige Ausgabe seiner Briefe belehrt uns eines anderen: Gewiß, ein Leben lang zerrte er an einer Kette; doch nicht an Deutschland band sie ihn. Das Ende in Cannes war kein politischer Todesfall, Klaus Mann starb zwar im, aber nicht am Kalten Krieg. Und so begreiflich der Wunsch des Vaters, den Sohn als Opfer der Zeit auszugeben, auch sein mag, so kann man doch diese (von Thomas Mann übrigens auffallend vorsichtig formulierte) Behauptung schwerlich aufrechterhalten.

Die beiden von Martin Gregor-Dellin vorzüglich edierten Bände bieten auf beinahe 900 Seiten insgesamt 362 Briefe Klaus Manns aus der Zeit von 1922 bis 1949: Den frühesten schrieb der erst Fünfzehnjährige an seinen Vater, der letzte – ein Tag vor dem Selbstmord datiert – ist an die Mutter und an die Schwester Erika gerichtet. Überdies finden sich hier 99 Antwortbriefe (vor allem von Thomas, Katia und Heinrich Mann, aber auch von Stefan Zweig, Hermann Hesse, Bruno Frank, Hermann Kesten, Bruno Walter und anderen) sowie Golo Manns »Erinnerungen an meinen Bruder Klaus«, ein sehr persönliches Dokument, das gleichwohl von höchstem allgemeinen Interesse ist.[9]

Die Literaturhistoriker und die Chronisten der deutschen Emigration werden von beiden Bänden noch oft profitieren. Es genügt, daran zu erinnern, daß Klaus Mann in jenen Jahren zwei wichtige Zeitschriften (in Amsterdam »Die Sammlung« und später in New York »Decision«) herausgegeben und daß er damals mit nahezu allen bedeutenderen Schriftstellern der Epoche korrespondiert hat, um den Nutzen anzudeuten, den die Wissenschaft aus dieser umfangreichen Briefsammlung ziehen kann. Aber nicht das steht hier zur Debatte, sondern lediglich das Bild Klaus Manns, das sich aus seiner Korrespondenz ergibt.

Natürlich wäre es leichtsinnig, alle seine Äußerungen für bare Münze zu nehmen. Möglicherweise spiegeln sich in vielen intensive und doch nur ephemere Launen und Stimmungen. Auch sind manche seiner Briefe aus den späteren Jahren bestimmt, andere vermutlich unter Einfluß von Drogen geschrieben. Überdies hat die Korrespondenz häufig Lücken, die sich bisweilen auf ganze Monate (auch hintereinander) erstrecken. Besondere Vorsicht ist also angebracht. Eben deshalb sollte man die Briefbände vor dem Hintergrund der beiden Lebensberichte Klaus Manns – »Kind dieser Zeit« (1932) und »Der Wendepunkt« (1952) – sehen und von seinen epischen Werken vor allem dasjenige befragen, das er selber (und sehr zu Recht) als sein »aufrichtigstes und persönlichstes« Buch bezeichnet hat: den aus dem Jahre 1935 stammenden Tschaikowski-Roman »Symphonie Pathétique«. Die Briefe korrigieren und ergänzen die direkten und die indirekten Selbstdarstellungen. Erst die Summe dieser Dokumente läßt uns die Geschichte Klaus Manns ahnen.

II

Er war homosexuell. Er war süchtig. Er war der Sohn Thomas Manns. Also war er dreifach geschlagen. Woran hat er am meisten gelitten? Eine solche Frage kann man nie schlüssig beantworten; aber sie läßt sich hier auch nicht umgehen. Denn sie ist es wahrscheinlich, die in das Zentrum dieser glanzvollen und traurigen, dieser dreifach glücklichen und erst recht dreifach elenden Existenz trifft.

Leid und Glück waren im Leben Klaus Manns untrennbar miteinander verquickt. Noch in seinen trostlosesten Monaten und Wochen schrieb er Briefe voll Frohsinn und Glückseligkeit. Und noch in seinen beschwingten und jubelnden Briefen bilden drohende Akkorde ein düsteres, ein acherontisches Ostinato. Ein Sonntagskind war er. Aber das unglücklichste, das man sich denken kann. Er liebte das Dasein; fieberhaft wollte er es genießen. Und doch war er von Anfang an ein Selbstmordkandidat: Kein Weltkind war je vom Tode stärker fasziniert als er.

Sechzehn Jahre war er alt, als er dem Leiter der Odenwaldschule, Paul Geheeb, mitteilte, er sei entschlossen, diese Schule »endgültig« zu verlassen: Er sei in ihr »fehl am Ort. Wo freilich ich *ganz* daheim sein werde – das weiß Gott.« Und: »Überall werde ich – Fremdling sein. Ein Mensch meiner Art ist stets und allüberall durchaus einsam. –« Schon der Elfjährige hatte ein Theaterstück mit dem Titel »Tragödie eines Knaben« verfaßt. Es behandelte einen Schülerselbstmord. In dem Buch »Kind dieser Zeit« beschreibt er, wie er »zwischen allen Vergnügungen« immer wieder »mit der schrecklichen und süßen Idee des Selbstmordes« gespielt habe und wie er »zu allen Formen der Selbstvernichtung« fest entschlossen war: »Aufhören wollen, während doch eigentlich alles gerade am besten und am erregendsten ist: absurdeste und schönste Begierde des Siebzehnjährigen.«

Originell ist das keineswegs. Der halbwüchsige Intellektuelle, der sich unverstanden, fremd und einsam fühlt, der an seiner tatsächlichen oder eingebildeten Besonderheit leidet, und wenn nicht seinem Leben ein Ende setzt, so doch mit Selbstmordgedanken spielt, ist eine für die deutsche Literatur etwa zwischen der Jahrhundertwende und dem Ersten Weltkrieg höchst bezeichnende Gestalt, fast eine Modellfigur. »Warum bin ich doch so sonderlich und in Widerstreit mit allem, zerfallen mit den Lehrern und fremd unter den anderen Jungen?« – hatte sich einst, 1903, jener Tonio Kröger gefragt, in dem sich noch die Vertreter der nachfolgenden Generation der deutschen Jugend wiedererkannten.

Klaus Manns Gefühle der Einsamkeit und der Fremdheit, seine Todesgedanken und seine Selbstmordpläne können also zunächst als typische Pubertätsleiden verstanden
werden. Aber hat er je seine Pubertät überwunden? Er war
– Stil und Inhalt der Briefe des Fünfzehn- und des Sech-
zehnjährigen lassen es erkennen – schon sehr früh reif.
Aber ist er nicht immer etwas unreif geblieben? Als er zu
schreiben anfing, war er fast noch ein Kind, jedenfalls ein
Halbwüchsiger. Aber als er starb, war er da ganz erwach-
sen?

Sicher ist, daß die zentralen Motive seiner frühen Äußerungen zugleich die Leitmotive seines ganzen Lebens und
Werks sind. 1930 beschrieb er in einem Aufsatz mit dem
Titel »Selbstmörder« einige seiner Freunde, »die es vornehmer fanden aufzuhören, als standzuhalten«. Zwar müsse man die Frage, »was vornehmer sei – zu verzichten oder
weiterzukämpfen«, im Interesse des Lebens entscheiden,
»aber mit welch bitterem Neide folgen unsere Blicke ins
Unbekannte denen, die den Mut zu der nobelsten, kom-
promißfeindlichsten aller Gesten fanden: abzutun die
Last«.[10]

Das Vokabular muß verwundern. Der Selbstmord eine
»Geste«? Und gar die »nobelste« und dies offenbar unabhängig von den Motiven, die ihn ausgelöst haben? Beunru-
higend auch die zweifache Verwendung des in diesem
Zusammenhang etwas fatal wirkenden Wortes »vornehm«.
Wann immer Klaus Mann vom Selbstmord spricht, ist die
äußerste persönliche Betroffenheit unverkennbar. Doch
zugleich auch ein hartnäckiges Bedürfnis, den Selbstmord
zu stilisieren. Dies zeigte sich erneut, als sich 1932 sein
Freund, der Maler Ricki Hallgarten, im Alter von 27 Jahren das Leben nahm. Einen ihm gewidmeten Aufsatz been-
dete Klaus Mann mit den Worten: »Der Tod ist mir eine
vertrautere Gegend geworden, seit ein so inniger Vertrau-
ter meines irdischen Lebens sich ihm, dem Tode, der mir

einst so fremd tat, freiwillig anvertraut hat. Wo ein Freund wohnt, kennt man sich doch schon etwas aus, ehe man selber hinkommt.«[11] Das ist schön gesagt – aber vielleicht etwas zu schön.

Der Tod erschien ihm niemals abstoßend oder schrecklich, sondern stets anziehend und reizvoll und auch sehr dekorativ. Er wurde von Klaus Mann ästhetisiert und zugleich glorifiziert. Ende 1932 berichtete er aus Paris, er habe sich mit Julien Green lange über den Tod unterhalten: »Er meinte, daß er etwas ganz Herrliches sein müsse, der schönste Moment, das große aus sich selber Heraustreten.« Übrigens hieß es im vorangegangenen Satz: »Hier ist es ganz nett und gesellig. . .«

Der Selbstmord etwas Vornehmes und Nobles, der Tod »etwas ganz Herrliches« – so ähnlich hatten es oft die deutschen Romantiker gesehen und erst recht ihre Nachfahren. Noch beim jungen Hofmannsthal, dessen Verse Klaus Mann tief beeindruckt hatten, wiederholt sich das zarte poetische Klischee. Aber um 1930 wirkt die konsequent stilisierende Sicht schon einigermaßen anachronistisch. Überdies fallen in Klaus Manns elegischen Äußerungen Akzente der Selbstgefälligkeit auf. In seinem finsteren Dialog mit dem Tode läßt sich Koketterie schwerlich übersehen: Es ist ein ebenso augenzwinkernder wie schwärmerischer Flirt.

Eitelkeit und Melancholie? Leichtsinn und bitterer Ernst? Frivolität und Selbstzerstörung? Nonchalantes und Elegisches? Poseurhaftes und Tragisches? Zugegeben, das alles reimt sich schlecht. Aber eben diese bei verschiedenen Gelegenheiten zum Vorschein kommende Inkongruenz ist für Klaus Mann charakteristisch. Er war sich dessen wohl bewußt. Der nahezu immer, wenn er über andere, zumal über Generationsgenossen, schrieb, auch sich selber meinte, hatte schon seine guten Gründe, im Aufsatz über Ricki Hallgarten mit Nachdruck auf »das Ungleichartige und scheinbar Widerspruchsvolle seines Wesens« zu verweisen. In seinen Arbeiten stehe oft »das Barocke, Manierierte, Schnörkelige neben dem bezwingend, dem tödlichen Echten«, es finde sich »das Dekorative, Äußerliche, ja Kunstgewerbliche dicht beim Tiefsten, Persönlichsten, Tragischsten«.[12]

In Thomas Manns Erzählung «Unordnung und frühes Leid« beobachtet Professor Cornelius einen Gast, einen Schauspieler, dessen Augen »tief schwermütig« und dessen Wangen offensichtlich geschminkt sind: »Sonderbar, denkt der Professor. Man sollte meinen, entweder Schwermut oder Schminke. Zusammen bildet es doch einen seelischen Widerspruch. Wie mag ein Schwermütiger sich schminken? Aber da haben wir wohl eben die besondere, fremdartige seelische Form des Künstlers, die diesen Widerspruch möglich macht, vielleicht geradezu daraus besteht.« Schwermut und Schminke – das trifft den Zwiespalt in Klaus Manns Persönlichkeit. Sein Unglück, das er freilich mitverschuldet hatte, war es, daß man in der Öffentlichkeit meist nur die eine Seite seines Wesens wahrnahm oder wahrnehmen wollte: Man bemerkte die Schminke und übersah die Schwermut.

III

Er war kaum achtzehn Jahre alt, als Siegfried Jacobsohn in der »Weltbühne« Klaus Manns lyrisch-analytische Skizzen veröffentlichte. Der Anfänger hatte nicht die geringsten Schwierigkeiten, auf sich und seine Arbeiten aufmerksam zu machen: »Was immer ich zu bieten haben mochte, man nahm es mir ab, man fand es interessant. Die feinsten Blätter und Revuen druckten meine Kurzgeschichten, Plaudereien und Betrachtungen.«[13] Im »Zwölfuhrmittagsblatt«, einer zwar nicht sehr vornehmen, doch in hoher Auflage erscheinenden Tageszeitung, durfte er Theaterkritiken schreiben. Sein Stück »Anja und Esther« wurde 1925 in München von Otto Falckenberg aufgeführt. In der Hamburger Inszenierung spielte der Autor mit – neben der Schwester Erika, Pamela Wedekind und Gustaf Gründgens. Klaus Mann war nicht mehr zu bremsen. Er produzierte jetzt in beängstigendem Tempo: ein zweites Stück, drei Romane, drei Erzählungsbände, eine Autobiographie, einen Band mit Aufsätzen und noch (zusammen mit Erika Mann) zwei Reisebücher. Dies alles in der Zeit von 1925 bis 1932.

Das Echo war außergewöhnlich stark. Unter so spektakulären Umständen hat wohl noch nie ein deutscher Schriftsteller seine Laufbahn begonnen. Allerdings wurden die vielen Versuche des jungen Klaus Mann sehr unterschiedlich aufgenommen. Heftige und höhnische Verrisse blieben ihm nicht erspart. Kurt Tucholsky schrieb 1928 in der »Weltbühne«: »Man braucht nicht gleich auf das Niveau Klaus Manns herunterzusteigen, der von Beruf jung ist und von dem gewiß in einer ernsthaften Buchkritik nicht die Rede sein soll. . .«[14] Dies war übertrieben, ganz ungerecht oder falsch war es nicht. Sieht man von einigen literarkritischen Aufsätzen ab, so war alles, was Klaus Mann in jenen Jahren verfaßte, überaus schwach oder, bestenfalls, belanglos.

Dennoch muß die Aggressivität Tucholskys (und auch anderer Kritiker) verwundern. Freilich hatte sie einen so einfachen wie triftigen Grund: die offenkundige Diskrepanz zwischen der Qualität dieser literarischen Produkte und ihrer Publizität. Worauf sie zurückzuführen war, wußte jedermann, natürlich auch der Betroffene: »Der flitterhafte Glanz, der meinen Start umgab, ist nur zu verstehen – und nur zu verzeihen –, wenn man sich dazu den soliden Hintergrund des väterlichen Ruhmes denkt. Es war in seinem Schatten, daß ich meine Laufbahn begann, und so zappelte ich mich wohl etwas ab und benahm mich ein wenig auffällig, um nicht völlig übersehen zu werden.

Die Folge davon war, daß man nur zu sehr Notiz von mir nahm.« So Klaus Mann im »Wendepunkt«.[15]

Schon im »Kind dieser Zeit«, also noch in den Jahren der Weimarer Republik, hatte er sich über »das Schiefe und Gefährliche« seiner Situation beschwert: »Ich habe meine unvoreingenommenen Leser noch nicht gefunden. Nicht nur der Gehässige, auch der freundlich Gesinnte konstruiert zwischen dem, was ich schreibe, und dem väterlichen Werk instinktiv den Zusammenhang. Man beurteilt mich *als den Sohn.*« Dies sei »die bitterste Problematik« seines Lebens.[16]

Nichts begreiflicher als Klaus Manns Klage. Aber nahezu alle seine Äußerungen zu jener »bittersten Problematik« sind auffallend einseitig. Gewiß, seine Leser waren nicht unvoreingenommen. Nur ist zu fragen, ob er mit seinen damaligen Büchern, wäre er nicht der Sohn Thomas Manns, überhaupt Leser und Rezensenten gefunden hätte. War sich Klaus Mann dessen bewußt? Jedenfalls erwähnt er die außerordentlichen Vorteile seiner Situation nur kurz und knapp, wogegen er über die Nachteile stets ungleich ausführlicher schreibt. Dabei werden zwei Charakterzüge deutlich: seine Neigung zum Selbstmitleid und ein unaufhörlicher Rechtfertigungsdrang.

Klaus Mann wollte sich von Thomas Mann distanzieren und gleichwohl von dessen Ruhm in jeder Hinsicht profitieren. Golo Mann, der in seinen Erinnerungen auf diesen heiklen Widerspruch hinweist, fügt hinzu, daß man schließlich von den Vorteilen, die der Name des Vaters mit sich brachte, »frei war, Gebrauch zu machen oder auch nicht«. Klaus Mann machte davon Gebrauch und dies sehr ausgiebig. Aber der bei jeder Gelegenheit aus dem Namen seines Vaters Nutzen zu ziehen versuchte, war seinerseits empört, daß die Zeitungen ihn stets als Sohn Thomas Manns behandelten.

Mit anderen Worten: Der junge Klaus Mann zwang die

Umwelt, ihn immer wieder das spüren zu lassen, was er
dann als »die bitterste Problematik« seines Lebens bezeich-
nete. Zugleich provozierte er das literarische Milieu der
Weimarer Republik mit seinem hartnäckigen und immer
erfolgreichen Kampf um Resonanz, um Publizität. Tucholsky hatte Grund, 1929 in der »Weltbühne« zu spotten:
»Klaus Mann hat sich bei Verabfassung seiner hundertsten
Reklamenotiz den rechten Arm verstaucht und ist daher
für die nächsten Wochen am Reden verhindert.«[17]

Diesen Rummel sah Thomas Mann höchst mißtrauisch,
zumal er sofort erkannt haben mußte, daß der leichtsinnige
Sohn den Gegnern bequeme Angriffsflächen bot. Und daß
mit manchen gegen den Sohn gerichteten Attacken
zugleich, wenn nicht vor allem, der Vater getroffen werden
sollte. Nun war aber Thomas Mann die Reaktion auf sein
Werk, gelinde gesagt, nie gleichgültig. Sie war es erst recht
nicht in jener Zeit, da Klaus seine Karriere begann: Denn
Mitte und Ende der zwanziger Jahre wollten gerade die
lautesten Vertreter der neuen literarischen Generation –
unter ihnen Brecht – von Thomas Mann nichts mehr wissen. Er wurde als Schriftsteller von gestern verhöhnt und
sollte ins Museale entlassen werden. Die spektakuläre
Wirksamkeit des Sohnes, dessen Entwicklung der Vater
offenbar von Anfang an zwar nicht mit besonderer Aufmerksamkeit, doch mit einiger Skepsis beobachtet hatte,
mußte ihn also verärgern. Der ihm durch seinen Hang zum
Anrüchigen und Exzentrischen, zur sexuellen Libertinage
ohnehin dubios war, störte auch noch seine beruflichen
Kreise. Für die offenbar schon sehr früh vorhandene
Abneigung des Vaters gegen den Sohn gab es also auch
prosaische und fast schon banale Gründe.

IV

Zu ernsthaften persönlichen Gesprächen, gar zu regelrechten Auseinandersetzungen zwischen Thomas und

Klaus Mann ist es damals – wie im »Wendepunkt« nachzu-
lesen – nicht gekommen: »Wußte er überhaupt, wo ich
mich aufhielt, was ich arbeitete, mit wem ich Umgang
hatte, während der vielen Monate, die ich nun jedes Jahr
fern von München, fern dem Vaterhaus verbrachte? Es war
nicht eben seine Art, den Heimkehrenden mit Fragen zu
bedrängen.«[18] Golo Mann kann sich »aus frühester Zeit,
aus mittlerer, noch aus späterer an quälende Szenen zwischen den beiden nur zu deutlich erinnern«. Quälende Szenen, doch allem Anschein nach keine heftigen Zusammen-
stöße, keine direkte Konfrontation. Beiden Seiten war,
wenn auch aus sehr verschiedenen Gründen, in hohem
Maße daran gelegen, einen offenen Konflikt zu vermeiden.

Der Sohn bewunderte den Vater, ja er verehrte ihn. Lieben konnte er ihn nicht. Aber hat er ihn insgeheim gehaßt?
Der Vater mißbilligte den Sohn, ja er verschmähte ihn.
Hassen konnte er ihn nicht. Aber hat er ihn insgeheim
gefürchtet? Für den Sohn war der Vater ein gewaltiges Vorbild, von dem er sich erdrückt fühlte. Für den Vater war
der Sohn ein trauriges Zerrbild, das ihn in Schrecken ver-
setzte. Den Sohn erinnerte die Existenz des Vaters an die
Möglichkeiten, die ihm versagt geblieben waren. Den
Vater erinnerte die Existenz des Sohnes an die Gefahren,
die ihn bedroht hatten.

So konnte hier keine Rede sein von gegenseitigem Vertrauen, von Freundschaftlichkeit und Herzlichkeit oder
gar von Intimität. Statt dessen: Spannungen und Hemmungen, Skrupel und Komplexe, Schuldgefühle und
Gewissensbisse. Immer wieder zeigte sich, daß eine Ver-
ständigung nicht möglich war. Denn beide konnten nicht
über ihren Schatten springen. Was blieb, war Ratlosigkeit,
Verlegenheit, Peinlichkeit. Ein Leben lang hat der Sohn
um des Vaters Sympathie geworben, um seine Anerkennung gekämpft. Das Ergebnis dieser oft rührenden, meist
verkrampften Bemühungen faßt ein harter, ein grausamer

Satz im »Wendepunkt« zusammen: »Ich glaube nicht, daß
er sich jemals ernste Sorgen um mich gemacht hat.«[19] Was
wohl heißen sollte: Ich glaube nicht, daß er mich jemals
ernst genommen hat.

Dabei hätte es der Vater nicht zu bedauern brauchen,
wenn er auf einem entscheidenden Abschnitt seines Weges
den Ratschlägen des Sohnes gefolgt wäre. Denn der junge
Klaus Mann, der so unseriös und flatterhaft wirkte und der
es jenen leicht machte, die in ihm nur einen Schwadroneur
sehen wollten, hatte in politischer Hinsicht schon in den
letzten Jahren der Weimarer Republik einen erstaunlich
klaren Blick. 1930 polemisierte er gegen Ernst Jünger, »der
uns die Barbarei als neue Gesinnung vorgaukelt«: »Daß er
schreiben kann, erst das macht ihn gefährlich... Ein Geist
von der finstern Glut Jüngers kann Unheil stiften.« Die
Jugend, »die der Phraseologie des Liberalismus sterbensmüde« sei, horche auf, wenn Jünger »den Begriff der individuellen Freiheit kurzweg für ›antiquiert‹ erklärt; dabei
ahnen die treuen Herzen nicht, wie unheimlich diese
Redensart ihres Heros sich mit der grausig großartigen
Formel Lenins berührt, der die Freiheit zu den bürgerlichen Vorurteilen rechnete«. Und 1930 warnte er Benn:
»Wenn Sie... die Ideale von links verhöhnen, gewinnen
Sie damit denen von rechts immer mehr Boden. Sie wollen
es nicht, aber Sie tun es trotzdem.«[20]

Klaus Mann, der Unreife und Unausgeglichene, der
Haltlose – er war es, der sich 1933 keinen Augenblick
beirren ließ, der im Unterschied zu vielen emigrierten
Schriftstellern auch nicht die geringsten Illusionen hatte.
Seine leidenschaftlich bitteren Briefe an Benn und Süskind
lassen dies ebenso deutlich erkennen wie die ehrerbietig
artigen an den Vater. Als der erste Band des »Joseph«-
Romans in Berlin publiziert werden sollte, versuchte Klaus
Mann, diesen »Widersinn« zu verhindern. Er schrieb dem
Vater im August 1933: »Einem Land, das man mit Ab-

scheu verläßt, vertraut man doch nicht sein schönstes Gut
an. Sie werden es ja auch zu Tode hetzen... Wahrscheinlich ist es zu spät und kommt mir überhaupt nicht recht zu,
so zu raten und mich einzumischen. Ich möchte nur nichts
versäumt haben. Die Sache ist furchtbar wichtig – objektiv,
aber auch mir persönlich. Ich halte das Erscheinen in diesem Deutschland für einen sehr schweren Fehler.« Dennoch sind »Die Geschichten Jaakobs« im Oktober 1933 in
Berlin erschienen.

Mehr noch: Wenn Thomas Mann drei Jahre im Exil
lebte, ohne eindeutig mit dem »Dritten Reich« zu brechen,
so geschah dies gegen den Willen Klaus Manns. Und auf
den endgültigen Bruch – im Offenen Brief an Eduard Korrodi vom 3. Februar 1936 – war, wie sich jetzt herausstellt,
ein beschwörendes, fast an ein Ultimatum erinnerndes
Telegramm des Sohnes offenbar nicht ohne Einfluß.
Zusammen mit seinem Freund, dem Verleger Fritz Landshoff, hatte er telegraphiert: »bitten inständigst auf Korrodis verhängnisvollen Artikel wie und wo auch immer zu
erwidern stop diesmal geht es wirklich um eine Lebens-
frage für uns alle«. Kein Zweifel, Klaus Mann beurteilte in
den ersten drei Exiljahren die politischen Verhältnisse richtiger als Thomas Mann. Dies mußte die Beziehung zwischen Vater und Sohn verändern. Die Frage ist nur, ob es
sie gebessert oder vielleicht eher belastet und zusätzlich
kompliziert hat.

Auch ein anderer, scheinbar ganz prosaischer Umstand
hat diese Beziehungen bestimmt nicht erleichtert: Klaus
Mann, der sich in der Emigration als Romancier und Jour-
nalist, als Herausgeber von Zeitschriften und Anthologien,
als Reporter und Redner betätigte, dessen Aktivität so fieberhaft war, daß sie einer Flucht in die Hektik glich, zeigte
sich unfähig, seinen Lebensunterhalt zu verdienen. Er war
auf regelmäßige Unterstützungen aus dem Elternhaus angewiesen.

In seinen Briefen an die Mutter kehren die Bitten um Geldüberweisungen refrainartig wieder. Im Oktober 1933: »Hoffe den Novembris pünktlich zu empfangen – Ich bin ja nicht, wie mein Schwesting, in der Lage drauf verzichten zu können, ganz im Gegenteil – ach.« 1936 braucht er Geld für eine Zahnarzt-Rechnung und fügt hinzu: »Schwarze Schuhe muß ich mir auch kaufen, und auch ein Farbband, wie Du bemerkst.« Aus New York, wo er damals die Zeitschrift »Decision« herausgab, schreibt er im Mai 1941: »Die andre Schattenseite ist, daß ich – ja es *geht* nicht anders, ist mir selbst so peinlich – um etwas Geld gebeten haben muß: 200 Dollars – drunter wird es wohl kaum gehen.« Noch im letzten Brief ist, ein Tag vor seinem Selbstmord, von Geldsorgen die Rede: Er beklagt sich, daß eine von der Mutter angekündigte Überweisung noch nicht angelangt sei.

Sehr möglich, daß die materiellen Sorgen, von denen er sich kaum jemals freimachen konnte, mit Klaus Manns Gesundheitszustand zusammenhingen. Als er im November 1935 einen befreundeten Arzt um Morphium bat, bemerkte er knapp: »Mein Fall ist kein pathologischer. Von den verschiedenen Dingen, die mir zu schaffen machen, wird kein Arzt mich befreien.« In der Tat, kein Arzt konnte ihn von seiner Not befreien. Aber es war unzweifelhaft ein pathologischer Fall: Schon in den Jahren der Weimarer Republik vom Morphium abhängig, blieb er es, wenn auch mit einigen Unterbrechungen, bis zu seinem Tod. Die Leiden eines Drogensüchtigen hat er in seinem letzten Roman (»Der Vulkan«, 1939) mit unbarmherziger Genauigkeit beschrieben.

Andererseits läßt sich nicht verschweigen – und auch dies konnte das Verhältnis des Vaters zum Sohn nur erschweren –, daß die drei Romane, die als seine Hauptwerke gelten, also neben dem »Vulkan« noch die »Symphonie Pathétique« und »Mephisto«, einen zumindest zwiespältigen Eindruck hinterlassen. Klaus Mann hat von Literatur viel verstanden. Seine Aufsätze beweisen es. Indes erinnert er an jene Essayisten und Kritiker, deren Geschmack und Qualitätssinn sich nur dann bewähren, wenn sie über die Arbeiten anderer urteilen.

Er bewunderte André Gide, Virginia Woolf und Cocteau, Kafka, Benn und Horváth. Er schrieb über diese Schriftsteller treffend und geistreich. Aber sie hatten, so will es scheinen, nicht den geringsten Einfluß auf seine eigene Epik. Nicht einer seiner Romane läßt sich von argen Geschmacksentgleisungen freisprechen, bisweilen geriet er auf die Ebene der Trivialliteratur. Vor allem: Klaus Mann erzählte in den dreißiger Jahren, als habe es die moderne Prosa überhaupt nicht gegeben.

Er liebte, verständlicherweise, heikle Themen, er fürchtete keine Tabus, in den Mittelpunkt stellte er haltlose, verzweifelte Menschen, Homosexuelle, Rauschgiftsüchtige, Selbstmörder. Doch hat seine Epik oft einen etwas juvenilen Tonfall, ihre Diktion mutet – zumal angesichts der behandelten Motive – überraschend bieder und betulich an.

Geradezu erstaunlich ist Klaus Manns hartnäckige Vorliebe für gängige Wendungen, für Klischees. Die in der Sprache aller seiner Romane auffallende Nachlässigkeit hatte gewiß mit seiner Mentalität zu tun. Er konnte bisweilen mit wenigen und einfachen Worten viel ausdrücken und viel anschaulich machen. Aber er war zu unruhig und zu ungeduldig, um an einem Absatz oder gar an einem einzigen Satz sorgfältig zu arbeiten: Meist schrieb er die Worte hin, die er gerade zur Verfügung hatte. An anderen, besseren und genaueren, war ihm offenbar wenig gelegen: Er hatte keine Lust, sie zu suchen. Ist es verwunderlich, daß dieser Schütze, der immer nervös und hastig zielte, häufig seine Objekte verfehlte? Eher sollte man sich wundern, daß es ihm mitunter gelang, ins Schwarze zu treffen.

Man kann sich leicht vorstellen, mit welchem Unbehagen Thomas Mann die erzählende Prosa seines Sohnes gelesen hat – wenn er sie gelesen hat. Sein Brief über den »Mephisto« enthält einige allgemeine Bemerkungen und nur wenige Sätze über dieses Buch, etwa: »Dein Roman also hat mir großes Vergnügen gemacht. Er ist leichtfüßig und amüsant, ja brillant, sehr komisch oft und auch sprachlich fein und sauber.« Das erinnert auf fatale Weise an die freundlichen Wendungen, mit denen Thomas Mann jahrzehntelang die Bücher anderer zu bedenken pflegte. Über den »Mephisto« läßt sich auch Gutes sagen, aber »sprachlich fein und sauber« ist dieses Buch am allerwenigsten.

Mit dem »Vulkan« hat sich Thomas Mann ungleich mehr Mühe gegeben. Sein Brief an den Sohn, geschrieben im Juli 1939, ist ernst und aufrichtig. Er gibt auch zu, daß er »insgeheim doch die tückische Absicht hatte«, mit diesem Roman »vorläufig nur Kontakt zu nehmen«. Dann habe er ihn ganz gelesen: »Sie haben Dich ja lange nicht für voll genommen, ein Söhnchen in Dir gesehen und einen Windbeutel, ich konnt es nicht ändern.« Und wie hätte er es ändern können, da auch er in ihm ein Söhnchen und einen Windbeutel gesehen hatte – und schließlich nicht ganz zu Unrecht?

Das Lob, diesmal noch nachdrücklicher als in der Beurteilung des »Mephisto«, klingt dennoch nicht leichtfertig. Der Akzent ist auf die Darstellung der Entziehungskur gesetzt: Es sei »ein so außerordentliches Stück Erzählung, daß man nicht mehr an Deutschland und die Moral, die Politik und den Kampf denkt, sondern einfach liest, weil man so etwas noch nicht gelesen hat«. Und weil Thomas Mann auch wußte – dürfen wir hinzufügen –, daß die schreckliche Entziehungskur sein Sohn selber durchgemacht hatte.

Dennoch fehlt nicht ein Hinweis auf die sich aufdrängenden literarischen Einflüsse, also auf den epigonalen Charakter dieser Prosa. Daran knüpft Thomas Mann die Bemerkung: »Ein Erbe bist Du schon auch, der sich, wenn man will, in ein gemachtes Bett legen durfte.« Das war nicht böse gemeint, aber es berührte, gewiß unbeabsichtigt, Klaus Manns wunden Punkt. In einem Brief aus dem Jahre 1937 hatte er diesen Gedanken schon angedeutet, freilich mit umgekehrten Vorzeichen: »Es ist ja schrecklich, daß in unserer Familie so gut wie *alles* schon einmal formuliert worden ist.«

In seiner Novelle »Vergittertes Fenster« erzählte Klaus Mann von der Haßliebe, die Ludwig II. mit dem erheblich älteren Richard Wagner verband: »Mein höchst geliebter Freund ist immer rasend egoistisch gewesen... Er hatte keine Zeit, sich dem großen heiligen Gefühl des Schmerzes hinzugeben – mit der Regie des eigenen Ruhmes beschäftigt, wie er es meistens gewesen ist.« Die Novelle stammt aus dem Jahre 1937. War mit diesen Worten auch Thomas Mann gemeint?

Wie dem auch sei: Es scheint, als hätte sich das Vater-Sohn-Verhältnis ab 1939 etwas gebessert. Die Herzlichkeit in den Briefen Klaus Manns klingt jetzt natürlicher und überzeugender, die Briefe des Vaters lassen jetzt deutlicher erkennen, daß er beiden Seiten Unannehmlichkeiten ersparen möchte. Die Distanz wurde kleiner, aber die Entfremdung blieb. 1943 schrieb Thomas Mann an Klaus Mann, der in dieser Zeit im amerikanischen Militärdienst war: »Weder das Schreiben noch die Liebe haben offenbar der Gesundheit Deiner Grundsubstanz etwas anhaben können, ... sondern Du bewährst Dich nun... ganz richtig und tapfer wie ein Mann.« Weder das Schreiben noch die Liebe? Damit spielte Thomas Mann auf einen Umstand an, der in dem Briefwechsel zwischen ihm und dem Sohn nie erwähnt wurde – auf Klaus Manns Homosexualität.

V

Er hat es verpönt, seine Homosexualität zu verheimlichen. Aber er wollte und konnte auch nie verheimlichen, wie tief und grausam die Leiden waren, die mit seiner Homosexualität zusammenhingen: »Man huldigt nicht diesem Eros« – stellte er fest –, »ohne zum Fremden zu werden in unserer Gesellschaft, wie sie nun einmal ist; man verschreibt sich nicht dieser Liebe, ohne eine tödliche Wunde davonzutragen.« Von der »tödlichen Wunde« handeln – direkt oder indirekt – alle Romane und Erzählungen Klaus Manns und auch viele seiner literarkritischen Aufsätze, in denen er sich häufig gerade mit homosexuellen Schriftstellern befaßte.

Sein offenes Bekenntnis zur Päderastie hat ihn vom Zwang zum Doppelleben befreit. Doch hat es zugleich den ohnehin für viele Homosexuelle charakteristischen Hang zur Stilisierung der eigenen Person und Existenz noch zusätzlich gesteigert. Er *war* nicht nur der Sohn Thomas Manns, er spielte ihn auch. Er *war* nicht nur schwermütig und einsam, er mimte auch den schwermütigen Dandy und den einsamen Intellektuellen. Und je stärker und entschiedener er sich öffentlich zu seiner Homosexualität bekannte, desto mehr fühlte er sich verpflichtet, der Umwelt einen Menschen zu demonstrieren, der es wagt, vor aller Augen als Homosexueller zu leben. Rollenspiel war es immer.

Indes: Er war kein Komödiant, wohl aber ein Poseur, einer, der Schutz suchte hinter Posen. Schutz wovor? »Wie tief muß der Inferioritätskomplex sein –, der sich in einem solchen Feuerwerk von Charme kompensieren will! Welche Beunruhigung, welch gequältes Mißtrauen versteckt sich hinter dieser exaltierten Munterkeit! Wer seiner selbst sicher wäre, gäbe wohl nicht so an. Wer sich auch nur von *einem* Menschen geliebt wüßte, hätte es kaum nötig, ständig zu verführen.« Hatte Klaus Mann, als er dies über den jungen Gründgens schrieb, nur ihn gemeint oder auch sich selber?

Sicher ist jedenfalls: Er war der Liebe bedürftig, er wollte geliebt werden. Doch haben ihm seine erotischen Beziehungen, so scheint es, fast immer Enttäuschungen bereitet. Im »Wendepunkt« ist von den »langen Qualen und flüchtig kurzen Seligkeiten« die Rede, »die dieser Eros mit sich bringt«. Sehr wohl war Klaus Mann zu intensiven Bindungen fähig. Aber der für viele Homosexuelle charakteristische Narzißmus hat nicht nur die Intensität dieser Beziehungen ermöglicht, sondern zugleich auch ihre Dauerhaftigkeit verhindert. In dem Roman »Symphonie Pathétique«, in dem man mehr über den Autor als über den Helden erfahren kann, läßt Klaus Mann Tschaikowski über seine homoerotischen Beziehungen nachdenken: »Wie flüchtig waren alle diese Abenteuer des Herzens – flüchtig durch *meine* Schuld... Denn mein Gefühl war nie stark genug, immer hat es versagt. Es entzündete sich schnell an den Fremden, doch es blieb ihnen niemals treu.« An einer anderen Stelle des Romans erkennt Tschaikowski: »Niemals habe ich dort geliebt, wo die Hoffnung oder die Gefahr bestand, daß man Ernst machte, daß ich gebunden würde, daß man mich wiederliebte und so festlegte.«

Auch Klaus Mann hat wohl weniger seine Partner geliebt als vor allem seine Gefühle zu ihnen. Einem holländischen Studenten schrieb er 1936: »Weißt Du nicht, daß der Gott beim Liebenden ist (nicht beim Geliebten)?« Wollte er den jungen Freund belehren? Oder wollte er mit diesem Gedanken Platons sich selber trösten? Offenbar konnte er die narzißtische Selbstverliebtheit der pubertären Phase nie überwinden. Sollte es eben damit zusammenhängen, daß der Mensch, den er am meisten geliebt hat, seine Schwester Erika war? Über sie schrieb er im »Wendepunkt«: »In meinem Leben hat wohl nur das, woran sie Anteil nimmt, so recht eigentlich Bestand und Wirklichkeit.«

VI

Die Einsamkeit hat er gefürchtet, nicht den Tod. In seinen Büchern ist oft vom »bitteren Einsamkeitsgefühl« die Rede, von einer »fast unerträglichen Einsamkeit«. Über Tschaikowski sagt er im »Wendepunkt«: »Er war ein Emigrant, ein Exilierter, nicht aus politischen Gründen, sondern weil er sich nirgends zu Hause fühlte.« In der »Symphonie Pathétique« läßt er Tschaikowski meditieren: »Ich aber gehöre nirgends hin. Man läßt mich allgemein fühlen, daß ich nirgends hingehöre.« Dabei stammt dieser Roman aus jenen frühen Exiljahren, in denen es Klaus Mann noch am ehesten gelungen war, seine Leiden an der Einsamkeit mit hektischer Aktivität zu betäuben – vielleicht auch dank der (wohl relativ glücklichen) Freundschaft mit Fritz Landshoff. Wenig später half nur noch das Morphium; Entziehungskuren (in Budapest und Zürich) ließen sich nicht mehr vermeiden.

Der ernste und freundschaftliche Brief des Vaters nach dem »Vulkan« scheint neue Hoffnungen geweckt zu haben. Klaus Mann empfand diesen Brief als »eine so schöne, tröstliche und tröstende Gabe«, er war gerührt, daß der Vater sein Buch überhaupt gelesen hat. Er bestätigte Briefe und Telegramme der Mutter, der Schwester Erika und des Bruders Golo. Und er fügte hinzu: »Ich habe es gut getroffen mit meiner family, und man kann nicht durchaus einsam sein, solange man zu was gehört und ein Teil davon ist.« So im August 1939.

Aber dieses Gefühl der Zugehörigkeit reichte eben doch nicht aus, wenn es sich nicht gar als illusorisch erwiesen hat. Im Juli 1941 schrieb er: »Wenn ich mein eigener Herr wäre, würde ich mich umbringen – fürs Leben gern. Wie man Angst davor haben kann, habe ich nie verstanden – wo doch nur das Leben fürchterlich ist.« Im Frühjahr 1942 meldete er sich zur amerikanischen Armee, doch »mehr aus Überdruß und Masochismus, als aus eigentlich honorigen Gründen«. Er war damals – wie Golo Mann berichtet – »dem Selbstmord sehr nahe«.

Zum erhofften psychischen Gleichgewicht scheint ihm jedoch der Militärdienst, zumindest in der ersten Zeit (also noch in den USA), nicht verholfen zu haben. Jetzt suchte er Zuflucht bei der katholischen Kirche. Im Oktober 1943 wandte er sich (in englischer Sprache) an einen katholischen Militärkaplan: »Aber der Protestantismus hat mir nie viel bedeutet. Dagegen hat mich die katholische Kirche schon immer angezogen mit ihrem Ritus, in dem ich nicht nur die Größe einer jahrhundertealten bewunderungswürdigen Tradition verspüre, sondern und vor allem auch den Ausdruck und die Offenbarung letzter metaphysischer Wahrheit.« Er ist der »inneren Stimme«, die ihm riet, sich der »Führung der katholischen Kirche« anzuvertrauen, schließlich doch nicht gefolgt.

Klaus Manns Nachkriegsjahre sind Jahre seines Verfalls: Die jetzt offenbar besonders intensive Drogenabhängigkeit und die beruflichen Mißerfolge haben sich wohl gegenseitig gesteigert, die materiellen Sorgen wurden immer schlimmer. Freunde wandten sich von ihm ab. Am härtesten mag ihn getroffen haben, daß sich auch die geliebte Schwester nicht mehr um ihn kümmern wollte. »Sie unternahmen nichts Gemeinsames mehr. Erika hatte sich nun ganz auf den Vater konzentriert...« (Golo Mann). Jetzt war ihm, Klaus Mann, nicht mehr zu helfen. Sein erster Selbstmordversuch – im Juli 1948 in Santa Monica – wurde verhindert. Doch konnte dies sein Leben nur noch um wenige Monate verlängern.

Wie man Klaus Manns Unruhe und Unrast in den Jahren der Emigration, seine Ängste und Depressionen, Aufschwünge und Ekstasen nicht politisch motivieren kann, so sollte man sich auch hüten, dem Einfluß der zeitgeschichtlichen Umstände auf seinen Selbstmord eine wesentliche Rolle beizumessen: Dieser Selbstmord war die unvermeidbare Folge seines ganzen Lebens – und nicht eine unmittelbare Reaktion auf aktuelle politische Zustände. Gewiß, in seinem letzten Aufsatz hatte er die Forderung eines organisierten Massenselbstmords europäischer Intellektueller politisch begründet. Aber die entscheidende Ursache seiner Forderung ist in seiner psychischen Disposition zu sehen: Er wollte sterben. Jener letzte Aufsatz war nichts anderes als ein verzweifelter Versuch, seinen Todeswillen zu rationalisieren.

Einst, 1932, hatte der junge Klaus Mann über seinen Freund Ricki Hallgarten geschrieben: »Er aber meinte, daß schon das Leben selber ein Fluch sei, den er keinesfalls mehr aushalten könnte... Die Sucht zum Tode verfolgte ihn, wie der unbarmherzige Mörder sein Opfer.« (1976)

GOLO MANN

Die Befreiung eines Ungeliebten

Ein Jude, heißt es, könne nur mit oder gegen, doch nicht ohne Gott leben. Ob das zutrifft, sei dahingestellt. Aber sicher ist, daß sich Golo Mann nur mit oder gegen, doch nicht ohne Thomas Mann entfalten konnte. Dies mag banal anmuten, nur wird damit auf die Voraussetzung für einen schwierigen literarischen Weg verwiesen und zugleich auf den Kern einer außerordentlichen Existenz: Golo Mann hatte gar keine andere Wahl, er mußte sich – und schon sehr früh – für ein Leben im Widerstand gegen seinen Vater entscheiden.

Im letzten Kapitel seines Buches »Erinnerungen und Gedanken. Eine Jugend in Deutschland«[1] meint er, daß er »im Grunde ja doch zum Schriftsteller bestimmt war«, ohne sich freilich dessen bewußt zu sein: »weil ich meinem Bruder Klaus nicht ins Gehege kommen und weil ich den Tod meines Vaters abwarten wollte«. Als Klaus Mann 1949 seinem Leben ein Ende setzte, war Golo vierzig, als der Vater 1955 starb, immerhin schon 46 Jahre alt. Er hatte bis dahin wenig publiziert – neben Zeitschriftenaufsätzen nur die (freilich sehr beachtliche) Monographie »Friedrich von Gentz, Geschichte eines europäischen Staatsmannes« (1947). Die Bücher, die ihn über die Fachkreise hinaus bekannt gemacht und in kurzer Zeit als erfolgreichsten deutschen Historiker und originellsten Essayisten ausgewiesen haben, erschienen nun in verhältnismäßig schneller Folge: 1958 die »Deutsche Geschichte des 19. und 20. Jahrhunderts« und 1961 der Sammelband »Geschichte und Geschichten«, 1971 die monumentale Wallenstein-Biographie und 1973 die »Zwölf Versuche«.

Tatsächlich scheint erst der Tod Thomas Manns das schriftstellerische Werk Golo Manns ermöglicht zu haben. Dabei ist zu fragen, ob es nicht gerade dieser jahrzehntelange, dieser qualvolle Widerstand gegen den übermächtigen Vater war, der dem Sohn zu seinen zwar späten, doch imponierenden Siegen verholfen hat. Über Thomas Mann und über die Beziehung zwischen den beiden findet sich in den »Erinnerungen und Gedanken« nur wenig. Sie beginnen mit der Kindheit des Erzählers, »als ob es eine Autobiographie wäre, was es nicht sein, nicht werden soll; es soll das sein, was der Titel sagt. Freilich, welcher Autor ist seines Buches sicher, ehe es fertig ist?« Eben. Letztlich ist es doch eine Autobiographie geworden, wenn auch eine ungewöhnliche, eine nämlich, die sich um die Grenzen der Gattung nicht kümmert und sie immer wieder souverän überschreitet.

Nun sollte man es Golo Mann nicht verübeln, daß er es, wenn es um seinen Vater geht, vorzieht zu schweigen: Der Autobiograph darf sich hier für befangen erklären, zumal er in seiner Eigenschaft als Historiker ihn keineswegs geschont oder gar ausgespart hat. In der »Deutschen Geschichte des 19. und 20. Jahrhunderts« heißt es über Thomas Mann und seine »Betrachtungen eines Unpolitischen«: »Insofern dieser schöne, hoch gescheite, redliche Wirrwarr praktisch überhaupt einen Sinn hatte, lief er auf eine Verteidigung des längst in seinen Grundfesten erschütterten deutschen Obrigkeitsstaates hinaus. . . Ein paar Jahre später bekannte er sich zur Republik. So wie er aber dem Krieg einen Sinn erfunden hatte, der mit der Wirklichkeit sehr wenig zu tun haben konnte, so war auch seine geistige Begründung der Republik eine schön erdachte, aus alter deutscher Dichtung zusammengereimte; Literatur nicht Wirklichkeit.«[2]

In den »Erinnerungen und Gedanken« hingegen ist dem Vater kein einziger Absatz gewidmet: Er wird stets nur mit wenigen, betont kühlen Worten bedacht, eine freundliche oder gar eine herzliche Erwähnung gibt es hier nicht. »TM trug einen schwarzen Zylinder« – heißt es gleich im ersten Kapitel. So erscheint denn auch sein Bild in diesem Buch: steif und streng, förmlich und feierlich. In den Jahren des Ersten Weltkriegs habe er »noch Güte ausstrahlen« können (man beachte das vielsagende »noch«), »überwiegend aber Schweigen, Strenge, Nervosität oder Zorn. Nur zu genau erinnere ich mich an Szenen bei Tisch, Ausbrüche von Jähzorn und Brutalität...«

Die Kinder im Hause Mann waren nicht zu beneiden: »Wir mußten uns nahezu immer ruhig verhalten; am Vormittag, weil der Vater arbeitete, am Nachmittag, weil er da erst las, dann schlief, gegen Abend, weil er sich wieder ernsthaft beschäftigte. Und fürchterlich war das Donnerwetter, wenn wir ihn gestört hatten... Auch bei Tisch schwiegen wir meistens.« Das Arbeitszimmer des Vaters durften die Kinder nur betreten, wenn er ihnen vorzulesen gedachte, was freilich »selten, sehr selten« geschah: Es waren »ernste, ja feierliche Stunden«.

Die Gelegenheit, eine andere Person der Familie gegen den Vater auszuspielen, läßt Golo Mann nicht ungenutzt. Die Mutter, von der er sich »nie so recht hatte trennen können«, sei ihrem Mann in mancherlei Hinsicht überlegen gewesen. Weil sie sachlicher und praktischer war, mehr Sinn für die Erfordernisse des Alltags hatte und sich in geschäftlichen Dingen tüchtiger zeigte? Golo Mann geht noch weiter: Thomas Mann, schreibt er, sei der »logisch-juristischen Intelligenz« seiner Ehefrau nicht gewachsen gewesen. Hier wage ich es, leise, ganz leise Zweifel anzumelden. Auch über seinen Onkel Heinrich äußert sich der Autor der »Erinnerungen und Gedanken« mit ungleich mehr Sympathie als über den Vater – so in seinem hier auszugsweise wiedergegebenen Tagebuch vom Juni 1933, als er im französischen Exil zur Familie gestoßen war: »Er tut mir wirklich leid, trägt sein Schicksal mit viel Würde, ja selbst mit Charme, und nicht so damenhaft in seinen Schmerzen, von aller Welt beleidigt wie der Alte.« Überhaupt ist an Seitenhieben gegen den Vater kein Mangel. Als die Eltern einmal einen Berg in der Nähe des Tegernsees »erklommen«, heißt es: »Ich könnte mir denken, daß es die einzige Bergtour war, die mein Vater je machte. Wie bekannt, liebte er das Meer, wenngleich nur vom Ufer aus.«

Aber in welchem Licht die Angehörigen auch erscheinen – die einzelnen Personen bleiben doch nur am Rande des Lebensberichts und gewinnen keine deutlicheren Konturen; das gilt für die gebieterische und blendende Schwester Erika ebenso wie für den geliebten und beneideten Bruder Klaus. Zumal im Vergleich mit den Kapiteln über Karl Jaspers und Leopold Schwarzschild oder über den Pädagogen Kurt Hahn ist Golo Manns Zurückhaltung, sobald er auf seine Eltern oder Geschwister zu sprechen kommt, unverkennbar.

Schon vor einigen Jahren sagte er in einem Fernseh-Gespräch, er habe es satt, der Vikar dieser Familie zu sein. So war ihm denn an nichts weniger gelegen als an einem Familientableau. Was er mit diesen »Erinnerungen und Gedanken« im Sinne hatte, nennt er vorsichtig und etwas umständlich »eine Art von Roman früher Entwicklung«. Man könnte auch sagen: den Roman einer Emanzipation. Genauer: den ersten Teil der Geschichte über die Befreiung eines Außenseiters. Erzählt wird der Weg eines Ungeliebten und Benachteiligten, eines, der sich, von überaus erfolgreichen Menschen umgeben – hier der weltberühmte Vater, da der glitzernde und glänzende, der beinahe genialische Bruder, dort die tüchtige und temperamentvolle, die nahezu jedermann faszinierende Schwester –, für verfemt, für ausgestoßen hält. Zu Recht? Der Junge mag überempfindlich sein, doch ganz aus der Luft gegriffen ist die düstere Selbsteinschätzung nicht. Denn die Umstände, an denen er leidet, sind durchaus real.

Er war kaum vier Jahre alt, als die Mutter in ihrem Tagebuch notierte: »Alles macht er sonderbar ungeschickt oder grotesk: aus einer üppig blühenden Wiese, wo die Kinder Sträuße pflücken, rupft er, für einen anderen kaum auffindbar, drei ganz verhutzelte und verdorrte Gänseblümchen und überreicht sie mir stolz und verschmitzt.«[3] Die verhutzelten und verdorrten Gänseblümchen – sie sind das visuelle Leit- und Leidmotiv dieser Biographie. Vom Minderwertigkeitskomplex hören wir, seit Alfred Adler diesen Begriff in Umlauf gebracht hat, so häufig, daß man ihn ungern verwendet: Er war ein Modewort und ist es vielleicht auch heute; aber bisweilen läßt er sich nicht umgehen. Tatsächlich schildert Golo Mann, wie durch eine falsche, ja grausame Erziehung Minderwertigkeitsgefühle geweckt und gesteigert werden und zu Komplexen führen, die dem Betroffenen ein Leben lang zu schaffen machen. Das Ganze ist um so erschreckender, als es sich um das Werk von Eltern handelt, denen man Intelligenz und Sensibilität auf denkbar höchster Ebene schwerlich absprechen kann.

Man sagt ihm, er sei häßlich, »so daß diese Vorstellung sich, nicht zu meinem Glück, in mir festsetzte«, man verspottet seine Ungeschicklichkeit und sein linkisches Benehmen. Er reagiert, wie nicht anders zu erwarten ist, mit hilflosem Protest, also bockig und widerspenstig. »Zwischen etwa dem neunten und dem zwölften Jahr war ich bei weitem der Schmutzigste unter den Geschwistern... Auch schwindelte ich das Blaue vom Himmel herunter, Erlebnisse, die ich mir erdachte, um mich wichtig zu machen...« Für die Ursachen dieser Neigung zur Unsauberkeit und zum Lügen haben die Eltern – man kann es kaum glauben – nicht das geringste Verständnis.

»Machte ich irgend etwas falsch, so hatte ich zum Schaden den Spott der ›Großen‹«. Die »Großen«, Erika und Klaus, beobachtet er mit »bewundernder Neugier«. Denn sie sind schön und erfolgreich, sie werden von den Eltern ohne Reue bevorzugt, sie haben, wovon er nur träumen kann: Freunde. Auch er möchte sich diesem oder jenem Mitschüler nähern, aber seine Bemühungen mißlingen kläglich. Überhaupt mißlingt ihm alles, er ist ein Pechvogel, ein Versager. Dabei bereitet ihm die Schule keine unüberwindlichen Schwierigkeiten, nur kann er dort nicht brillieren, es sei denn im Geschichtsunterricht; sonst ist er – wie übrigens einst sein Vater in Lübeck – eher unter Mittelmaß.

Wonach er sich sehnt und worauf er geradezu angewiesen ist – hier drängt sich die altmodische Vokabel »Geborgenheit« auf –, das kann er weder in der Familie noch in der Schule finden: Er möchte dazugehören und fühlt sich immer wieder abgewiesen. Da er mit pubertärem Trotz offenbar nichts erreichen kann, hofft er Zuflucht beim anderen Extrem zu finden: »Indem ich zum praktischen Leben erwachte, wollte ich im Hause nützlich sein...«, er will sich der Familie gefällig erweisen, er spricht von seiner »Liebedienerei« und von der Neigung, es auf jeden Fall mit der Obrigkeit zu halten. Es ist alles vergeblich. So schließt er sich den Pfadfindern an, aber auch bei ihnen hat er es schwer: Unter den meist aus ganz anderen gesellschaftlichen Sphären stammenden Jungen gilt er bald als ein verwöhntes »Herrschaftskind«. Das Kapitel über diese Pfadfinderzeit ist »Ein Ausbruchsversuch« betitelt.

Von Ausbruchsversuchen ist hier immer wieder die Rede: Im Sommer 1928 arbeitet er, um das Leben der Proletarier kennenzulernen, in einem Kohlebergwerk in der Niederlausitz (was nach wenigen Wochen mit einem Fiasko endet), 1930 tritt er dem Heidelberger Sozialistischen Studentenverband bei. Letztlich bleibt es beim monologischen Dasein eines Lesers: Schutz bieten ihm, wenn das wirklich einer ist, die Literatur und die Philosophie. »Einsam« lautet denn auch das Schlüsselwort dieser Autobiographie: »Der tägliche Gang zur Universität wurde mir zur Qual... Einsamkeit draußen, Einsamkeit auch zu Hause.« Den Eltern hatte er sich in seiner Internatszeit in Salem mehr und mehr entfremdet, man hat einander nichts mehr zu sagen. In Heidelberg findet er Erholung in »einsamen Spaziergängen«, es wiederholen sich Formulierungen wie »einsame Abende« und »einsame Gasthofstuben«.

Im Sommer 1931 will er die Ferien zusammen mit einem Freund am Bodensee verbringen, der aber versetzt ihn, »so daß ich sechs Wochen lang außer mit meiner Wirtin und der Kellnerin im Gasthof mit niemandem sprach«. An Selbstmordgedanken und Selbstmordträumen fehlt es nicht: »Vor wem fürchtet man sich« – fragt der Dreiundzwanzigjährige in seinem Tagebuch –, »wenn man alleine ist? Im Grunde vor sich selbst; daß die eigene Phantasie, stofflos und auf sich selbst zurückgeworfen, einem ein Schnippchen schlagen könnte...« Noch der Vierundzwanzigjährige sei weltfremd und »tief ungeschickt« gewesen, »wie ich noch lange bleiben sollte«.

Also immer nur Enttäuschungen und Fehlschläge? In der Tat läuft diese Lebensgeschichte auf eine Niederlage zu, freilich eine mit einem welthistorischen Hintergrund: Ende Mai 1933 sieht sich Golo Mann gezwungen, Deutschland den Rücken zu kehren, er fährt zu seinen Eltern nach Bandol bei Toulon. Aus seinem damaligen Tagebuch zitiert er den Satz: »Jetzt ist die Familie das Einzige, was mir geblieben ist, das kann nicht gut gehen...« Ging es nicht gut? Noch viel, viel später, 1980, nachdem er zu einer zentralen Figur unserer geistigen Welt aufgestiegen ist und ihm die höchsten Preise und Auszeichnungen, die dieses Land zu vergeben hat, zugefallen sind, beantwortet er die Frage, was er sein möchte, mit dem lapidaren Bekenntnis: »Jemand, der glücklicher ist als ich.«[4]

Glück und Unglück sind Kategorien, denen man mit rationalen Argumenten schwerlich beikommen kann. Aber es ist Golo Mann hoch anzurechnen, daß er über seine traumatischen Erfahrungen ohne Selbstmitleid berichtet und daß er die andere, die Sonnenseite seines Lebens, selbst wenn er sie vielleicht unterschätzt, keineswegs verschweigt. Der unter seiner Familie und wohl auch unter seiner Veranlagung schwer leiden mußte, hat zugleich der Zugehörigkeit zu dieser Familie unendlich viel zu verdanken gehabt: Ein Sohn Thomas Manns war in der Weimarer Republik ein Auserwählter.

Materielle Not blieb ihm erspart. Gewiß, im Ersten Weltkrieg, als er noch ein Kind war, mußte sich auch die Familie Mann einschränken, doch für drei Hausangestellte reichte es immer noch. Die musische, die intellektuelle Prominenz dieser Epoche – Gerhart Hauptmann, Hugo von Hofmannsthal und Ricarda Huch, Jakob Wassermann, Maximilian Harden und Harry Graf Kessler, Hans Pfitzner, Bruno Walter und viele andere – konnte er schon früh kennenlernen, und von manch einem Gespräch hat der Heranwachsende mit Sicherheit profitiert. In den prägnanten Erinnerungen an die Berühmtheiten bewährt sich Golo Manns hervorstechender Sinn für das Wesentliche und für das Anekdotische: Sie gleichen bisweilen kunstvollen Miniaturen und geben (zusammen mit Reminiszenzen an Theateraufführungen und Lektüreeindrücke) der Autobiographie steckenweise den Rang eines kulturgeschichtlichen Nachschlagebuchs.

Aber ob im Salemer Internat, einer fürstlichen Eliteschule, deren Leiter zum väterlichen Freund des Knaben wird, oder später an den Universitäten von München, Berlin und Heidelberg – stets kommt in dieser Autobiograpie eine eigentümliche Ambivalenz zum Vorschein. Von Jahr zu Jahr wird es deutlicher: Es ist ein Leben gegen Thomas Mann, doch dank des monatlichen, nicht eben karg bemessenen Wechsels ist es ein Leben im Wohlstand. In Berlin kann sich der Student Golo Mann gelegentlich ein Abendessen bei Kempinski leisten. Als seine Staatsexamensarbeit ins Reine geschrieben werden mußte, kommt er überhaupt nicht auf die Idee, es selber zu tun: Er läßt sich vom Arbeitsamt eine Sekretärin vermitteln. Von der Wirtschaftskrise in den letzten Jahren der Weimarer Republik ist bei den Manns nichts zu merken: Die Zahl der Hausangestellten beträgt jetzt fünf, und in der Garage stehen zwei Autos.

Auch Golo erhält als Belohnung für seinen 1932 erworbenen Doktortitel ein Auto geschenkt, ein kleines natürlich, doch kann er jetzt kreuz und quer durch Deutschland fahren und sich davon überzeugen, daß das Schlagwort »Volk ohne Raum« absurd ist. Wenn er unterwegs übernachtet, sei es in Weimar, sei es in Rothenburg ob der Tauber – immer entscheidet er sich für das erste Haus am Platz. Das alles beschreibt Golo Mann genau und nüchtern, dabei weder kalt noch trocken.

Aber eine Autobiographie ist immer fragwürdig und angreifbar; den meisten kann man Unaufrichtigkeit vorwerfen, wenn nicht gar Heuchelei, jede ist lückenhaft. Verbirgt einer seine Schwächen und Fehler, dann wird ihm dies prompt verübelt, spricht er von ihnen klar und offen, dann wirft man ihm vor, er wolle uns mit seiner Strenge gegen sich selbst imponieren. Stellt er sein Licht unter den Scheffel, dann verspottet man seine falsche Bescheidenheit, rühmt er sich seiner Taten und Tugenden, dann empfindet man das als degoutant: Ob Selbstkritik oder Eigenlob – peinlich ist es allemal.

Heine schreibt in seinen »Geständnissen«, daß eine Selbstcharakteristik nicht bloß eine verfängliche, sondern sogar eine unmögliche Aufgabe sei: »Ich wäre ein eitler Geck, wenn ich hier das Gute, das ich von mir zu sagen wüßte, drall hervorhübe, und ich wäre ein großer Narr, wenn ich die Gebrechen, deren ich mich vielleicht ebenfalls bewußt bin, vor aller Welt zur Schau stellte.«[5] Die Historiker, zu deren täglichem Geschäft es gehört, Autobiographien als Quellen zu benutzen, wissen sehr wohl, wie heikel und bedenklich diese Gattung ist. Und worauf der Angeklagte in einem Strafverfahren Anspruch hat, das gebührt auch jedem, der es wagt, über sein Leben Bericht zu erstatten: Er darf, wann immer ihm das angebracht scheint, die Aussage in eigener Sache verweigern.

Von diesem Recht macht der Autor der »Erinnerungen und Gedanken« häufig Gebrauch. Groß und zahlreich sind also die Lücken in seinem Bericht über eine Jugend in Deutschland; sie betreffen vor allem Persönliches und Intimes. Das ist so bedauerlich wie verständlich. Aber wieviel auch Golo Mann verschweigen mag und wie gern er sich mit Anspielungen begnügt und mit knappen, freilich vielsagenden Andeutungen, so erzählt er doch nichts, was den Leser auf eine falsche Fährte bringen könnte. Mehr kann man nicht verlangen.

Für die Aussparungen, mit denen wir uns abfinden müssen, entschädigt uns eine Eigentümlichkeit des Buches, die keineswegs selbstverständlich ist. Der Historiker Golo Mann hat sich nie Illusionen gemacht, man könne Geschichte *sine ira et studio* treiben, er weiß sehr wohl, daß jener, von dem diese beliebte Formulierung stammt, Tacitus also, seinen feierlichen Ankündigungen zum Trotz nicht einmal versucht hat, ohne Zorn und ohne Vorliebe zu arbeiten. Er, Golo Mann, hat immer *cum ira et cum studio* geschrieben. Doch dieses passionierte Engagement, das noch in dem kleinsten Gelegenheitsaufsatz spürbar wird, ist in seinen Schriften untrennbar verknüpft mit einem auffallenden, einem unbeirrbaren Gerechtigkeitssinn. Es mag ja sein, daß dieser gerade bei jenen besonders entwickelt ist, die sich in ihren frühen Jahren fortwährend ungerecht behandelt fühlten.

Das Bedürfnis nach Ordnung, das Vertrauen in die Vernunft und die Sehnsucht nach Gerechtigkeit – das sind die Grundpfeiler des schriftstellerischen und des wissenschaftlichen Werks von Golo Mann. Er war und ist ein Skeptiker, aber es geht nicht an, ihn, wie dies gelegentlich versucht wurde, als Pessimisten abzustempeln. Ganz abgesehen davon, daß diese Kategorie allzu simpel scheint: Wie kann man denn ein Pessimist sein, wenn man bei allem Zweifel an der Gerechtigkeit auf Erden nicht aufhört zu hoffen, daß es möglich sei, Menschen und Geschehnisse gerecht zu beurteilen?

Nun gibt es aber – wie Golo Mann in seinem Essay über Lord Acton, den Historiker, sagte – »keine Gerechtigkeit ohne den Glauben, daß gut gut und schlecht schlecht sei«, und zwar unabhängig von »sogenannten geschichtlichen Aufgaben«, von »Notwendigkeiten und Notlagen«. Es sei »gerade die Unbedingtheit seiner Weigerung, mit den Begriffen von Gut und Schlecht Hokuspokus zu treiben, für die wir ihm heute dankbar sind«.[6] Diese Unbedingtheit gilt für Golo Mann selber, ihr ist er ein Leben lang treu geblieben, und sie bildet, wie könnte es anders sein, das Rückgrat auch seiner »Erinnerungen und Gedanken«. Und eben deshalb hat er sich immer – wie er erst unlängst in einem Interview feststellte – »gegen die Zwangsjacke einer Doktrin« gewehrt, nie war er bereit, sich auf einen »Ismus« festzulegen.[7] Überzeugt, daß Doktrinen (und zwar ausnahmslos alle) die komplexe Wirklichkeit auf gefährliche Weise vereinfachen, beruft er sich auf die »Ideologie der Ideologielosigkeit«.[8]

Damit hängt es zusammen, daß er im Laufe der Jahrzehnte oft genug attackiert und denunziert wurde – von den Rechten als Progressiver und von den Linken als Reaktionär, von den einen als Kosmopolit und von den anderen als Nationalist. Den Platz zwischen allen Stühlen hält er offenbar für durchaus angemessen. Jedenfalls demonstriert er der deutschen Öffentlichkeit, wozu sich jene, die ihn so gern kritisieren, nicht aufschwingen können – Unabhängigkeit und Nonkonformismus. Man braucht bei uns glücklicherweise nicht viel Mut, um den Mächtigen zu widersprechen. Golo Mann indes hat immer wieder gewagt, was in unserer Gesellschaft ungleich riskanter ist – nämlich Ansichten zu äußern, die der Mode und dem Zeitgeist zuwiderlaufen. Gern treibt er – auch hier, in den »Erinnerungen und Gedanken« – die Dinge auf die Spitze, damit sie tatsächlich erkennbar werden, er fürchtet nicht den Irrtum, er sichert sich nicht ab. Schon als Student notierte er: »Wer sich scheut, Sätze zu schreiben, die nicht stimmen, der muß schweigen und zwar sein ganzes Leben lang.«

Daß er an politischer Einsicht Thomas und Heinrich Mann weit übertroffen hat, will, da beiden diese Materie eher fremd war, nicht viel heißen. Kein Zweifel, beider Verlautbarungen zum Tagesgeschehen hatten dereinst ein starkes Echo, doch vor allem deshalb, weil der eine die »Buddenbrooks« und der andere den »Untertan« verfaßt hatte. Golo Manns unkonventionelle und bisweilen eigenwillige Warnungen und Vorschläge werden um ihrer selbst respektiert – und nicht, weil er der Autor des »Wallenstein« ist.

Sein Gerechtigkeitssinn und seine Vorurteilslosigkeit kommen naturgemäß den historischen Kapiteln des Buches besonders zugute, jenen also, in denen sich Golo Mann mit der Politik und der Geschichte Deutschlands vom Ersten Weltkrieg bis zur nationalsozialistischen Machtübernahme auseinandersetzt. Dabei unterläuft ihm nicht der berüchtigte Fehler, dem jugendlichen Helden seiner Autobiographie Überlegungen und Erfahrungen zuzuschreiben, die in Wirklickeit aus späteren Zeitabschnitten stammen. Im Gegenteil: Er unterscheidet genau zwischen seinem damaligen Horizont (»Auch ich gehörte zu denen, die nachher viel viel klüger waren als vorher«) und seinen heutigen Erkenntnissen, er schildert, wie er im Frühjahr 1933 trotz der allgemeinen Unsicherheit damit beschäftigt war, seine berufliche Zukunft vorzubereiten – »so als ob alles in Ordnung wäre«.

Auch fällt es auf, daß Golo Mann, von jenen redend, die den neuen deutschen Machthabern zum Sieg verholfen haben, bei aller Strenge doch nie unnachsichtig oder rigoros urteilt. Sogar für diejenigen Großindustriellen, die Hitler gedient und finanziert haben, bringt er einen Schimmer von Verständnis auf: »Mit Stahlwerken kann man nicht so leicht auswandern wie mit einem Romanmanuskript.« Aber ob Entwicklungsroman oder zeitgeschichtliche Darstellung, ob »Erinnerungen« erzählt oder »Gedanken« mitgeteilt werden – hier wie da zeigt sich das bewundernswerte schriftstellerische Können Golo Manns. Sein nie nachlassendes Interesse für Geschichte, berichtet er, hätten die historischen Romane geweckt, die er in seiner Jugend las: »Und da sie alle, teils großartig, teils wenigstens geschickt geschrieben waren, so fand ich nichts natürlicher, als daß Historie so lesbar sein könne und müsse wie ein Roman.«

Für ihn ist Geschichtsschreibung nichts anderes als Literatur. Die Legitimation holt er sich von den alten Römern. Mit der ihm eigenen Entschiedenheit und Einfachheit erklärt er: »Alle römischen Historiker machen Literatur, mit Ausnahme Caesars... Alle wollen sie großartig unterhalten, auch Tacitus.«[6] Doch sein wahres Vorbild ist ein deutscher Historiker: Schiller. Über ihn schreibt er: »Den Dingen einen Stil geben, Spannung, Drama bieten – anders konnte er es nicht. Immer war er *homme de lettres*, selbst als Philosoph...« Er wußte, »daß Erzählen selbst dessen, was sich wirklich begeben, immer auch Deutung ist, weil es so, wie es wirklich gewesen, in seiner formlosen Unendlichkeit, sich ja doch nicht ergreifen läßt; daß, wer etwas erzählen will, es schön erzählen muß...«[7]

Schiller habe gar nicht anders schreiben können, als er geschrieben hat, und auch ihm, Golo Mann, habe sich die Frage nach dem Stil niemals gestellt. Daran ist nicht zu zweifeln. Nur gehörten zu den Büchern, die er in seiner Jugend las, auch jene des Vaters. Um es überspitzt auszudrücken: Wahrscheinlich hat kaum ein Schriftsteller seinen Stil in höherem Maße geprägt als Thomas Mann; aber es war ein Einfluß in reziprokem Sinne. Hans-Martin Gauger spricht in einer gründlichen Untersuchung der Diktion Golo Manns treffend von einem »bewußt-unbewußten Anschreiben gegen Thomas Mann« und weist darauf hin, daß die kurzen Sätze des Historikers und deren Segmentierung der Prosa seines Vaters konträr entgegenstehen.[8] Mit seinem wohltuend natürlichen Parlando erreicht Golo Mann ein Maximum an Deutlichkeit und Anschaulichkeit. Sein Stil ist es, der ihn vor Gefahren bewahrt hat, denen sogar die Größten nicht immer entgehen konnten – diese Autobiographie kann man weder der Eitelkeit noch der Koketterie beschuldigen.

Makellos ist das Deutsch der »Erinnerungen und Gedanken« allerdings nicht. Als Vladimir Horowitz unlängst eine Schallplatte einspielte, unterliefen dem alten Meister drei Fehler, die er aber leicht korrigieren konnte. Tatsächlich tat er dies, beseitigte jedoch nur zwei und ließ den dritten stehen: »Damit man merkt, daß ich ein Mensch bin.« Auch in diesem Sinne ist Golo Manns Buch sehr menschlich: Pedanten werden hier und da sprachliche Eigenarten oder gar Nachlässigkeiten beanstanden, nicht alle Informationen sind ganz exakt, manche Reflexionen scheinen etwas flüchtig, es gibt Kapitel, die zu ausführlich und, weit häufiger, solche, die leider viel zu knapp geraten sind. Mit einem vollkommenen Werk haben wir es also nicht zu tun. Aber gerade dies macht es noch sympathischer.

Es ist in dieser Autobiographie – und wen könnte das

wundern? – viel Schwermut und auch Bitterkeit, doch keine Spur von Zynismus oder Menschenverachtung. Hinter der erstaunlichen Synthese aus Weisheit und Leichtigkeit verbirgt sich eine Einsicht, die Golo Mann in seinem Heine-Essay von 1972 formuliert hat: »Die sind der Wahrheit näher, die heiter mit ihr umgehen, weil sie von ihrer Unerschöpflichkeit wissen.«[9] Und schließlich: Er habe – schreibt Golo Mann – von Karl Jaspers gelernt, »daß der Mensch immer mehr ist, als er selber von sich wissen kann, daher sich selber durch sein Tun immer wieder überraschen wird.« So hat denn auch Golo Mann mit dem Buch »Erinnerungen und Gedanken« sich selber überrascht – und uns alle. (1986)

Die Erwählte

Wie seine Biographie längst Literaturgeschichte ist, so sind auch die Menschen, die in Thomas Manns nächster Umgebung waren, ob es ihnen paßt oder nicht, historische Figuren. Für niemanden gilt das mehr als für die Frau, die ihn ein halbes Jahrhundert lang geliebt und begleitet, bewundert und gestützt hat: Katia Mann, geborene Pringsheim. Seine Betreuerin war sie und seine unermüdliche Helferin, seine Gefährtin und seine leidgeprüfte Mitkämpferin, seine Boraterin und bescheidene Sekretärin.

Indem sie zwischen ihm und der Umwelt, zwischen seinem Werk und dem täglichen Leben mit Geist und Takt, mit Umsicht und Souveränität vermittelte, ermöglichte sie die Entstehung, die Fortsetzung und die Vollendung dieses Werks: Ihr war es gegeben, »des Träumers Wirken und Wagen liebevoll abzuschirmen gegen das Störende, Praktische, Geschäftliche, das ihn erschöpfen und für seinen Lebenskampf untauglich machen würde...«[1] Das ist ihr nie leichtgefallen, denn es war, wie überraschend es auch anmuten mag, nicht unbedingt im Einklang mit ihrem Naturell. Thomas Mann hat dies angedeutet, als er ihr dankte »für die heldenhafte Geduld, zu der Liebe und Treue ihre natürliche Ungeduld anhielten«. Mit der Figur der Rahel in »Joseph und seine Brüder« hat er ihr ein Denkmal errichtet. Hier heißt es, »daß Geist und Wille, ins Weibliche gewendete Klugheit und Tapferkeit hinter dieser Lieblichkeit wirkten und ihre Quelle waren«.

So steht sie in einer Reihe mit jenen oft unterschätzten Frauen, denen Deutschland unendlich viel zu verdanken hat – in einer Reihe mit Goethes Christiane und Schillers Charlotte, mit Heines Mathilde und Fontanes Emilie. Doch keine von ihnen hat ihre Aufgabe auf so vollkommene Weise gelöst wie Katia Mann. Was sie für ihre Pflicht hielt, erfüllte sie nicht nur tapfer und tüchtig, sondern auch still und diskret: »Nie bin ich hervorgetreten, ich fand, das ziemte sich nicht. Ich sollte immer meine Erinnerungen schreiben. Dazu sage ich: In dieser Familie muß es einen Menschen geben, der nicht schreibt.«[2] Nun hat sie ihr Wort doch gebrochen, und es erweist sich, daß es in dieser Familie niemanden gibt, der schlecht schreiben kann.

Allerdings wurde das Buch, will man genau sein, zum großen Teil gesprochen und nicht geschrieben: es ist aus mehreren Fernseh-Interviews entstanden. Elisabeth Plessen hat die Autorin befragt, korrigiert und bisweilen ergänzt; und von ihrem jüngsten Sohn, Michael Mann – seines Zeichens Professor für deutsche Literatur an der Berkeley-Universität in Kalifornien –, wurden die Gespräche (offenbar sehr behutsam) redigiert. Der lockere, ungezwungene mündliche Duktus ist jedenfalls erhalten: Die gedruckten Erinnerungen wirken so natürlich und temperamentvoll, so spontan, wie sie es schon auf dem Bildschirm waren; übrigens geht der Buchtext weit über den damals ausgestrahlten hinaus.

Keine Betrachtungen also, sondern ganz einfach Plaudereien, keine Erörterungen oder gar Untersuchungen, sondern knappe Verweise und Anekdoten, Reminiszenzen und Randbemerkungen. Die Germanisten, die Katia Mann nicht mag (sie »vergleichen sowieso viel zuviel«), werden möglicherweise etwas enttäuscht sein, obwohl auch sie aus manchen Auskünften und Andeutungen Nutzen ziehen könnten. Gewiß, dies ist nicht ein Buch für Wissenschaftler. Es ist etwas ganz anderes – nämlich ein Fest für Leser. Aus dem, was Katia Mann erzählt, ergibt sich zunächst einmal – auch wenn es keineswegs beabsichtigt war – ein

Stück deutscher Kultur- und Sittengeschichte, gesehen von einer, deren Leben von Anfang an außergewöhnlich war.

Sie wurde 1883 in München geboren. Ihr Vater war der ebenso geschätzte wie vermögende und kunstsinnige Mathematikprofessor Alfred Pringsheim. Eine Schule hat Katia nie besucht: Sie bekam natürlich Privatunterricht. Dann sollte sie, da sie nicht nur schön, sondern auch intelligent und gescheit war, das Abitur machen. Dies indes war eine Entscheidung gegen die Sitte und gegen die Konvention. Denn in den neunziger Jahren gab es in München kein Mädchengymnasium, geschweige denn eine Koedukationsschule.

Da also Katia nicht ins Gymnasium gehen konnte, kamen die Gymnasialprofessoren zu ihr. Die Reifeprüfung, der sich ihr künftiger Mann trotz mehrerer Anläufe nicht einmal zu nähern vermochte, bestand sie glanzvoll, ja die Siebzehnjährige war Münchens erste Abiturientin. Sie studierte Mathematik und Physik bei ihrem Vater und übrigens auch bei Wilhelm Röntgen. Freilich enttäuschte sie bald die Frauenrechtlerinnen, darunter ihre Großmutter, die einst populäre Schriftstellerin Hedwig Dohm. Denn Katia Pringsheim, die sich nicht, wie damals üblich, für die Aufgaben einer Ehefrau und Mutter vorbereitet, sondern den Wissenschaften gewidmet hatte, brach 1905 das Studium ab und wurde eben doch Ehefrau und Mutter.

Der Umgang mit Berühmtheiten gehörte schon in der Jugend zu den Selbstverständlichkeiten ihres Alltags. Kaulbach und Lenbach waren glücklich, das ungewöhnlich reizvolle Mädchen porträtieren zu dürfen. Im Hause der Eltern Katias verkehrten die Komponisten und Schriftsteller der Epoche: Richard Strauss und Max von Schillings, Heyse, Halbe und Wolfskehl.

Aber auch sie selber war schon eine zumindest lokale Berühmtheit: Man machte auf sie aufmerksam, wo immer sie erschien. Freilich wurde sie nie ohne Begleitung gesehen: »Wenn ich ausging, war ich eigentlich immer von meinen vier Brüdern umgeben. Ich trat nie allein auf. Damals durfte ein junges Mädchen überhaupt nicht allein auf die Straße.« Wie von ihren Brüdern, so wurde die selbstsichere und keineswegs auf den Mund gefallene Studentin auch von jenen umgeben, die um ihre Hand anhielten. Unter den Abgewiesenen war Deutschlands prominentester Theaterkritiker: Alfred Kerr.

Thomas Mann, noch keine dreißig Jahre alt, verkehrte ebenfalls im Hause Pringsheim. Er war vom ersten Augenblick an von der kultivierten Pracht dieses Hauses beeindruckt und von dem Charme Katias fasziniert: »Du glaubst nicht« – schrieb er 1904 an einen Freund – »wie ich dieses Geschöpf liebe. Ich träume jede Nacht von ihr und erwache mit einem völlig wunden Herzen.«[3] Dem jungen und schon weithin anerkannten Autor der »Buddenbrooks« machte sie es nicht leicht: »Ich habe das nicht so sehr ernst genommen und wäre nicht auf den Gedanken gekommen, ihn zu heiraten.« Noch heute legt Frau Katia Mann Wert auf die Feststellung: »Es ging von ihm aus.«

Aber obwohl sie »nicht so sehr enthusiasmiert« war und sich »zunächst skeptisch verhalten« habe, hatte er doch »den dringenden Wunsch, mich zu heiraten. Er wollte es offenbar sehr gern und war« – wer hätte das gedacht! – »geradezu draufgängerisch.« Den Ausschlag scheinen seine »wunderbar schönen Briefe« gegeben zu haben. »Er konnte ja schreiben« – fügt Frau Katia erklärend hinzu. Und wer wollte da widersprechen? Also wurde geheiratet – und Frau Katia Mann konnte weiter so leben, wie Fräulein Pringsheim es gewohnt war, nämlich fürstlich. Schon 1903 hatte ihr künftiger Gatte einem Freund kurzerhand mitgeteilt: »Man führt, möchte ich sagen, ein symbolisches, ein repräsentatives Dasein, ähnlich einem Fürsten.«

Freilich reicht das Einkommen des jungen Schriftstellers noch nicht ganz aus. Macht nichts: Für den Professor

Pringsheim ist es eine Ehre, allmonatlich den noch nötigen Betrag beizusteuern. Und als sich 1908 das junge Paar ein Landhaus in Bad Tölz bauen will, da wird der Verleger Samuel Fischer um 3000,– Mark Vorschuß gebeten, den er sofort gewährt, mit dem Zusatz übrigens, es handle sich doch wohl um einen Schreibfehler, denn gewiß seien 30 000,– Mark gemeint.

Das gesellschaftliche Leben steht dem, an das Frau Katia in ihrem Elternhaus gewohnt war, keineswegs nach. Zum Tee kommen Hauptmann oder Wedekind, Hofmannsthal oder Hesse, André Gide, Bruno Frank oder Ernst Bertram, Gustav Mahler oder Wilhelm Furtwängler und nicht selten auch der Schwager, der Bruder zur Linken, Heinrich Mann. Zum Konzert fährt man zusammen mit dem Nachbarn, dem Generalmusikdirektor Bruno Walter, in einer Hofequipage mit einem blaulivrierten Kutscher und einem ebenso livrierten Diener.

Man hat sein Standesbewußtsein und will entsprechend behandelt werden. In Hiddensee beispielsweise, erinnert sich Frau Katia – es ist nun schon ein halbes Jahrhundert her –, war es ärgerlich, »weil Hauptmann doch der König von Hiddensee war«, und zwar dermaßen, »daß für uns dort wenig Aufmerksamkeit abfiel«. Apropos Hauptmann: Einmal ging er mit Frau Katia in Bozen spazieren »und war da etwas zudringlich«. Und einmal saß er im Theater in der Loge neben Frau Katia und »war wieder einmal sehr zudringlich«, freilich auch »sehr nett«, denn »er hatte ein kleines Faible für mich«. Da denken wir uns allerlei, doch wollen wir lieber wie Mynheer Peeperkorn verkünden: Über diesen Punkt nichts weiter. Perfekt. Erledigt.

Peeperkorn? »Margarete, Hauptmanns Frau, hat später einmal zu mir gesagt, diese Figur sei sicher das schönste Monument für Gerhart.« Hauptmann allerdings war gar nicht zufrieden. Die Lübecker ärgerten sich über ihre Por-

träts in den »Buddenbrooks«. Die Davoser protestierten
gegen den »Zauberberg«. Der Schriftsteller Arthur Holit-
scher nörgelte über die (ihm nachgebildete) Figur des Det-
lev Spinell im »Tristan«. Annette Kolb erkannte sich in der
Jeannette Scheuerl (aus dem »Doktor Faustus«) wieder,
von der es aber heißt, sie hätte ein »elegantes Schafsge-
sicht« – da war der Bruch da und für immer.

Warum dieser ewige Ärger mit den Urbildern vieler
Figuren? »Weil sie sich allzu naiv mit der dichterischen
Hervorbringung identifizierten« – meint Katia Mann. Sehr
richtig. Doch auch sie selber hat gelegentlich Modell
gestanden, so beispielsweise – die Literaturgeschichte weiß
es längst – für die Imma Spoelmann in der »Königlichen
Hoheit«. Und ist Frau Katia zufrieden? »Imma ist ein bißchen zu schnippisch, so war ich eigentlich nicht. . . Imma
ist zu outriert nach meiner Meinung. . .« Kurz: »Ein ganz
schiefes Porträt«. So ist der Mensch.

Über seine Buchpläne habe sie, berichtet Frau Katia, mit
ihrem Mann oft gesprochen, aber »direkt beraten« habe sie
ihn nur ein einziges Mal – beim »Zauberberg«; hier gehe
sehr vieles auf ihre Beobachtungen und Erlebnisse in Arosa
und in Davos zurück. Übrigens: »Es war schon in sittli-
cher Hinsicht dort oben alles nicht ganz einwandfrei«; so
erinnert sich Frau Mann an »die ungeheure Laxheit, die
bestand, daß man über die Balkone von einem Zimmer ins
andere kommt«. Laxheit in Davos? Da denken wir an
Madame Chauchat. Auch diese Figur sei durchaus nicht
erfunden. Es gab nämlich im Sanatorium eine russische
Patientin: »Sie hat meinen Mann zunächst mit ihrem
Türenschmeißen tatsächlich sehr verletzt, beleidigt und
geärgert, aber dann hat er für ihre Reize sehr viel Sinn
gehabt.« Doch gingen seine Gefühle – versichert Frau
Katia – nicht etwa so weit wie die Hans Castorps: »Er hat
sie nur beobachtet, und sie hat ihm sehr gefallen. Er hat. . .
nicht mit der Frau angebändelt.« Das beruhigt uns alle.

Es folgen Erinnerungen an die Exilzeit in der Schweiz und, vor allem, in den USA. In Pacific Palisades hat die Familie eine Köchin und einen Butler, später sogar zwei Butler. Annette Kolb wunderte sich ein wenig. Frau Katia hat ihr geantwortet: »Wir sind halt sehr fein. Es ist nun mal so.« Der gesellige Verkehr? Döblin, Werfel, Broch, Feuchtwanger und Heinrich Mann, Einstein, Reinhardt und Alma Mahler-Werfel, Schönberg, Eisler, Adorno und Bruno Walter. Mit dem Nachbarn Brecht gab es freilich keine Kontakte.

Was Frau Katia Mann über den Freundeskreis zu sagen hat, ist für die Betroffenen nicht immer schmeichelhaft. Hermann Hesse hatte einen »drolligen guten Menschenverstand«, Feuchtwanger war »sehr eitel, aber auf völlig entwaffnende Art«. Einstein hatte »etwas Kindliches im Wesen, so große Glupschaugen«; er war »im gewöhnlichen Leben kein sehr eindrucksvoller Mensch. Politisches Verständnis anlangend – damit war es bei ihm nicht weit her.« Alma Mahler-Werfel »trank immer viel zuviel süße Liköre« und »war von Natur her ziemlich bös. Sie machte gern Klatschereien...«; indes: »Mein Mann hatte sehr viel für sie übrig.« Schönberg »war kein sonderlich gewinnender Mensch« und »bei Schönbergs ging alles ein bißchen drunter und drüber«. Gar nicht gut ist Frau Mann auf Adorno zu sprechen: »Er war doch zuweilen wie närrisch vor Anspruch und Blasiertheit.«

Ganz schlimm ergeht es jenen, die irgendwann etwas gegen ihren Gatten geäußert haben. Kerr, Musil, Döblin werden ihre Sünden angekreidet, da kennt Frau Mann kein Pardon. Noch heute verübelt sie Maximilian Harden eine gönnerhafte Bemerkung, noch nach fast siebzig Jahren erinnert sie sich an eine Kritik, in der es nach einer Lesung aus »Fiorenza« hieß, diese Renaissance-Dialoge »in der Sprache Onkel Bräsigs« zu hören, sei etwas komisch gewesen; das war doch »sehr ungerecht«, denn ihr Mann hatte doch »nur einen ganz leichten norddeutschen Tonfall«. Derartige Akzente, ebenso rührend wie ein wenig weltfremd, machen die »Ungeschriebenen Memoiren« der Einundneunzigjährigen eigentlich nur noch sympathischer. Sie hatte schon recht, als sie bei der Lektüre ihres Manuskripts mehrfach feststellte, »daß das doch eine recht amüsante Erzählung« sei.

Aber war Katia Mann, die Frau des ersten deutschen Schriftstellers dieses Jahrhunderts, die Mutter der Publizistin Erika Mann, des Romanciers Klaus Mann, des Historikers Golo Mann, des Germanisten Michael Mann, der Feuilletonistin Monika Mann und der Journalistin Elisabeth Mann, war Katia Mann, die Erwählte, wirklich glücklich? In den »Ungeschriebenen Memoiren« bemerkte sie, zu unser aller Verblüffung, fast beiläufig: »Ich habe in meinem Leben nie tun können, was ich hatte tun wollen.« Wäre also das bewundernswerte Lebenswerk dieser Frau erkauft durch Verzicht, durch, wie es früher pathetisch hieß, Entsagung?

In ein für Katia bestimmtes Exemplar der »Betrachtungen eines Unpolitischen« schrieb Thomas Mann 1918: »Wir haben es zusammen getragen, liebes Herz, und wer weiß, wer schwerer daran zu tragen hatte, denn zuletzt hat der immer Tätige es leichter als der nur Duldende.«[4] Und 1953, auf einem Empfang aus Anlaß ihres siebzigsten Geburtstages, formulierte Thomas Mann auf vollendete Weise seinen Dank – und zugleich unser aller Dank: »Wenn irgendein Nachleben mir, der Essenz meines Seins, meinem Werk beschieden ist, so wird sie mit mir leben, mir zur Seite. Solange Menschen meiner gedenken, wird ihrer gedacht sein. Die Nachwelt, hat sie ein gutes Wort für mich, ihr zugleich wird es gelten...«[5]

Katia Mann, geborene Pringsheim, ist am 25. April 1980 in Kilchberg bei Zürich im Alter von fast 97 Jahren gestorben.   (1974/1980)

Der Ungeliebte

Am 6. Juni 1950 feiert Thomas Mann in Zürich seinen fünfundsiebzigsten Geburtstag. Zu den zahllosen Glückwünschen und Geschenken, die er aus diesem Anlaß erhält – »ich bin hilflos vor soviel Güte«, heißt es in der gedruckten Dankkarte, mit der sich die meisten Gratulanten begnügen müssen –, gehört eine nicht alltägliche Sendung aus der DDR: Hans Mayers umfangreiche, im Ost-Berliner Verlag Volk und Welt gerade rechtzeitig erschienene Untersuchung mit dem Titel »Thomas Mann – Werk und Entwicklung«.

Bereits am 23. Juni 1950 schreibt der Fünfundsiebzigjährige dem Verfasser der Monographie: »Ihr Buch – es ist ein Ereignis für mich und für die literarische Welt, eine großartige kritische Leistung! In vielen halben Stunden habe ich es vom ersten bis zum letzten Wort gelesen, manches zweimal, geehrt und bewegt von dem Erlebnis, mein Werk von soviel ausdrucksvoller Erkenntnis umleuchtet und durchdrungen zu sehen!« Am Ende des Briefes erklärt Thomas Mann: »Wie dankbar ich Ihnen bin für Ihre geistvolle Versenkung in mein Lebenswerk..., muß und kann ich nicht sagen.«[1]

Anders beurteilt er die Bemühungen seines Interpreten in einem nur wenig später, am 11. Juli 1950, geschriebenen Brief, der allerdings auch an einen anderen Adressaten (Theodor W. Adorno) gerichtet ist. Zwar sei in Mayers Buch – meint er jetzt – »viel dankenswert Kluges, aber auch viel Danebengehendes und Fehlendes«. Was Thomas Mann eben noch als »eine großartige kritische Leistung«

gerühmt hatte, bezeichnet er hier als einen eher zweifelhaften Versuch: »Ist nun, frage ich mich, solch ein Buch hilf-
reich und fähig, den Bogen eines Lebens am geistigen Fir-
mament zu befestigen?... Nun, man geht und wird nichts
wissen. Es kann einem im Grunde einerlei sein. Überströ-
mende Liebeskundgebungen und idiotische Schmähungen
langweilen mich nachgerade gleicherweise.«[2]

Wie ist das zu verstehen? Darf man die im Brief an Hans
Mayer formulierte Einschätzung auf die bekannte Höflichkeit Thomas Manns zurückführen und – um es noch deutlicher zu sagen – auf seine bewährte Taktik im Umgang mit
den Kommentatoren des eigenen Werks? Und zeugt etwa
die andere Äußerung von seiner wirklichen, seiner aufrich-
tigen Meinung in dieser Sache? Eine solche Deutung des
offensichtlichen Widerspruchs mag sich in der Tat aufdrän-
gen; nur scheint sie mir ebenso bequem wie falsch zu sein.

Zunächst einmal: Die im Brief an Adorno enthaltenen
und durch Mayers Monographie ausgelösten allgemeinen
Bemerkungen können schwerlich für bare Münze genommen werden. Es gibt genug Beweise dafür, daß sein Ruhm
und sein Nachruhm dem Schriftsteller Thomas Mann bis
ans Ende seines Lebens mitnichten einerlei waren. Für die
seinem Werk erwiesenen »Liebeskundgebungen« zeigte er
sich, mochten sie »überströmend« sein oder nicht, immer
besonders dankbar. Auch der längst weltberühmte Autor
war ein ungewöhnlich geduldiger Briefschreiber, der viel
Zeit der Korrespondenz mit jenen widmete, die seine
Bücher freundlich interpretiert hatten oder interpretieren
wollten. Andererseits reagierte er gerade in der Zeit nach
1945 auf tatsächliche oder vermeintliche »idiotische
Schmähungen« zu häufig, zu ausführlich und zu heftig, als
daß sich glauben ließe, sie hätten ihn nur gelangweilt.
Adorno notierte gelegentlich, »daß noch der plumpeste
und törichteste Angriff ihn (Thomas Mann) zu erschüttern
vermochte«.[3]

So ist es aber wohl angebracht, die ziemlich unwillige und offenkundig gereizte Bemerkung mit einer akuten Verdrießlichkeit zu erklären. Diese freilich mußte etwas mit Mayers Buch zu tun haben. Dabei handelt es sich um eine außerordentlich respektvolle Untersuchung, die niemals einen Zweifel an der hohen Bewunderung des Autors für die Kunst Thomas Manns aufkommen ließ. Sein damals neuestes Werk, den Roman »Doktor Faustus«, hatte Mayer, beispielsweise, so enthusiastisch analysiert, daß er es später für nötig hielt – mit Recht, wie ich meine –, von seiner ursprünglichen Beurteilung dieses Buches entschieden abzurücken.[4]

Indes wäre es abwegig, annehmen zu wollen, Mayer habe Thomas Mann mit einer mehr oder weniger positiven Einschätzung seiner Leistung verletzt oder doch zumindest ernsthaft verstimmt. Womit also? Im Grunde geht es um ein einziges von den achtzehn Kapiteln der Monographie – um dasjenige mit dem (übrigens nicht sehr glücklichen) Titel: »Gerhart Hauptmann oder die Persönlichkeit«. Als Ausgangspunkt dient eine aus dem Jahre 1946 stammende Notiz in der »Entstehung des Doktor Faustus«. Er glaube, bekannte damals Thomas Mann, er sei keine »Persönlichkeit«. So beiläufig diese Eintragung, so wichtig scheint sie Mayer zu sein. Er skizziert die eigentümliche Rolle, die Thomas Mann im öffentlichen Leben der Weimarer Republik gespielt hat und vergleicht sie mit der Wirkung, die von der Figur eines Gerhart Hauptmann ausging: »Wenn Gerhart Hauptmann populär und Persönlichkeit war, so war es Thomas Mann in jenen Jahren bis zum Ende dieser deutschen Republik unter den Deutschen durchaus nicht im gleichen Maße. Er war nicht eigentlich populär – und er wurde erst recht nicht als ›Dichterpersönlichkeit‹ im gleichen Maße anerkannt.«[5]

Die Belgier hätten, schreibt Mayer, ihren ersten König Leopold den »Ungeliebten« genannt. Er sei in seiner nüch-

ternen und bürgerlichen Art vermutlich ein sehr guter
Regent gewesen: »Gefühlswirkungen vermochte er jedoch
nicht auszulösen. Ungeliebt in einem ähnlichen Sinne war
auch Thomas Mann in seinem Mannesalter, jedenfalls in
Deutschland. Die Jugend hatte sich in seinen frühen
Novellen gern wiedererkannt, vor allem im ›Tonio Kröger‹. Im Zeitraum der Weimarer Republik dagegen hörte
solche tiefere seelische Bindung für lange Zeit auf. Bis
heute ist diese Fremdheit und Kühle bürgerlicher Schich-
ten gegenüber Thomas Mann geblieben... Hermann
Hesse erlebte um diese Zeit mit dem ›Demian‹ eine gewaltige und gefühlshafte Begegnung zwischen Leser und
Schriftsteller; Thomas Mann wurde sie seit dem ›Tonio
Kröger‹ oder dem ›Tod in Venedig‹ kaum mehr zuteil. Man
spendete Bewunderung, nicht aber Ehrfurcht, gar Liebe.«

Diese Distanz korrespondierte – führt Mayer weiter aus
– »mit der kühlen Haltung fast aller schreibenden Zeitgenossen Thomas Manns gegenüber dem Menschen und seinem Werk. Gerade die Eigentümlichsten unter ihnen
schienen wenig eigene Antriebe aus Thomas Manns Wirksamkeit zu erhalten: sie standen ihm fern und fremd gegenüber.« – Mayer stützt seine These mit vielen Beispielen:
Hofmannsthal, George, Rilke, Kafka, Musil, Brecht,
Arnold Zweig. Er faßt dann zusammen: »Allenthalben war
Fremdheit. Ihnen allen war Thomas Mann der Ungeliebte.« Und Mayer folgert, »daß Thomas Mann an solcher
Fremdheit tief und heiß gelitten haben muß«.

Die Frage nach der »Persönlichkeit« und nach der »Problematik des Ungeliebten« erweist sich also als die zentrale
Frage nach der Integrierung oder, richtiger gesagt, nach
der auffallenden Nicht-Integrierung Thomas Manns im
deutschen Volk. Mayer macht klar, wie wenig der Autor
des »Zauberberg« der allgemeinen Vorstellung vom Dichter entsprach, die sich in Deutschland etwa seit dem Scheitern der Revolution von 1848 verbreitet hatte. »Dichter

war vor allem« – lesen wir – »Gerhart Hauptmann, nämlich im öffentlichen Bewußtsein des deutschen Bürgers
zwischen den Weltkriegen. Um so stärker, als Hauptmann
ersichtlich kaum einen Satz, kaum einen Gedanken herauf-
brachte, der zu den Ereignissen des Tages brauchbare Beziehung besessen hätte. Hauptmanns Reden und Bekenntnisse waren Klang, Gefühl, Geste und symbolhaft wirkende Haltung; Erkenntnis brachten sie nicht. Herr Peeperkorn war in den Augen Settembrinis nur ein dummer,
alter Mann. Aber seine Wirkung war unzweifelhaft. Thomas Manns Stärke war das alles nicht.«

Im Gegenteil: Seine »literarische Herrschaft war eine
solche der rationalen, der durch Leistung überzeugenden
Art, keine Bindung im Sinne der ›Führerschaft‹ oder der
›Meisterschaft‹«. Mayer glaubt, daß Thomas Mann sich
dessen schon sehr bald bewußt wurde und daß er »nicht
bloß die Art seines Wesens« erkannt habe, sondern auch
und vor allem »Umfang und Grenze seiner Gestalt als
Schriftsteller«. Denn unverkennbar sei »der Prozeß der
geheimen Identifizierung« mit dem von ihm immer wieder, zumal im Frühwerk, gezeichneten »Typ des durch
Kunstverstand, Ordnungswillen, Fleiß und seelische Öko-
nomie wirkenden Künstlers«. Zwischen der Problematik
des »Ungeliebten« und diesem Typ sieht Mayer einen
direkten Zusammenhang, eine unmittelbare Wechselbezie-
hung.

Im zitierten Brief vom 23. Juni 1950 verwahrt sich Thomas Mann gegen eine derartige Auslegung. Was er dem
Monographen zu erwidern hat, läuft auf eine sowohl wür-
dige als auch rührende Selbstverteidigung hinaus, die um
so mehr aufschlußreich und symptomatisch ist, als er letztlich stichhaltige Argumente gegen Mayers Interpretation
nicht finden kann. Gewiß, räumt Thomas Mann ein, sei er
keine »Persönlichkeit« in jenem »etwas komischen Sinn«,
den dieser Begriff für ihn habe: »So ein Genie-Kopf, deko-

rativ, magnetisch, bezwingend, gesellschaftlich überwältigend, bin ich nicht.« Doch käme das »Suggestiv-Persönlichkeitsmäßige vor Menschen manchmal zu seinem Recht, in Sälen, in Theatern, wo denn meine Vorträge und Erzählungen, wenn ich sie selbst nach dem Manuskript reproduziere, fünfmal besser und zündender, gewinnender, bannender sind, denn als Lektüre«.

Aber Hans Mayer hat mit keinem Wort Thomas Manns in der Tat hervorragende Fähigkeiten als Vortragskünstler bezweifelt: Er vermochte die Ausdruckskraft der eigenen Texte erheblich zu steigern und ein literarisches Publikum tief zu beeindrucken. Das ändert jedoch nichts an dem bezeichnenden Umstand, daß es ihm in der Weimarer Republik, zumal in ihren letzten Jahren, immer seltener möglich war – wie Mayer schreibt –, »jene bürgerlichen Menschen in Deutschland zu bannen, als deren Repräsentant und Sprecher er wirken wollte«.

Schließlich sei es Mayer selber – argumentiert Thomas Mann – aufgefallen, daß Adrian Leverkühn bei aller Kühle, Distanziertheit und Verschlossenheit »doch immer Liebe, Ergebenheit, Hingabe« um sich sammle. Der Autor des »Doktor Faustus« bemerkt hierzu: »Eine Beobachtung, die mich ergriff.« Indes sprach Mayer ausdrücklich von der Romanfigur Adrian Leverkühn und nicht vom Verfasser des Werks. Die beiden miteinander identifizieren zu wollen, wäre, obwohl Adrian mit vielen Zügen seines Schöpfers versehen ist, natürlich absurd; und niemand würde dagegen heftiger protestieren als Thomas Mann. Überdies: der von Mayer konstatierte Sachverhalt – daß der Held des »Doktor Faustus« Liebe und Hingabe um sich sammle – deutet wohl an, wonach sich Thomas Mann insgeheim gesehnt hat, kann aber bestimmt nicht, wie er es offenbar hofft und wünscht, als Beweis dafür gelten, was ihm tatsächlich zuteil wurde.

Es ist kaum anzunehmen, Thomas Mann habe die Überlegungen seines Interpreten mißverstanden; wahrscheinlicher ist es schon, daß er sie mißverstehen wollte. So beteuert der Fünfundsiebzigjährige: »Ich will nicht sprechen von tausend Briefen aus aller Welt, die von Sympathie, Dankbarkeit überströmen.« Indes dachte ja Mayer, wenn er sich der Stichworte »Persönlichkeit« und, insbesondere, »der Ungeliebte« bediente, keineswegs an Sympathie und Dankbarkeit, sondern an tiefere emotionale Bindungen zwischen Leser und Schriftsteller, an »Liebe« eben.

Es stimme nicht, heißt es weiter in dem Brief von Thomas Mann, daß sich die zeitgenössischen Schriftsteller »gleichgültig« oder »ablehnend« gegen ihn und sein Werk verhalten hätten. Doch war bei Mayer weder von Gleichgültigkeit noch gar von Ablehnung die Rede, vielmehr von »kühler Haltung« und, vor allem, von »Fremdheit«. Thomas Mann beruft sich dann auf einzelne Beispiele. »Kafka *liebte* den ›Tonio Kröger‹«. Aber Mayer hatte auf das Verhältnis der jungen Generation zu »Tonio Kröger« am Anfang des Jahrhunderts – damals, 1903, war Kafka zwanzig Jahre alt – ausdrücklich verwiesen; daß sich Kafka für die späteren Arbeiten Thomas Manns (also jene zwischen 1903 und 1924) sonderlich interessiert hätte, ist nicht bekannt. »Mit Hauptmann verband mich eine Art von Freundschaft.« Gewiß – und Mayer erwähnt dies in der Monographie mehrfach –, doch ist damit noch keineswegs gesagt, daß Hauptmann dem Werk Thomas Manns nicht fremd gegenüberstand; wie problematisch diese Beziehung war, läßt übrigens schon die vorsichtige Formulierung »eine Art von Freundschaft« erkennen. »Hofmannsthal besuchte ich früh in Rodaun, und er war nie in München, ohne zu mir zu kommen.« Von Mayer wurde dies nie in Frage gestellt. Hingegen hat er darauf aufmerksam gemacht, daß sich in Hofmannsthals essayistischen Schriften kein deutendes Wort zu Thomas Mann findet. Mayers Hinweis auf Rilke wird wiederum mit der Feststellung

beantwortet, er habe einen Essay über die »Buddenbrooks« geschrieben. Doch stammen die »Buddenbrooks«
aus dem Jahre 1901, während Rilke bis 1926 gelebt hat.
Auf andere Beispiele von Mayer geht Thomas Mann überhaupt nicht ein.

Auf jeden Fall können derartige Einwände die These
vom geschätzten zwar und bewunderten, doch letztlich in
Deutschland ungeliebten und sogar isolierten Schriftsteller
Thomas Mann schwerlich erschüttern. Und noch weniger
kann dies der zentrale Satz des Briefes, das allerdings entwaffnende Geständnis: »Ungeliebt war ich nicht, bin ich
nicht, will ich nicht sein, leugne, es zu sein.« Schon vorher
hieß es im selben Brief, der nach abwägenden Äußerungen
mit einnehmender Freimütigkeit verblüfft: »Ich bin ein
Liebender und möchte nicht als der ›Ungeliebte‹ daste-
hen.« Gerade das aber hatte Hans Mayer behauptet: Daß
sich nämlich Thomas Mann nie mit der kühl-respektvollen
Haltung der Umwelt, mit seiner wachsenden Isolation und
mit der ihm zugefallenen Rolle des »Ungeliebten« abfinden
wollte, und daß er daran gelitten hat. Sein Wunsch, nicht
als solcher dargestellt zu werden, ist verständlich und sogar
ergreifend. Selbst wenn sich der Literaturforscher dieses
Wunsches bewußt gewesen wäre, hätte er natürlich das
Recht und die Pflicht gehabt, ihn ganz und gar zu ignorieren – zumal Mayer weit über den individuellen Fall hinaus-
ging: Er deutet die Situation Thomas Manns als wesentliches Kennzeichen der literarischen und gesellschaftlichen
Entwicklung in Deutschland. Die in diesem Kapitel gebo-
tenen erhellenden und bedeutsamen Anmerkungen zur
Rolle und Position des Schriftstellers in Deutschland etwa
seit 1848 hat übrigens Mayer in seinen späteren Arbeiten
noch zu erweitern und zu vertiefen vermocht.

In beiden Briefen Thomas Manns ist seine Betroffenheit,
ja Bestürzung deutlich spürbar. Aufgestört und aufge-
schreckt durch Mayers Ansichten und Einsichten, versucht

der Fünfundsiebzigjährige, sie im ersten Brief zu entkräften oder zu widerlegen. Im zweiten Brief (an Adorno also) will er sie mit einer halb resignierten und halb zornigen Handbewegung rasch vom Tisch fegen. Aber es ist ihm offenbar nicht entgangen, daß seine Polemik die entscheidenden Argumente des Interpreten verfehlt hatte. Denn nicht zufällig heißt es am Ende der Erwiderung: »Ich schließe diesen konfusen Brief, oder breche ihn verzichtend ab...«

So scheint mir, daß Thomas Manns erregter Protest Mayers literar-historische und psychologische Diagnose unwillkürlich, doch nachdrücklich bestätigt hat. Eine tiefere und überzeugendere Bestätigung war in der Tat kaum denkbar. (1967)

Die Stimme seines Herrn

Eine der schwierigsten und peinlichsten Pflichten des Kritikermetiers sei es – meinte Fontane –, auch Berühmtheiten »unwillkommene Sachen sagen zu müssen«.[6] Peter de Mendelssohn gehört ganz gewiß zu den Berühmtheiten, wenn auch nicht unbedingt unserer zeitgenössischen Literatur, so doch immerhin unseres allerdings eher schlappen literarischen Lebens. Erst unlängst wurde er zum Präsidenten der Deutschen Akademie für Sprache und Dichtung in Darmstadt gewählt – und die wackeren Männer aus Darmstadt werden, obwohl Mendelssohns Verdienste um die deutsche Sprache und Dichtung doch etwas undeutlich scheinen, schon ihre guten Gründe gehabt haben.

Seine Leistung ist jedenfalls in quantitativer Hinsicht imponierend: Er habe, heißt es im Klappentext seines neuen Werkes, »fast vierzig Bücher veröffentlicht« und

»dazu über hundert Übersetzungen«. Zwar mögen solche Zahlen eher zur Skepsis Anlaß geben, aber sie zeugen von Fleiß, Energie und Ausdauer. Diese Eigenschaften sind Mendelssohn bei jenen Büchern zugute gekommen, die sich in letzter Zeit als seine ureigene Domäne erwiesen haben: bei Monographien, die er im Auftrag und zum höheren Ruhme von Verlagen schreibt. In dem bei Ullstein publizierten (und streckenweise lesenswerten) Band »Zeitungsstadt Berlin« hat Mendelssohn unter anderem den alten Ullstein-Verlag ausführlich besungen. Das 1970 erschienene Buch »S. Fischer und sein Verlag« ist mit seinen 1500 eng bedruckten Seiten wohl das umfangreichste Werk, das je einem Verlagshaus gewidmet wurde. Nützlich dank vielen hier erstmals gedruckten literarhistorischen Dokumenten, nähert sich dieses Opus einer überdimensionalen Werbeschrift, die ihren Verfasser als zwar pedantischen, doch unkritischen Chronisten und als emsigen Diener seiner Auftraggeber erkennen läßt.

Die Biographie Thomas Manns, von der es vorerst nur den ersten Band gibt, ähnelt in jeder Hinsicht den Mendelssohnschen Verlagsmonographien: Sie wiederholt nicht nur deren eher im Bereich des Archivarischen liegende Vorzüge, sie steigert auch auf fatale Weise deren wichtigste Fehler und Schwächen. Also wieder eine Mischung aus mehr als reichlicher Dokumentation und nachdrücklicher Werbung? Also wieder ausschweifende Breite und rührender Enthusiasmus? Und was wäre eigentlich dagegen einzuwenden, da es sich doch diesmal um ein Genie der deutschen Literatur handelt? Ein redseliges und schwaches Buch – nun ja. Aber sollte es gar schädlich sein?

Zunächst einmal: Brauchen wir überhaupt eine Thomas-Mann-Biographie? Sein Leben wurde schon oft dargestellt – am häufigsten, am schönsten und am tiefsten von ihm selber. Er hat nie die Mühe gescheut, den Zeitgenossen und den Nachkommen seinen Weg zu beschreiben und

sein Werk zu erklären. Diese Autoporträts und Selbstinter-
pretationen, Erinnerungen und Tagebücher zeigen ihn fast
immer auf der Höhe seiner so bewundernswerten schriftstellerischen Kunst: Es sind Prosastücke von außergewöhnlicher Anschaulichkeit und Suggestivität und zugleich Meisterwerke der List und der Diplomatie. Mit diesem Teil des Werks von Thomas Mann hängt es zusammen
– und verwunderlich ist das bestimmt nicht –, daß sein Bild
in der Vorstellung der deutschen Leser längst feste Umrisse
gewonnen hat: Wir wissen genau, wie er gesehen werden
wollte – und in der Tat wurde und wird er nach wie vor so
und nicht anders gesehen. Das gilt vor allem, versteht sich,
für die Schreibenden aus seinem nächsten Umkreis, womit
nicht nur die Familienangehörigen gemeint sind: Sie haben
seine Selbstpräsentation wohl ergänzt, doch nicht korrigiert oder gar revidiert. Und das gilt auch noch für seine
Feinde, die ebenfalls, ob sie sich dessen bewußt sind oder
nicht, unter ihrem übermächtigen Einfluß stehen – nur daß
sie die Vorzeichen und die Akzente anders setzen.

Der Biograph muß aus dieser Sachlage, die ihm seine
Arbeit einerseits erleichtert und andererseits außerordentlich erschwert, klare Folgerungen ziehen. Das aber bedeutet: Er kann die ebenso umfassende wie virtuose Selbstdarstellung Thomas Manns natürlich nicht ignorieren; und er
darf sie nicht akzeptieren. Mehr noch: eine Beschreibung
seines Lebens kann nur dann nützlich sein und ihre Aufgabe erfüllen, wenn sie aus der direkten oder indirekten
Polemik gegen sein Autoporträt hervorgeht. Ein solcher
Gedanke, so einfach er sein mag und so sehr er sich auch
aufdrängt, scheint Peter de Mendelssohn fremd. Er denkt
nicht daran, sich Thomas Mann etwa zu widersetzen und
seine Sicht anzuzweifeln, er weigert sich, seine Lesart zu
verwerfen oder auch nur in Frage zu stellen. Es ist die
Stimme seines Herrn, die wir hier immer wieder hören.
Was er selber uns längst und mehrfach mitgeteilt hat, das

teilt uns Mendelssohn noch einmal mit. Es wird von ihm zitiert und referiert, dokumentiert und illustriert, ergänzt und ausgeschmückt. Und auch kommentiert? Gewiß doch, aber, von ganz wenigen Ausnahmen abgesehen, stets aus der Perspektive dessen, den er beschreibt, oder zumindest seiner Familie.

Nicht ohne Stolz hat Mendelssohn bei verschiedenen Gelegenheiten versichert, er sei dem Haus Mann seit bald einem halben Jahrhundert freundschaftlich verbunden. Das wird schon zutreffen. Nur merkt man es leider immer wieder: Sein Buch ist nicht nur *ex domo* geschrieben, sondern auch *pro domo*. Fontane hat einmal bemerkt, »daß alle Schriftstellerei mehr oder minder von Indiskretionen lebt«.[7] Sie gehören zu den Gefahren und den Risiken des Gewerbes und zugleich zu seinen Möglichkeiten und Pflichten. Dabei geht es hier nicht nur darum, was Thomas Mann (bisweilen hartnäckig und konsequent) verheimlichen wollte. Wichtiger scheint mir – und das sind die tiefsten, die bittersten Indiskretionen –, daß der Biograph den Menschen, den er porträtiert, stets besser zu verstehen bestrebt sein sollte, als dieser sich selbst verstand und verstehen konnte: der Biograph ist ein professioneller Besserwisser. Er ist ein legitimer Voyeur, der keiner anderen Rechtfertigung bedarf als der Ergebnisse seines Voyeurismus.

Auf die Schlüssellochperspektive verzichtet Mendelssohn keineswegs, vom Familienklatsch macht er gern Gebrauch, der Voyeurismus ist ihm nicht fremd. Doch was nützt dies alles, wenn es immer nur Nebensächliches und Belangloses zutage fördert? Gelegentlich scheint er über Thomas Mann in der Tat mehr zu wissen, als dieser gewußt hat; aber es handelt sich in der Regel um geringfügige Irrtümer und falsche Datierungen, um »Erinnerungsfehler«. Er korrigiert sie nicht ohne Genugtuung und läßt damit erst recht erkennen, daß sich seine Unabhängigkeit auf Kleinigkeiten beschränkt.

Aber wer das Leben eines Menschen schildert, der erklärt es auch. Und wer es erklärt, der kritisiert es. Der Autor, der eine Biographie mit Gefühlen der Verehrung und der Liebe beginnt und der fest entschlossen ist, uneingeschränkt zu bewundern, sogar er wird sich, wenn er das Leben seines Helden unbefangen durchforscht, gezwungen sehen, ihn skeptisch zu beurteilen und bisweilen sogar auf die Anklagebank zu setzen. Er wird früher oder später von Unmut und Zorn, ja auch von Abscheu und Widerwillen befallen. Denn noch müßte der große Mann geboren werden, der nicht auch abstoßende Eigenschaften hätte. So gehört zu jeder Biographie das Element der Ambivalenz, die Mischung aus Sympathie und Antipathie, aus Respekt und zumindest heimlicher und momentaner Verachtung, aus Liebe und Haß.

In einem erst jetzt veröffentlichten Brief Thomas Manns aus dem Jahre 1921 bekennt er beiläufig, er empfinde »Kritik ohne Liebe überhaupt nicht als höhere Kritik, aber Liebe ohne Kritik ganz einfach als Simpelei«.[8] Peter de Mendelssohn indes ist von Kopf bis Fuß auf Liebe eingestellt. Er berichtet mit jener Hingabe, die zunächst verwundert, dann verärgert und schließlich nur langweilt. Sein Buch ist kniend geschrieben. Dies war in Deutschland, leider auch in der Literaturbetrachtung, immer schon eine besonders beliebte Position. Aber sie ist dem Denken abträglich.

Daher fehlt dieser Biographie, der man doch in jedem Kapitel so viel Fleiß und Mühe, so viel Sorgfalt und auch aufrichtige Leidenschaft anmerkt, eine Konzeption. Und weil Mendelssohn keine hatte, keine zu finden imstande war, ist sein Werk so erschreckend ausführlich geraten. Seine ausschweifende und nicht selten gegen jede Vernunft verstoßende Breite ist die geradezu notwendige Folge der Konzeptionslosigkeit. Weil er nicht unterscheiden kann, was wichtig, was nur nebensächlich und was belanglos ist, bietet er alles, was er mit emsiger Hand zusammengetragen hat. Und er sagt uns nicht nur, was er weiß, er sagt sehr häufig auch das, was er nicht weiß. Beispielsweise: »Wieder einmal fragt sich der Schilderer besorgt, was um alles in der Welt bedeutet das? – und hat keine schlüssige Antwort zur Hand.«

So ist seine Detailbesessenheit ein Ausdruck seiner Hilflosigkeit. Erst auf Seite 47 wird die Geburt Thomas Manns verzeichnet. Was Mendelssohn über die Vorfahren mitzuteilen hat, mag, gibt er zu, »weitläufig und umständlich« scheinen: »Aber man darf guten Gewissens versichern, daß alles bisher Dargelegte und, mehr noch, alles nunmehr Darzulegende für die Erzählung durchaus benötigt wird.« Indes berichtet Mendelssohn immer wieder, was für die Erzählung keineswegs benötigt wird, ihr hingegen schadet, weil es von der Person dessen, auf den es hier doch ankommt, nur ablenkt und das Buch aufschwemmt.

In einem autobiographischen Artikel hatte Thomas Mann einen Mitschüler namens Ephraim Carlebach ein einziges Mal erwähnt. Mendelssohn ist es nun gelungen, herauszufinden, daß dieser Junge in Wirklichkeit mit Vornamen Simeon hieß; er referiert uns seinen Lebenslauf und teilt uns die Berufe seiner fünf Brüder mit. Thomas Manns Lehrer und Mitschüler werden, ob sie ihm etwas bedeutet haben oder nicht, auf jeden Fall liebevoll beschrieben. Mendelssohn begnügt sich nicht mit der (nützlichen) Mitteilung, daß der neunzehnjährige Thomas Mann an der Technischen Hochschule in München Vorlesungen bei dem Nationalökonomen Max Haushofer gehört hat, sondern informiert uns auch über Haushofers Vater und Sohn. Wenn uns Mendelssohn sagt, in welchem Haus Thomas Mann während seines Aufenthaltes in Rom im Winter 1897 gewohnt hat, dann müssen wir auch noch erfahren, was sich in diesem Haus heute befindet – nämlich ein Restaurant und das Büro der Postgewerkschaft. Einer Speisewagenrechnung vom 22. April 1898 ist zu entnehmen, daß der junge Thomas Mann, der von seinem Hund begleitet wurde, für zwei »Déjeuners« gezahlt hat. Haarscharf folgert Mendelssohn: »Da wir schwerlich annehmen können, daß der Hund Titino im Speisewagen ein Mittagsmenü verzehrte und sein Herr ihm dazu einen Cognac spendierte...«, wird der Reisende wohl Gesellschaft gehabt haben. Es war, vermutet der Biograph, der Bruder Heinrich »oder jemand anderer«. Auf diese Weise kann man Tausende Seiten über einen Schriftsteller schreiben, ohne nur das Geringste über ihn zu sagen.

Im besonders peinlichen Kapitel über Thomas Manns Frau Katia, geborene Pringsheim, in dem die Devotion Mendelssohns ihren Höhepunkt, nein, ihren Tiefpunkt erreicht, werden wir über verschiedene Pringsheims belehrt, obwohl der Biograph, wie er zugibt, gar nicht ausmachen konnte, ob sie überhaupt mit Katia verwandt waren. Wir erfahren, wer die Trauzeugen bei der Heirat der Eltern Katia Manns waren, wo diese Zeugen wohnten und wie der Beamte hieß, der die Urkunde ausgefertigt hatte. Seitenlang beschreibt Mendelssohn die Kindheit Katias, ja, wir werden sogar über ihre verschiedenen Hauslehrer informiert. Wenn Thomas Mann Berlin oder eine andere Stadt besucht, dann wird uns nicht nur mitgeteilt, wen er dort getroffen und welche Theateraufführung er gesehen hat, sondern auch, wen er dort nicht getroffen und welche Aufführungen er nicht gesehen hat. Sechs Seiten werden der Frage gewidmet, ob Thomas Mann schon vor dem Ersten Weltkrieg in Paris war und diese Reise etwa vor der Familie verheimlicht habe. Mendelssohn zählt nicht nur die Gäste auf, die im Februar 1914 an einem »Herrenessen« bei Thomas Mann teilgenommen haben, sondern nennt auch die Namen derer, die vielleicht ebenfalls da waren, aber »deren Anwesenheit nicht belegt ist«. Noch ärgerlicher sind die gemächlichen und genüßlichen Schilderungen des Alltags der Familie Mann. »Tommy aß zu Hause ein kräftiges Frühstück und nahm belegte Brote in die Schule mit... Die Kinder hatten vor dem Schlafengehen noch ein leichtes Abendessen...« Was ist denn nun daran mitteilenswert? Hatte Mendelssohn statt der belegten Brote gebratene Ferkel erwartet? Pietätvoll beschreibt Mendelssohn Thomas Manns Münchener Haus und die dort herrschenden Sitten: »Kamen die Kinder von der Schule heim, so läuteten sie nicht an der großen Haustür, sondern benutzten den Lieferanteneingang zum Keller oder Souterrain, von dem eine besondere Treppe zum Anrichtezimmer oder ›Office‹ neben dem Eßzimmer hinaufführte. Hier unten wartete bereits der Collie Motz auf sie, um sie zu begrüßen.« Über die Spiele der Kinder Thomas Manns berichtet Mendelssohn ehrerbietig und eingehend, auch über die verschiedenen Kinderfräulein werden wir informiert.

Um Mißverständnissen vorzubeugen: Ich glaube, daß es in Deutschland in diesem Jahrhundert keine bedeutendere, originellere und interessantere Familie gegeben hat als die Manns. Was den Briten ihre Windsors, das sind den deutschen Intellektuellen die Manns. Und das ist gut und recht. Aber so glücklich wir sein müssen, daß es diese einzigartige Familie gibt, so aufschlußreich, so faszinierend ihre Geschichte ist, so wenig brauchen wir (und brauchen die Manns) einen Hofberichterstatter. Nichts spricht mehr gegen Mendelssohn als die beschämende Tatsache, daß große Teile seines Buches sich wie eine Hofchronik lesen.

Mendelssohns bedauerlicher Ehrgeiz, sich als Hofchronist zu bewähren, zwingt ihn, ein recht einseitiges und arg reduziertes Bild Thomas Manns zu zeichnen. Er war ein Genie. Ein lieber, guter, netter Mensch war er nicht. Verschweigt Mendelssohn die negativen, die bisweilen geradezu abstoßenden Züge seines Charakters? Nicht unbedingt. So schreibt er, daß man schon »in dem Jüngling

einen eigentümlichen Zug spielerischer Kälte und Rück-
sichtslosigkeit, ja Grausamkeit, die sich über die Empfind-
lichkeiten seiner Mitmenschen erbarmungslos hinweg-
setzt«, bemerken konnte. An einer anderen Stelle ist von
dem »kalten Jähzorn« die Rede, »der in dem überempfind-
lichen und mimosenhaft verletzlichen Mann an der Kette
der Selbstbeherrschung lag«.

Das Fragwürdige, Dubiose und Hintergründige in der
Persönlichkeit Thomas Manns wird jedoch von Mendelssohn nur knapp angedeutet, und zwar meist lediglich mit
Hilfe von Zitaten, die der sonst zu unüberbietbarer Ausführlichkeit neigende Biograph in der Regel nicht kommentiert. In einem Brief aus Rom berichtet der einund-
zwanzigjährige Thomas Mann seinem Freund Grautoff
von »ermüdenden und strapaziösen Erlebnissen, in die ich
mich mit einer bedauerlichen Energie vertieft habe, wie ich
sie meiner Jugend zugute halten muß«. Hierzu Mendelssohn: »Keine Andeutung darüber, worin die ›ermüdenden
und strapaziösen Erlebnisse‹ bestanden haben mögen; wir
wollen es nicht einmal vermuten.« Dem Chronisten
schwant Schreckliches: Sein Held war möglicherweise in
einem Bordell. Vielleicht hat er sich gar mit einem Jungen
eingelassen?

Die offensichtlich homoerotische Beziehung des jungen
Thomas Mann zu Paul Ehrenberg wird von Mendelssohn
ausgiebig dokumentiert (es sind die interessantesten Kapitel des Buches), doch sehr zurückhaltend erläutert, was
angesichts seiner Redseligkeit in anderen Kapiteln und in
belanglosen Angelegenheiten besonders auffallen muß. Es
scheint, daß hier zwei Seelen in des Mendelssohns Brust
miteinander zu kämpfen hatten: die des Archivars, der sich
seiner Funde rühmen wollte, und die des Hofberichterstat-
ters, dem diese Funde nicht ins Konzept paßten.

»Immer und unvermeidlich ist Biographie« – heißt es bei
Golo Mann – »auch allgemeine Geschichte, von einem per-

sönlichen Zentrum aus gesehen.«[9] Wer das Leben Thomas Manns erzählen will, der muß, wenn dessen Figur Anschaulichkeit gewinnen soll, natürlich die historischen und politischen, die literarischen und kulturgeschichtlichen Faktoren der Zeit berücksichtigen. Da sich Mendelssohn jedoch eingehend und gründlich mit Thomas Manns Hunden und mit Katia Manns Hauslehrern und Cousinen beschäftigt und uns mit der Schilderung der einzelnen Zimmer in den verschiedenen Häusern der Manns langweilt, da er es für nötig hält, uns mitzuteilen, daß Onkel Heinrich aus Anlaß der Geburt des Sohnes Golo den glücklichen Eltern – man staune! – »einen schönen Blumenstrauß« geschickt hat, fehlt ihm natürlich der Platz für jenen Hintergrund, der Thomas Manns Weg und Irrweg, der seine geistige Entwicklung begreiflich macht.

Damit mag es auch zu tun haben, daß Mendelssohn auf diese Entwicklung trotz der Dimensionen des Buches immer bloß kurz eingeht und sich meist mit jenen Namen und Stichwörtern behilft, die man in jeder besseren Literaturgeschichte finden kann. Zu einem so eminent wichtigen Werk wie den »Betrachtungen eines Unpolitischen« hat Mendelssohn offenbar nichts zu sagen: Er bietet uns nur die (übrigens sehr einseitig ausgewählten) Kommentare anderer und verbindet sie mit einigen dürftigen Bemerkungen. Sehr richtig schrieb Andreas Oplatka in der »Neuen Zürcher Zeitung«, daß diese Biographie einen nicht vorhandenen Leser voraussetze, nämlich einen, »der über Thomas Mann gar nichts, über seine Epoche jedoch alles weiß.«[10] So mag uns Mendelssohn mitteilen und schildern, was er will, er mag unzählige, oft auch lange Passagen aus Werken, Briefen und Notizbüchern seines Helden übernehmen und viele Zeugenaussagen zitieren – es hilft nichts, alles zusammen ergibt kein Porträt Thomas Manns, keine Beschreibung seines Lebens.

Trotz einiger kritischer Akzente und Abschnitte dominiert das Glorifizierende, das Verklärende. Zur Beleuchtung der Gestalt Thomas Manns bedient sich Mendelssohn vor allem einer Aureole. Statt sich der aus der deutschen Literaturgeschichte hinreichend bekannten Legendenbildung zu widersetzen, statt Thomas Mann das Schicksal zu ersparen, das im vergangenen Jahrhundert Goethe und Schiller beschieden war, leistet Mendelssohn einen traurigen Beitrag eben zur Hagiographie, die doch in der Literaturbetrachtung nichts zu suchen hat und zur Kompetenz eher einer anderen Fakultät gehört.

Der Eindruck, hier werde eine Legende vom Leben des deutschen Schriftstellers Thomas Mann erzählt, wird verstärkt durch Mendelssohns Stil, der an die Ausdrucksweise des Professors Unrat erinnert, an eine Sprache also, die Heinrich Mann schon 1905 parodiert hat. Da ist immer etwas »dienlich« oder »untunlich«, da gibt es »hinfort« und »alsbald«, »vorab« und »zwischenhin«, da muß der Bericht häufig »innehalten«, da werden Standpunkte »trefflich in Worte gebracht«, da wird nichts erwähnt, wohl aber »Erwähnung getan«. Und als Thomas Katia kennenlernte, was passierte da? »All sein Denken und Trachten, Fühlen und Sehnen stürmte in eine neue Richtung.« Also drückt sich einer im Jahre 1975 aus. In seinem »Versuch über Geschichtsschreibung« meint Golo Mann: »Stil verfälscht das gegenständliche Erkennen nicht, er vertieft, verdeutlicht, fördert es, er ist eines mit ihm... Wer seine Sache nicht gut sagen kann, der hat nichts Gutes zu sagen.«[11]

Bleibt noch zu fragen, für wen eigentlich diese Biographie geschrieben wurde. Sie demonstriert, fürchte ich, die Selbstvergessenheit jener deutschen Wissenschaftler, die den Gedanken an die praktische Nützlichkeit ihrer Arbeit weit von sich weisen. Peter Wapnewski hat ausgerechnet, daß das Gesamtwerk bei Einhaltung des bisherigen Darstellungsprinzips einen Umfang von 6000 bis 7000 Seiten

haben wird.[12] Nun mag sich Wapnewski um 1000 oder
sogar 2000 Seiten verrechnet haben. Was macht das schon?
Auch für eine Biographie im Umfang von 4000 bis 5000
Seiten gibt es keine Leser. Jedenfalls wird man sie weder in
dem an der Literatur interessierten Publikum finden noch
unter den Spezialisten und Forschern. Diese wissen schon
sehr viel von dem, was ihnen Mendelssohn erzählt, ganz
abgesehen davon, daß sich sein Buch, das vorerst keine
Quellenangaben enthält, schwer verwenden läßt. Jene wollen gar nicht so viel wissen, wie er ihnen mitteilt; und sie
haben recht.

Wie sagte doch Mephisto? »Ein großer Aufwand,
schmählich! ist vertan.« Um Thomas Mann brauchen wir
uns trotz dieser Biographie keine Sorgen zu machen. Es
wird die Spur von seinen Erdetagen nicht in Äonen unter-
gehn. (1975)

Was halten Sie von Thomas Mann?

I

Willy Haas, der von 1925 bis 1933 die »Literarische
Welt« in Berlin herausgab, erzählt in seinen Lebenserinnerungen, daß die Umfragen, die er aus Anlaß von Geburts-
tagen und auch anderen Jubiläen veranstaltete, zwar bei
den Lesern sehr beliebt waren, ihm jedoch häufig Kummer
bereiteten.[13] Als 1928 Stefan George sechzig Jahre alt
wurde, hat von den befragten Schriftstellern lediglich der
jüdische Religionsphilosoph Martin Buber etwas Respekt-
volles zu sagen gehabt. Die anderen Antworten hingegen
waren als Geburtstagsgeschenk wenig geeignet – und wurden dennoch veröffentlicht.

Als es galt, Beethovens hundertsten Todestag (1927) zu

feiern, sah das Ergebnis noch ungleich schlimmer aus. Darius Milhaud reagierte mit einer einzigen, offensichtlich trotzigen Zeile, die ihm wohl kühn und originell vorkam: »Ich liebe Beethoven, vive Beethoven!« Anders ließ sich Maurice Ravel vernehmen: Beethovens Ruhm verdanke sich »zum großen Teil der Legende seines Lebens, seinem Gebrechen« und »der Großzügigkeit seiner sozialen Ideen«. Er erwähnte das Finale der 9. Symphonie, lobte indes bloß »die gute Absicht des *Textes*«. Ernst Krenek meinte, Beethovens Musik sei »kaum noch lebendig«, Leos Janácek schrieb: »Niemals haben mich die Werke Beethovens begeistert (...). Zu bald war ich auf ihrem Grunde angelangt.« Und Georges Auric bekannte: »Er geht mich nichts an, (...) wir brauchen uns mit ihm nicht mehr auseinanderzusetzen.«

An die Umfragen der »Literarischen Welt« erinnerte ich mich, als ich mir Anfang 1975 überlegte, wie man in der »Frankfurter Allgemeinen Zeitung« am besten des hundertsten Geburtstags von Thomas Mann am 6. Juni 1975 gedenken könne: Interessanter als ein weiterer Essay über den Autor des »Zauberberg« schienen mir zu diesem Zeitpunkt Äußerungen von möglichst unterschiedlichen Schriftstellern und Philosophen. Sie sollten allesamt eine einzige Frage beantworten: »Was bedeutet Ihnen Thomas Mann, was verdanken Sie ihm?« Jeder erfahrene Redakteur weiß, daß man zur Teilnahme an einer Umfrage erheblich mehr Autoren einladen muß, als man tatsächlich drucken kann: Benötigt man ein Dutzend Beiträge, dann empfiehlt es sich, nach mindestens zwei Dutzend auszuschauen. Denn erstens muß man mit Absagen rechnen und zweitens mit Zusagen, die nie eingehalten werden. Schriftsteller, deutsche zumal, sind nämlich unzuverlässige Kantonisten.

Aus der Bundesrepublik waren Wolfgang Koeppen und Siegfried Lenz, Walter Jens und Peter Rühmkorf mit von der Partie. Martin Walser winkte ab, er habe schon einer

anderen Zeitung versprochen, etwas über Thomas Mann
zu schreiben: »Spätestens wenn Sie lesen, was ich dort über
Th. M. veröffentliche, werden Sie glücklich sein, es nicht
in Ihrer Zeitung sehen zu müssen.«

Auch Hans Erich Nossack sah keine Möglichkeit, sich
an der Sache zu beteiligen, doch aus einem anderen Grund:
»Die Prosa von Thomas Mann, wohlverstanden die Prosa,
nicht das Thematische, ist mir von jeher so konträr, geradezu physiologisch konträr, daß ich seine Bücher nur aus
Bildungsgründen und nur mit größter Mühe lesen kann.
Thomas Mann ist mir sozusagen ein Beispiel dafür, wie
man auf keinen Fall schreiben darf. Über die Gründe für
diese Abneigung habe ich nie nachgedacht, das ist auch
nicht meine Sache. Und natürlich rede ich nicht laut darüber, ich würde mich nur blamieren, da es sich um einen
weltberühmten Mann handelt.« Keineswegs war ich bereit
zu kapitulieren: Es sei mir, schrieb ich ihm, unbegreiflich,
daß er das in seinem Brief skizzierte Urteil über Thomas
Manns Prosa der Öffentlichkeit vorenthalten wolle. Nossack ließ sich überreden und schickte sein Manuskript:
»Falls der Beitrag zu spät kommt oder sonst nicht paßt,
werfen Sie ihn in den Papierkorb, (...). Und streichen Sie
nach Belieben.« Es versteht sich, daß ich kein Wort gestri-
chen habe.

Aus der Schweiz kamen Zusagen von Golo Mann (»Ich
versuche so zu tun, als hätte ich diesen Autor nie gekannt«)
und Adolf Muschg, aus Österreich von Friedrich Torberg
und Hans Weigel. Peter Handke dagegen informierte
mich, daß schon zehn Jahre vergangen seien, seit er Thomas Mann gelesen habe, und offerierte eine Studie über
Franz Nabl, mit dem er sich gerade befasse.

Natürlich sollten auch Schriftsteller aus der DDR zu
Wort kommen: Wolfgang Harich und Günter Kunert
machten mit. Anna Seghers jedoch antwortete knapp und
klar: »Meine Stellung zu Thomas Mann ist sehr zwiespäl-

tig. Deshalb ziehe ich es vor, mich über ihn nicht zu äußern.« Stephan Hermlin nahm ebenfalls die Einladung nicht an, freilich aus Gründen persönlicher Art: »Was täte ich wohl lieber«, schrieb er mir, »als an einer solchen Thomas-Mann-Umfrage teilzunehmen? Leider steht dem Ihre Person oder vielmehr der unqualifizierte Blödsinn entgegen, den Sie vor Jahren über mich verbreiteten.« Gemeint war damit der Aufsatz »Stephan Hermlin, der Poet«, der sich in meinem zunächst 1963 erschienenen Buch »Deutsche Literatur in West und Ost« findet und den ich nach wie vor nicht zu meinen schwächsten Arbeiten zähle. Aber Hermlins Bescheid war nicht endgültig: »Freilich macht mein Glaube an die Menschheit auch vor Ihnen nicht halt.« Daher schloß er es nicht aus, daß ich »zu besser fundierten Einschätzungen« seiner Poesie hinfinden werde: »Bis dahin warten wir halt ein bißchen.«

Von den deutschsprachigen Autoren, die ins Exil gegangen waren und dort geblieben sind, bat ich Manès Sperber um einen Beitrag und auch Peter Weiss, der sich allerdings ganz auf seine »Ästhetik des Widerstands« konzentrieren wollte: »Der gute Thomas Mann muß diesmal also leider doch ausstehn. Ich bin im übrigen auch nicht ein solch guter Kenner seiner Werke, daß ich mir ohne weiteres etwas über ihn aus dem Ärmel schütteln könnte.«

Ich dachte auch an Elias Canetti, doch habe ich es nicht gewagt, mich an ihn zu wenden. Denn ich konnte die Belehrung nicht vergessen, die er mir Ende 1973 zuteil werden ließ. Ich hatte ihn damals um eine Äußerung über Hofmannsthal, dessen hundertster Geburtstag bevorstand, gebeten – und wurde streng in die Schranken verwiesen: »Eben bin ich von meinem Arbeitsversteck auf dem Land nach London zurückgekommen und habe hier Ihren Brief gefunden. Ich habe mich nicht wenig über ihn gewundert. Ich dachte, Sie wissen, daß ich nicht für Zeitungen schreibe (...). Ich kann nur schreiben, was ich von mir aus schreiben muß und nicht Vorschläge zum Schreiben von außen entgegennehmen. Bei der Vorstellung, daß ich anläßlich irgendeines 100. Geburtstags etwas schreibe, muß ich lachen (...). Und dann noch über Hofmannsthal, der mir nie etwas bedeutet hat, den ich im Gegenteil für maßlos überschätzt halte!«

Die Umfrage sollte aber auch Urteile ausländischer Schriftsteller enthalten. Tibor Déry und Arthur Koestler, Graham Greene und Angus Wilson antworteten zustimmend, Marcel Jouhandeau hingegen schrieb: »Ich habe nichts zu sagen über Thomas Mann, aber viel über Ernst Jünger.« Schließlich sollte die Philosophie repräsentiert sein. Leszek Kołakowski war einverstanden, doch Hans-Georg Gadamer hatte Bedenken: »Mein Name scheint mir – das sei ohne jede falsche Bescheidenheit gesagt – für diesen Anlaß nicht publik genug (...). Sollten Sie anders denken, stünde ich zur Verfügung.« Ich dachte anders. Hannah Arendt meinte: »Was nun den Thomas Mann betrifft, so fürchte ich, hätte ich Ihnen in keinem Fall etwas liefern können, denn ich gehöre zu der sehr winzigen Minderheit von Leuten, denen er wirklich sehr wenig bedeutet.«

II

Eine 1814 verfaßte Theaterkritik Clemens Brentanos beginnt mit den Worten: »Ich kann Ihnen, verehrter Freund, über die Darstellung dieses Trauerspiels keine vollkommene Rezension schreiben, denn in der Mitte des dritten Aktes konnte ich es nicht mehr im Theater aushalten und ging lieber einen weiten, beschwerlichen Weg durch das Tauwetter, als daß ich meine Seele mannichfaltig mißhandeln ließ.« Der Kritiker beanstandet vor allem die Sprache des aufgeführten Bühnenwerks, »welche häufig unnatürlich, geschwollen, bombastisch, manchmal beinah lächerlich, oft recht gesucht, ganz ohne allen Puls, und übermäßig vollblütig ist«.[14] Es handelt sich um das bürgerliche Trauerspiel »Kabale und Liebe« von Friedrich Schiller.

Brentanos Rezension gehört zu den Revisionsprozessen, die keinem genialen und zu seinen Lebzeiten gefeierten Schriftsteller in den Jahrzehnten nach seinem Tod erspart geblieben sind: Immer wieder haben die Vertreter der nachfolgenden literarischen Generationen jene attackiert, die bereits von ihren Zeitgenossen als Klassiker anerkannt oder gar als Olympier gepriesen wurden. So erging es Schiller, so natürlich auch Goethe. Allerdings haben derartige Bemühungen den Nachruhm beider eher gefestigt als gefährdet. Es scheint, daß es Thomas Mann, dessen Tod nun über dreißig Jahre zurückliegt, jetzt ähnlich ergeht.

Als man 1975 aus Anlaß seines hundertsten Geburtstags einige Umfragen veranstaltet hat, zeigte es sich, wie groß gerade unter den Schriftstellern das Bedürfnis war, Thomas Mann abzulehnen und ihn womöglich vom Sockel zu stürzen.[15] Was sich damals abspielte, kam einer Generaloffensive gleich. Sie mag manches zur Klärung beigetragen haben, aber auch sie konnte seinen Nachruhm nicht schmälern. Alles spricht dafür, daß dieser inzwischen noch gewachsen ist. Die Literatur über ihn schwillt immer mehr an: Alljährlich erscheinen – und nicht nur in deutscher Sprache – neue Monograpien und Abhandlungen über Thomas Mann. Dies mag vom Interesse vor allem der Literarhistoriker, der Wissenschaftler und Kritiker zeugen. Indes ist auch sein Publikumserfolg nach wie vor sehr stark: Der Absatz der gebundenen Ausgabe der Werke Thomas Manns hat in den letzten Jahren nicht nachgelassen, der Verkauf der Taschenbuchausgaben steigt unentwegt und nicht unerheblich.

Zugleich macht sich eine Entwicklung bemerkbar, die ebenso die Anhänger wie die Gegner Thomas Manns überrascht: der Prozeß seiner Entmonumentalisierung, den gewissermaßen er selber in Gang gesetzt hat – nämlich mit der von ihm verfügten Veröffentlichung seiner Tagebücher. Was das überlieferte Bild dieses Autors an Pracht und Pathos verlor, gewann es an Wahrhaftigkeit, an barer Menschlichkeit. Nicht zuletzt sind es die erst in diesen Tagebüchern deutlich zum Vorschein gekommenen homoerotischen Neigungen Thomas Manns, die das Interesse an seinem Werk neu entfacht haben – und das gilt nicht nur für die an einigen deutschen Universitäten existierenden Arbeitskreise, die sich mit den Beziehungen zwischen der Homosexualität und der Literatur beschäftigen, sondern auch für einen Teil des Publikums. »Tonio Kröger« und »Der Tod in Venedig«, »Der Zauberberg«, »Doktor Faustus« und die Joseph-Tetralogie – alles wird jetzt anders als früher gelesen.

Damit mag auch zusammenhängen, daß die Hörsäle und Seminarräume überfüllt sind, wenn Thomas Mann auf dem Programm steht – eine Tatsache, die um so bemerkenswerter ist, als die Zahl der Studenten, die sich mit Robert Musil, Alfred Döblin oder Heinrich Mann befassen und die ohnehin nie sehr groß war, in letzter Zeit merklich kleiner wird. Sogar das Jahrhundertgenie der deutschen Lyrik, Bertolt Brecht, vermag die Hörer nicht mehr in so hohem Maße zu faszinieren wie noch vor einigen Jahren. Wenn es einen Schriftsteller deutscher Zunge gibt, der heute an den Universitäten ein ähnlich starkes Echo hat wie Thomas Mann, dann nur Franz Kafka. Daher wird die Frage nach der Qualität der Werke Thomas Manns aufs neue dringlich – ebenso wie jene nach dem sich allmählich in unserer Vorstellung wandelnden Bild seiner Persönlichkeit.   (1986)

ANHANG

Nachweise und Anmerkungen

THOMAS MANN

Der Artikel aus Anlaß des Briefwechsels mit dem Verleger Bermann Fischer (»Die Geschäfte des Großschriftstellers«) erschien zuerst in der Wochenzeitung »Die Zeit« vom 29. Juni 1973. Die Aufsätze über die Briefe an Otto Grautoff und Ida Boy-Ed (»Das Genie und seine Helfer«) und über die Tagebücher aus den Jahren 1933–1934 (»Die ungeschminkte Wahrheit«), 1937–1939 (»Die Chronik seines Leidens«) sowie 1944–1946 (»Alles Deutschtum ist betroffen«) wurden zuerst in der »Frankfurter Allgemeinen Zeitung« vom 17. April 1976, vom 11. März 1978, vom 13. Juni 1981 und vom 21. Februar 1987 veröffentlicht. Dem Essay »Die Geburt der Kritik aus dem Geiste der Epik« liegen Vorträge zugrunde, die ich 1985 an der Universität Tübingen, in der Villa Stuck in München und im Schauspielhaus Zürich gehalten habe (zuerst gedruckt in der F.A.Z. vom 25. März 1986). Die Arbeit über »Tonio Kröger« ist die am 4. April 1987 aus Anlaß der Verleihung des Thomas-Mann-Preises in Lübeck gehaltene Dankrede (zuerst in der F.A.Z. vom 14. April 1987).

1 *Thomas Mann an Ernst Bertram.* Briefe aus den Jahren 1910–1955. Herausgegeben, kommentiert und mit einem Nachwort versehen von Inge Jens. Verlag Günther Neske, Pfullingen 1960, S. 43.

2 Thomas Mann: *Briefwechsel mit seinem Verleger Gottfried Bermann Fischer 1932–1955.* Herausgegeben von Peter de Mendelssohn. S. Fischer Verlag, Frankfurt/M. 1973.

3 Thomas Mann: *Briefe an Otto Grautoff 1894–1901 und Ida Boy-Ed 1903–1928.* Herausgegeben von Peter de Mendelssohn. S. Fischer Verlag, Frankfurt/M. 1975.

4 *Ida Boy-Ed.* Eine Auswahl von Peter de Mendelssohn. Verlag Gustav Weiland, Lübeck 1975.

5 Thomas Mann: *Nachträge.* (Gesammelte Werke in dreizehn Bänden, Band XIII.) S. Fischer Verlag, Frankfurt/M. 1974. S. 123.

6 Thomas Mann: *Tagebücher 1933–1934.* Herausgegeben von Peter de Mendelssohn. S. Fischer Verlag, Frankfurt/M. 1977.

7 Thomas Mann/Heinrich Mann: *Briefwechsel 1900–1949*. Herausgegeben von Hans Wysling. Erweiterte Neuausgabe. S. Fischer Verlag, Frankfurt/M. 1984, S. 49.

8 Ebenda, S. 141.

9 Diese Ansicht findet sich in Thomas Manns Beantwortung einer Rundfrage, zuerst gedruckt in den »Münchner Neuesten Nachrichten« vom 14. September 1907. – Thomas Mann: *Nachträge*. A. a. O., S. 459.

10 Thomas Mann: *Reden und Aufsätze 4*. (Gesammelte Werke in dreizehn Bänden, Band XII.) A. a. O., S. 847.

11 Thomas Mann/Heinrich Mann: *Briefwechsel 1900–1949*. A. a. O., S. 21.

12 Thomas Mann: *Reden und Aufsätze 1*. (Gesammelte Werke in dreizehn Bänden, Band IX.) A. a. O., S. 274.

13 Zitiert nach Ludwig Marcuse: *Börne – Aus der Frühzeit der deutschen Demokratie*. Verlag J. P. Peter, Gebr. Holstein, Rothenburg ob der Tauber 1968, S. 282.

14 Friedrich Schlegel: *Charakteristiken und Kritiken I. 1796–1802*. (Kritische Friedrich-Schlegel-Ausgabe. Herausgegeben von Ernst Behler unter Mitwirkung von Jean-Jacques Anstett und Hans Eichner. Zweiter Band.) Verlag Ferdinand Schöningh, Paderborn 1967, S. 366.

15 Thomas Mann: *Tagebücher 1937–1939*. Herausgegeben von Peter de Mendelssohn. S. Fischer Verlag, Frankfurt/M. 1980.

16 Thomas Mann: *Nachträge*. A. a. O., S. 459.

17 Thomas Manns Brief an Bruno Frank vom 23. Mai 1937 wird von Peter de Mendelssohn in den Anmerkungen zu *Tagebücher 1937–1939* zitiert. A. a. O., S. 590 f.

18 Thomas Mann: *Nachträge*. A. a. O., S. 470.

19 Zitiert nach: *Die Briefe Thomas Manns – Regesten und Register*. Bearbeitet und herausgegeben unter Mitwirkung des Thomas-Mann-Archivs der Eidgenössischen Technischen Hochschule Zürich von Hans Bürgin und Hans-Otto Mayer. Band II: *Die Briefe von 1934 bis 1943*. S. Fischer Verlag, Frankfurt/M. 1980, S. 200.

20 Thomas Mann: *Reden und Aufsätze 4*. A. a. O., S. 15 f.

21 Ebenda, S. 428.

22 Leo N. Tolstoi: *Shakespeare*. Eine kritische Studie. Zweite Aufl. Adolf Sponholtz Verlag, Hannover 1906, S. 78 und 101.

23 Friedrich Schlegel: *Fragmente zur Poesie und Literatur I*. (Kritische Friedrich-Schlegel-Ausgabe. Sechzehnter Band.) A. a. O., S. 142.

24 Thomas Mann: *Reden und Aufsätze 2*. (Gesammelte Werke in dreizehn Bänden, Band X.) A. a. O., S. 235 f.

25 Thomas Mann: *Briefe 1948–1955 und Nachlese*. Herausgegeben von Erika Mann. S. Fischer Verlag, Frankfurt/M. 1965, S. 152.

26 Thomas Mann: *Reden und Aufsätze 1*. A. a. O., S. 628.

27 Thomas Mann: *Aufsätze, Reden, Essays*. Herausgegeben und mit Anmerkungen versehen von Harry Matter. Band 1: *1893–1913*, Band 2: *1914–1918*, Band 3: *1919–1925*. Aufbau-Verlag, Berlin (Ost) 1983–1986.

28 Thomas Mann: *Reden und Aufsätze 4*. A. a. O., S. 75, 404.

29 Thomas Mann: *Reden und Aufsätze 1*. A. a. O., S. 796.

30 Ebenda, S. 814 und Thomas Mann: *Reden und Aufsätze 2*. A. a. O., S. 468.

31 Ebenda, S. 470.

32 Schillers Äußerung stammt aus seinem Brief an Gottfried Körner vom 1. November 1790. In: *Schillers Sämtliche Werke*. Herausgegeben von Conrad Höfer (Horenausgabe) Siebenter Band. Georg Müller Verlag, München und Leipzig o. J., S. 392.

33 Thomas Mann: *Reden und Aufsätze 4*. A. a. O., S. 20.

34 Thomas Mann: *Briefe an Otto GRautoff 1894–1901 und Ida Boy-Ed 1903–1928*. A. a. O., S. 186.

35 Thomas Mann: *Reden und Aufsätze 1*. A. a. O., S. 873.

36 *Thomas Mann an Ernst Bertram*. A. a. O., S. 172.

37 Thomas Mann: *Briefe 1889–1936*. Herausgegeben von Erika Mann. S. Fischer Verlag, Frankfurt/M. 1961, S. 323.

38 Thomas Mann: *Briefe 1948–1955 und Nachlese*. A. a. O., S. 153.

39 Paul Scherrer/Hans Wysling: *Quellenkritische Studien zum Werk Thomas Manns*. Francke Verlag, Bern 1967, S. 171.

40 Johann Wolfgang Goethe: *Gedenkausgabe der Werke, Briefe und Gespräche*. Herausgegeben von Ernst Beutler (Artemis-Gedenkausgabe). Band 10: *Aus meinem Leben – Dichtung und Wahrheit*. Artemis Verlag, Zürich, dritte Auflage 1977, S. 649.

41 Thomas Mann: *Reden und Aufsätze 1*. A. a. O., S. 295.

42 *Thomas Mann an Ernst Bertram*. A. a. O., S. 92.

43 Thomas Mann: *Reden und Aufsätze 1*. A. a. O., S. 363 und 368.

44 Ebenda, S. 256–258.

45 Ebenda, S. 273 f.

274   *Anhang*

46 Die noch unveröffentlichten Tagebücher Thomas Manns – es
   sind Eintragungen vom 3., 8., 9. und 11. Juli 1950 – werden
   hier mit freundlicher Genehmigung des S. Fischer Verlags,
   Frankfurt/M., zitiert.
47 Thomas Mann: *Reden und Aufsätze 1.* A. a. O., S. 783, 785,
   788 und 791 f.
48 Thomas Mann: *Nachträge.* A. a. O., S. 246 f.
49 Ebenda, S. 356.
50 Thomas Mann: *Tagebücher 1944–1946.* Herausgegeben von
   Inge Jens. S. Fischer Verlag, Frankfurt/M. 1986.
51 Heinrich Mann: *Ein Zeitalter wird besichtigt.* Claassen Verlag, Düsseldorf 1985, S. 207.
52 Die Äußerung findet sich im Brief an Carl Friedrich Zelter
   vom 1. November 1829. In: *Goethes Briefe.* Textkritisch
   durchgesehen und mit Anmerkungen versehen von Karl
   Robert Mandelkow. Band IV. Christian Wegner Verlag,
   Hamburg 1967, S. 349.
53 Thomas Mann: *Reden und Aufsätze 4.* A. a. O., S. 947.
54 Thomas Mann: *Briefe 1937–1947.* Herausgegeben von Erika
   Mann. S. Fischer Verlag, Frankfurt/M. 1953, S. 421.
55 Thomas Mann: *Reden und Aufsätze 3.* (Gesammelte Werke in
   dreizehn Bänden, Band XI.) A. a. O., S. 1136–1146.
56 Thomas Mann: *Reden und Aufsätze 4.* A. a. O., S. 949.
57 Ebenda, S. 959.
58 Ebenda, S. 957.
59 Martin Walser: *Selbstbewußtsein und Ironie.* Frankfurter
   Vorlesungen. Suhrkamp Verlag, Frankfurt/M. 1981 (Edition
   Suhrkamp, NF Band 90), S. 82–108.
60 Paul Scherrer/Hans Wysling: *Quellenkritische Studienzum
   Werk Thomas Manns.* A. a. O., S. 225.
61 Hermann Kurzke: *Thomas Mann. Epoche – Werk – Wirkung.*
   Verlag C. H. Beck, München 1985, S. 100.
62 Thomas Mann: *Briefe 1889–1936.* A. a. O., S. 61.
63 Max Brod: *Über Franz Kafka.* Fischer Taschenbuchverlag,
   Frankfurt/M. 1974, S. 46.
64 Franz Kafka: *Briefe 1902–1924.* (Gesammelte Werke. Herausgegeben von Max Brod). S. Fischer Verlag, Frankfurt/M.
   1966, S. 31 und 182.
65 Heinz Politzer: *Franz Kafka, der Künstler.* S. Fischer Verlag,
   Frankfurt/M. 1965, S. 435 und 453.
66 Arthur Schnitzler: *Tagebuch 1913–1916.* Verlag der Österreichischen Akademie der Wissenschaften, Wien 1983, S. 159.

67 Georg Lukács: *Thomas Mann*. Aufbau-Verlag, Berlin (Ost) 1957, S. 5 f.

68 *Die Sprache der Empfindung*. Ein Gespräch mit der Schriftstellerin Nathalie Sarraute. »Süddeutsche Zeitung« vom 26. Februar 1986.

69 Czeslaw Milosz: *A Poet Between East and West*. In: »Michigan Quarterly Review« 16 (1977), S. 263–271.

70 Günter de Bruyn: *Lesefreuden*. Über Bücher und Menschen. S. Fischer Verlag, Frankfurt/M. 1986, S. 302.

71 Robert Prutz: *Schriften zur Literatur und Politik*. Herausgegeben von Bernd Hüppauf. Max Niemeyer Verlag, Tübingen 1973, S. 22.

72 Hermann Hesse: *Gesammelte Werke*. Zwölfter Band: *Schriften zur Literatur 2*. Ausgewählt und zusammengestellt von Volker Michels. Suhrkamp Verlag, Frankfurt/M. 1970, S. 439.

73 Hermann Hesse – Thomas Mann: *Briefwechsel*. Herausgegeben von Anni Carlsson. Suhrkamp Verlag, Frankfurt/M. 1968, S. 6.

74 Thomas Mann: *Reden und Aufsätze 4*. A. a. O., S. 92.

75 Ebenda, S. 90.

76 Helmut Koopmann: *Hanno Buddenbrook, Tonio Kröger und Tadzio: Anfang und Begründung des Mythos im Werk Thomas Manns*. In: Rudolf Wolff (Hrsg.), *Thomas Mann – Erzählungen und Novellen*. Bouvier Verlag Herbert Grundmann, Bonn 1984 (Sammlung Profile, Band 8), S. 86.

77 Thomas Mann: *Tagebücher 1918–1921*. Herausgegeben von Peter de Mendelssohn. S. Fischer Verlag, Frankfurt/M. 1979, S. 303.

78 Thomas Mann: *Briefe 1889–1936*. A. a. O., S. 206.

79 Günter de Bruyn: *Lesefreuden*. A. a. O., S. 301.

HEINRICH MANN

Unveröffentlicht. Teilabdruck in der F.A.Z. vom 15. August 1987.

1 Heinrich Mann: *Essays*. Erster Band. (Ausgewählte Werke in Einzelausgaben, Band XI.) Herausgegeben im Auftrag der Deutschen Akademie der Künste zu Berlin von Prof. Dr. Alfred Kantorowicz. Aufbau-Verlag, Berlin 1954, S. 37.

2 Heinrich Mann: *Ein Zeitalter wird besichtigt*. Claassen Verlag, Düsseldorf 1985, S. 300.

3 Robert Musil: *Briefe 1901–1942*. Herausgegeben von Adolf Frisé. Rowohlt Verlag, Reinbek bei Hamburg 1981, S. 506.

4 Thomas Mann: *Reden und Aufsätze 2*. A. a. O., S. 306–315.

5 Gottfried Benn: *Reden und Vorträge*. (Gesammelte Werke in acht Bänden, Band 4.) Herausgegeben von Dieter Wellershoff. Limes Verlag, Wiesbaden 1968, S. 980 ff.

6 Ebenda, S. 976 f. und 980.

7 Gottfried Benn: *Autobiographische Schriften*. (Gesammelte Werke in acht Bänden, Band 8.) Herausgegeben von Dieter Wellershoff. Limes Verlag, Wiesbaden 1968, S. 2180.

8 Robert Musil: *Tagebücher*. Herausgegeben von Adolf Frisé. Rowohlt Verlag, Reinbek bei Hamburg 1976, S. 677.

9 Hugo von Hofmannsthal/Willy Haas: *Ein Briefwechsel*. Propyläen Verlag, Berlin 1968, S. 72.

10 *Akzente*. Zeitschrift für Literatur. Heft 5 (1969), S. 403–407.

11 Jean Améry: *Leiden und Größe Heinrich Manns*. Neue Rundschau 1971, S. 435.

12 Ebenda, S. 438.

13 Jean Améry: *Der arme Heinrich*. Über Heinrich Manns Autobiographie *Ein Zeitalter wird besichtigt*. In: »Frankfurter Rundschau« vom 15. März 1975.

14 Jean Améry: *Niemandem war er untertan*. Zum hundertsten Geburtstag von Heinrich Mann. In: »Die Zeit« vom 26. März 1971.

15 Heinrich Mann: *Ein Zeitalter wird besichtigt*. A. a. O., S. 175 f.

16 Heinrich Mann: *Briefe an Karl Lemke und Klaus Pinkus*, Claassen Verlag, Hamburg o. J., S. 44.

17 Heinrich Mann: *Ein Zeitalter wird besichtigt*. A. a. O., S. 174.

18 Heinrich Mann: *Briefe an Karl Lemke und Klaus Pinkus*. A. a. O., S. 55.

19 Der Werbetext ist zu finden in: *Heinrich Mann 1871–1950*. Werk und Leben in Dokumenten und Bildern. Mit unveröffentlichten Manuskripten und Briefen aus dem Nachlaß. Herausgegeben von Sigrid Anger. Aufbau-Verlag, Berlin und Weimar. 2. Auflage 1977, S. 94 f.

20 René Schickele: *Werke in drei Bänden*. Dritter Band. Herausgegeben von Hermann Kesten unter Mitarbeit von Anna Schickele. Verlag Kiepenheuer & Witsch, Köln-Berlin 1959, S. 916.

21 Klabund: *Literaturgeschichte*. Die deutsche Dichtung und die fremde Dichtung von den Anfängen bis zur Gegenwart. Herausgegeben von Ludwig Goldscheider. Phaidon-Verlag, Wien 1929, S. 369.

22 *Heinrich Mann 1871–1950.* A. a. O., S. 96.

23 Ebenda, S. 106 f.

24 Hans J. Fröhlich: *Das ist nicht Heinrich Mann.* In: »Frankfurter Allgemeine Zeitung« vom 27. November 1975.

25 Heinrich Mann: *Briefe an Ludwig Ewers 1889–1913.* Herausgegeben von Ulrich Dietzel und Rosemarie Eggert. Aufbau-Verlag, Berlin und Weimar 1980, S. 408.

26 Heinrich Mann: *Die Jagd nach Liebe.* Roman. Mit einem Nachwort von Alfred Kantorowicz und einem Materialienanhang zusammengestellt von Peter-Paul Schneider. (Studienausgabe in Einzelbänden.) Fischer Taschenbuch Verlag, Frankfurt am Main 1987, S. 487.

27 Ebenda, S. 488 f.

28 Thomas Manns Brief vom 5. Dezember 1903 wird im vorliegenden Buch auf den Seiten 113–116 zitiert und kommentiert.

29 Vgl. Wolfdietrich Rasch: *Die literarische Décadence um 1900.* Verlag C. H. Beck, München 1986, S. 210–223.

30 Heinrich Mann: *Zwischen den Rassen.* Roman. Mit einem Nachwort von Elke Emrich und einem Materialienanhang, zusammengestellt von Peter-Paul Schneider. (Studienausgabe in Einzelbänden. Herausgegeben von Peter-Paul Schneider.) Fischer Taschenbuch Verlag, Frankfurt am Main 1987.

31 Ebenda, S. 466 und 468.

32 Heinrich Mann: *Essays.* Erster Band. A. a. O., S. 36.

33 Joachim Fest: *Die unwissenden Magier.* Über Thomas und Heinrich Mann. Wolf Jobst Siedler Verlag, Berlin 1985, S. 97.

34 Arthur Schnitzler: *Briefe 1913–1931.* Herausgegeben von Peter Michael Braunwarth, Richard Miklin, Susanne Pertlik und Heinrich Schnitzler. S. Fischer Verlag, Frankfurt am Main 1984, S. 169.

35 Arthur Schnitzler: *Tagebuch 1917–1919.* Verlag der Österreichischen Akademie der Wissenschaften, Wien 1985, S. 212.

36 Hugo Dittberner: *Heinrich Mann.* Eine kritische Einführung in die Forschung. Athenäum Verlag, Frankfurt am Main 1974, S. 135.

37 Hermann Hesse: *Gesammelte Werke.* Zwölfter Band. A. a. O., S. 420.

38 *Heinrich Mann 1871–1950.* A. a. O., S. 107.

39 Thomas Mann/Heinrich Mann: *Briefwechsel 1900–1949.* A. a. O., S. 101.

40 *Heinrich Mann 1871–1950.* A. a. O., S. 112.

41 Ebenda, S. 118.

42 *Die kleine Stadt.* Roman. Mit einem Nachwort von Helmut Koopmann und einem Materialienanhang zusammengestellt von Peter-Paul Schneider. (Studienausgabe in Einzelbänden. Herausgegeben von Peter-Paul Schneider.) Fischer Taschenbuch Verlag, Frankfurt am Main 1987.

43 Siegfried Lenz: *Das Hohelied der Demokratie.* In: F.A.Z. vom 8. Juli 1983.

44 Kurt Tucholsky: *Gesammelte Werke.* Herausgegeben von Mary Gerold-Tucholsky und Fritz J. Raddatz. Band I: 1907–1924. Rowohlt Verlag, Reinbek bei Hamburg 1960, S. 682.

45 Ebenda, S. 387.

46 Robert Musil: *Prosa und Stücke – Kleine Prosa, Aphorismen – Autobiographisches – Essays und Reden – Kritik.* (Gesammelte Werke, Band II.) Herausgegeben von Adolf Frisé. Rowohlt Verlag, Reinbek bei Hamburg 1978, S. 877.

47 August Wilhelm Schlegel: *Sprache und Poetik.* (Kritische Schriften und Briefe, Band 1.) Herausgegeben von Edgar Lohner. W. Kohlhammer Verlag, Stuttgart 1962, S. 14.

48 Heinrich Mann: *Essays.* Erster Band. A. a. O., S. 20.

49 Ebenda, S. 33.

50 Ebenda, S. 9–13.

51 Ebenda, S. 15.

52 Ebenda, S. 170, 197 f., 200 und 206.

53 Golo Mann: *Zeiten und Figuren.* Schriften aus vier Jahrzehnten. Fischer Taschenbuch Verlag, Frankfurt am Main 1979, S. 325.

54 Jean Améry: *Leiden und Größe Heinrich Manns.* A. a. O., S. 441, und *Niemandem war er untertan.* A. a. O.

55 Heinrich Mann: *Essays.* Zweiter Band. (Ausgewählte Werke in Einzelausgaben, Band XII.) Herausgegeben im Auftrag der Deutschen Akademie der Künste zu Berlin von Prof. Dr. Alfred Kantorowicz. Aufbau-Verlag, Berlin 1956, S. 24.

56 Ebenda, S. 26.

57 Heinrich Mann: *Essays.* Erster Band. A. a. O., S. 312.

58 Ludwig Marcuse: *Essays – Porträts – Polemiken.* Ausgewählt aus vier Jahrzehnten von Harold von Hofe. Diogenes Verlag, Zürich 1979, S. 252.

59 Arthur Schnitzler: *Tagebuch 1917–1919*. A. a. O., S. 80.

60 *Heinrich Mann 1871–1950*. A. a. O., S. 213.

61 Hans J. Fröhlich: *Das ist nicht Heinrich Mann*. A. a. O.

62 Der Brief an Félix Bertraux vom 20. März 1928 ist zitiert in der »Nachbemerkung« zu: Heinrich Mann, *Mutter Marie – Die große Sache*. Zwei Romane. Claassen Verlag, Düsseldorf 1986, S. 457.

63 Der zuerst in der »Vossischen Zeitung« vom 15. Oktober 1930 gedruckte Artikel »Mein Roman« findet sich jetzt im Anhang der Neuausgabe von Heinrich Mann: *Mutter Marie – Die große Sache*. A. a. O., S. 469–474.

64 Thomas Mann: *Reden und Aufsätze 2*. (Gesammelte Werke in dreizehn Bänden, Band X.) A. a. O., S. 741.

65 Bertolt Brecht: *Arbeitsjournal*. Erster Band 1938 bis 1942. Herausgegeben von Werner Hecht. Suhrkamp Verlag, Frankfurt am Main 1973, S. 25.

66 Alfred Polgar: *Kleine Schriften*. Band 5: *Theater I*. Herausgegeben von Marcel Reich-Ranicki in Zusammenarbeit mit Ulrich Weinzierl. Rowohlt Verlag, Reinbek bei Hamburg 1985, S. 217.

67 Heinrich Mann: *Ein Zeitalter wird besichtigt*. A. a. O., S. 147.

68 André Banuls: *Heinrich Mann*. Verlag W. Kohlhammer, Stuttgart 1970, S. 170.

69 Georg Lukács: *Der historische Roman*. Aufbau-Verlag, Berlin 1955, S. 351.

70 Ludwig Marcuse: *Essays – Porträts – Polemiken*. A. a. O., S. 251.

71 Heinrich Mann: *Essays*. Erster Band. A. a. O., S. 33.

32 Ebenda, S. 76.

73 Ludwig Marcuse: *Essays – Porträts – Polemiken*. A. a. O., S. 253.

74 Heinrich Mann: *Essays*. Dritter Band. (Ausgewählte Werke in Einzelausgaben, Band XIII.) Herausgegeben von der Deutschen Akademie der Künste zu Berlin. Besorgt von Prof. Dr. Heinz Kamnitzer. Aufbau-Verlag, Berlin 1962. S. 64 f.

75 Heinrich Mann: *Lidice*. Roman. Mit einer Nachbemerkung von Sigrid Anger. Claassen Verlag, Düsseldorf 1985.

76 Heinrich Mann: *Briefe an Karl Lemke und Klaus Pinkus*. A. a. O., S. 105.

77 Ebenda, S. 105.

78 Heinrich Mann in einem Brief an Carl Rössler vom 8. 8. 1942.
    Zitiert in der »Nachbemerkung« zu *Lidice*. A. a. O., S. 299.
79 Ebenda, S. 308.
80 Thomas Mann: *Tagebücher 1944–1946*. A. a. O., S. 55.
81 Gottfried Benn: *Briefe an F. W. Oelze 1945–1949*. (Gottfried
    Benn: Briefe. Zweiter Band. Erster Teil. Herausgegeben von
    Harald Steinhagen und Jürgen Schröder.) Limes Verlag, Wies-
    baden/München 1979, S. 105.
82 Heinrich Mann: *Ein Zeitalter wird besichtigt*. A. a. O., S. 36.
83 Ebenda, S. 208.
84 Ebenda, S. 24 f.
85 Ebenda, S. 52, 77 und 107.
86 Golo Mann: *Zeiten und Figuren*. A. a. O., S. 327 f.
87 *Heinrich Mann*. Sonderband aus der Reihe Text + Kritik.
    Herausgegeben von Heinz Ludwig Arnold. Richard Boor-
    berg Verlag, Stuttgart, München, Hannover 1971, S. 33.
88 Heinrich Mann: *Briefe an Karl Lemke und Klaus Pinkus*.
    A. a. O., S. 55
89 Ebenda, S. 90 f.
90 Manfred Bieler: *Dampfheizung mit Blut*. In: F.A.Z. vom
    18. April 1984.

THOMAS MANN UND HEINRICH MANN
Der Aufsatz erschien zuerst in der »Frankfurter Allgemeinen Zeitung« vom 2. April 1985.
 1 Thomas Mann/Heinrich Mann: *Briefwechsel 1900–1949*.
    A. a. O.
 2 Thomas Mann: *Reden und Aufsätze 3*. A. a. O., S. 114.
 3 Thomas Manns Notiz *Anti-Heinrich* ist zu finden in: Peter
    de Mendelssohn, *Der Zauberer. Das Leben des deutschen
    Schriftstellers Thomas Manns*. Erster Teil 1875–1918. S.
    Fischer Verlag, Frankfurt/M. 1975, S. 650 f.
 4 Die Notizen und Entwürfe zu den *Geliebten* sind zu finden
    in: Paul Scherrer/Hans Wysling, *Quellenkritische Studien
    zum Werk Thomas Manns*. A. a. O., S. 23–47.
 5 Thomas Mann: *Reden und Aufsätze 3*. A. a. O., S. 717.
 6 Thomas Mann/Heinrich Mann: *Briefwechsel 1900–1949*.
    A. a. O., S. 48.
 7 Heinrich Mann: *Ein Zeitalter wird besichtigt*. A. a. O., S. 224.
 8 Thomas Mann: *Nachträge*. A. a. O., S. 531 und 533.
 9 Thomas Mann: *Briefe 1889–1936*. A. a. O., S. 291, und Her-
    mann Hesse/Thomas Mann: *Briefwechsel*. A. a. O., S. 123 f.

10 Hans Mayer: *Thomas Mann*. Suhrkamp Verlag, Frankfurt/M.
   1980, S. 479.
11 Golo Mann: *Zeiten und Figuren*. A. a. O., S. 329.
12 *Thomas Mann an Ernst Bertram*. A. a. O., S. 28.
13 Hermann Kesten: *Der Geist der Unruhe*. Literarische Streif-
   züge. Verlag Kiepenheuer & Witsch, Köln 1959, S. 324.
14 Thomas Mann: *Reden und Aufsätze 2*. A. a. O., S. 209.
15 Heinrich Mann: *Ein Zeitalter wird besichtigt*. A. a. O., S. 453
   und 461.
16 Golo Mann: *Zeiten und Figuren*. A. a. O.. s. 322.

ERIKA MANN
Der Aufsatz erschien zuerst in der »Frankfurter Allgemeinen Zeitung« vom 18. Januar 1986.
 1 Erika Mann: *Briefe und Antworten*. Band I: *1922–1950*, Band
   II: *1951–1969*. Herausgegeben von Anna Zanco Prestel. Edition Spangenberg im Ellermann Verlag, München 1984 und
   1985.
 2 Golo Mann: *Erinnerungen an meinen Bruder Klaus*. In:
   Klaus Mann, *Briefe und Antworten*, Band II, S. 323 (siehe
   Anmerkung 9 zu Klaus Mann).
 3 »Neue Zürcher Zeitung« vom 12. September 1985.

KLAUS MANN
Die Kritik des Romans *Mephisto* war zuerst in »Die Zeit« vom 18. 2.
1966 gedruckt. Der Aufsatz aus Anlaß der Briefausgabe (»Schwermut
und Schminke«) erschien in stark gekürzter Fassung zunächst in der
»Frankfurter Allgemeinen Zeitung« vom 13. 3. 1976.
 1 Klaus Mann: *Mephisto*. Roman einer Karriere. Nymphenburger Verlagshandlung, München 1965.
 2 Klaus Mann: *Der Wendepunkt*. Ein Lebensbericht. G. B.
   Fischer & Co. Verlags- und Vertriebsgesellschaft, Berlin
   1960, S. 334 f.
 3 Ebenda, S. 162.
 4 Thomas Mann: *Briefe 1948–1955 und Nachlese*. A. a. O., S. 91 f.
 5 Thomas Mann: *Reden und Aufsätze 3*. A. a. O., S. 510–514.
 6 Friedrich Sieburgs aus dem Jahre 1952 stammender Aufsatz
   über den *Wendepunkt* ist enthalten in: F. S., *Nur für Leser*.
   Jahre und Bücher. Deutsche Verlags-Anstalt, Stuttgart 1955,
   S. 211–216.
 7 Hans Mayer: *Außenseiter*. Suhrkamp Verlag, Frankfurt/M.
   1975, S. 283.

8 Die Studie findet sich jetzt in: Klaus Mann, *Heute und Morgen*. Schriften zur Zeit. Herausgegeben von Martin Gregor-Dellin. Nymphenburger Verlagshandlung, München 1969, S. 317–338.

9 Klaus Mann: *Briefe und Antworten*. Band I: *1922–1937*. Band II: *1937–1949*. Herausgegeben von Martin Gregor-Dellin. Golo Mann: *Erinnerungen an meinen Bruder Klaus*. Edition Spangenberg im Ellermann Verlag, München 1975.

10 Jetzt in *Heute und Morgen*. A. a. O., S. 26–29.

11 Klaus Mann: *Prüfungen*. A. a. O., S. 360.

12 Ebenda, S. 356.

13 Klaus Mann: *Der Wendepunkt*. A. a. O., S. 147.

14 Kurt Tucholsky: *Gesammelte Werke*. Band II. A. a. O., S. 1059.

15 Klaus Mann: *Der Wendepunkt*. A. a. O., S. 170 f.

16 Klaus Mann: *Kind dieser Zeit*. Mit einem Nachwort von William L. Shirer. Nymphenburger Verlagshandlung, München 1965, S. 220 f.

17 Kurt Tucholsky: *Gesammelte Werke*. Band III. A. a. O., S. 41.

18 Siehe Anmerkung 15.

19 Klaus Mann: *Der Wendepunkt*. A. a. O., S. 162.

20 Klaus Manns Aufsätze über Jünger und Benn sind zu finden in: K. M., *Prüfungen*. A. a. O., S. 157–161 und 171–175.

GOLO MANN

Der Aufsatz erschien zuerst in der »Frankfurter Allgemeinen Zeitung« vom 30. September 1986.

1 Golo Mann: *Erinnerungen und Gedanken. Eine Jugend in Deutschland*. S. Fischer Verlag, Frankfurt/M. 1986.

2 Golo Mann: *Deutsche Geschichte des 19. und 20. Jahrhunderts*. 17. Auflage der Sonderausgabe. S. Fischer Verlag, Frankfurt/M. 1963, S. 722.

3 Auszüge aus den Tagebüchern Katia Manns sind zu finden in: Golo Mann, *Erinnerungen und Gedanken*. A. a. O., S. 10–18.

4 *Indiskrete Antworten. Der Fragebogen des F.A.Z.-Magazins*. Herausgegeben von Geort Hensel und Volker Hage. Deutsche Verlags-Anstalt, Stuttgart 1985, S. 109.

5 Heinrich Heine: *Sämtliche Schriften*. Herausgegeben von Klaus Briegleb. Sechster Band, erster Teilband. Carl Hanser Verlag, München 1975, S. 447.

6 Golo Mann: *Geschichte und Geschichten*. S. Fischer Verlag, Frankfurt/M. 1961, S. 90.
7 »Buchjournal« 3/86.
8 Golo Mann: *Zeiten und Figuren*. Schriften aus vier Jahrzehnten. Fischer Taschenbuch Verlag, Frankfurt/M. 1979, S. 79 f.
9 Ebenda, S. 365.
10 Golo Mann: *Geschichte und Geschichten*. A. a. O., S. 82 ff.
11 Hans-Martin Gauger: *Zum Stil Golo Manns*. In: *Was die Wirklichkeit lehrt*. Golo Mann zum 70. Geburtstag. Herausgegeben von Hartmut von Hentig und August Nitschke. S. Fischer Verlag, Frankfurt/M. 1979, S. 342.
12 Golo Mann: *Zwölf Versuche*. S. Fischer Verlag, Frankfurt/M. 1973, S. 292.

KATIA MANN, GEBORENE PRINGSHEIM
Dem Aufsatz liegen zwei Artikel zugrunde, die in der »Frankfurter Allgemeinen Zeitung« gedruckt wurden, und zwar am 19. September 1974 (»Frau Thomas Mann erinnert sich«) und am 29. April 1980 (»Noch einmal: die Erwählte«).

1 Thomas Mann: *Reden und Aufsätze 3*. A. a. O., S. 524.
2 Alle in diesem Aufsatz zitierten Äußerungen Katia Manns stammen aus dem Buch: Katia Mann, *Meine ungeschriebenen Memoiren*. Herausgegeben von Elisabeth Plessen und Michael Mann. S. Fischer Verlag, Frankfurt/M. 1974.
3 Thomas Mann: *Briefe 1889–1936*. A. a. O., S. 51.
4 Zitiert nach: Peter de Mendelssohn, *Der Zauberer*. A. a. O., S. 1157.
5 Thomas Mann: *Reden und Aufsätze 3*. A. a. O., S. 526.

SPIEGELUNGEN
Die Interpretation »Der Ungeliebte« wurde geschrieben für: *Hans Mayer zum 60. Geburtstag*. Eine Festschrift. Herausgegeben von Walter Jens und Fritz J. Raddatz, Rowohlt Verlag, Reinbek bei Hamburg 1967, S. 61–69. Dort schloß sich noch folgender Absatz an:
»Als ich zum erstenmal mit Hans Mayer sprach – es war ein Telefongespräch, Anfang Juni 1956 in Leipzig –, wollte ich ihm unbedingt etwas mitteilen, aber er unterbrach mich sofort und ließ mich nicht mehr zu Worte kommen. Inzwischen haben wir unzählige Male miteinander geredet, diskutiert und gestritten – mit und ohne Publikum, Mikrophon, Fernsehkamera. Doch ist es mir merkwürdigerweise nie gelungen, das 1956 in Leipzig Versäumte nachzuholen. Indes besteht heute noch ungleich mehr Grund, Hans Mayer zu sagen, was ich ihm damals sagen wollte. Daß ich nämlich von ihm

außerordentlich viel gelernt habe. Und daß ich ihm dafür sehr dankbar bin.«

Die Kritik des Buches *Der Zauberer* von Peter de Mendelssohn (*Die Stimme seines Herrn*) erschien zuerst in der »Frankfurter Allgemeinen Zeitung« vom 19. Juli 1975. – Bei dem letzten Beitrag handelt es sich um das (hier in gekürzter Fassung gedruckte) Vorwort zu dem Buch: *Was halten Sie von Thomas Mann?* Achtzehn Autoren antworten. Herausgegeben und mit einem Vorwort versehen von Marcel Reich-Ranicki. Fischer Taschenbuch Verlag, Frankfurt/M. 1986.

1 Thomas Mann: *Briefe 1948–1955 und Nachlese.* A. a. O., S. 151–154.

2 Ebenda, S. 158/159.

3 Theodor W. Adorno: *Noten zur Literatur III.* Suhrkamp Verlag, Frankfurt/M. 1965, S. 27.

4 Vgl. Hans Mayer: *Zur deutschen Literatur der Zeit.* Rowohlt Verlag, Reinbek bei Hamburg 1967, S. 63 f.

5 Hans Mayer: *Thomas Mann. Werk und Entwicklung.* Verlag Volk und Welt, Berlin (Ost) 1950, S. 163–182.

6 Theodor Fontane: *Sämtliche Werke.* Herausgegeben von Walter Keitel. Abt. III: *Aufsätze, Kritiken, Erinnerungen*, Band 2: *Theaterkritiken.* Herausgegeben von Siegmar Gerndt. Carl Hanser Verlag, München 1969, S. 874.

7 Die Formulierung stammt aus einem Aufsatz, betitelt *Werthers Leiden.* Zu finden in: Theodor Fontane, *Sämtliche Werke.* Abt. III, Band 1: *Aufsätze und Aufzeichnungen.* Herausgegeben von Jürgen Kolbe. A. a. O., S. 864.

8 Thomas Manns Brief an Carl Helbling vom 14. Mai 1921 erschien in der »Neuen Zürcher Zeitung« vom 31. Mai 1975.

9 Golo Mann: *Zwölf Versuche.* A. a. O., S. 21.

10 »Neue Zürcher Zeitung« vom 31. Mai 1975.

11 Golo Mann: *Zwölf Versuche.* A. a. O., S. 23.

12 Peter Wapnewskis Kritik der Monographie *Der Zauberer* wurde im »Spiegel« vom 26. Mai 1975 gedruckt.

13 Willy Haas: *Die literarische Welt.* Lebenserinnerungen. Fischer Taschenbuch Verlag, Frankfurt/M. 1973, S. 167–171.

14 Clemens Brentano: *Werke.* Herausgegeben von Friedhelm Kemp. Zweiter Band. Carl Hanser Verlag, München 1963, S. 1108 f.

15 Die Ergebnisse der Umfrage, an der sich 36 deutsche Schriftsteller beteiligt haben, sind in dem Thomas Mann gewidmeten Sonderband der von Heinz Ludwig Arnold herausgegebenen Reihe text + kritik (edition text + kritik, München 1976) zu finden.

Personenregister